S0-CAU-936

辛夷坞
蚀心者

凤凰出版传媒集团
江苏文艺出版社
JIANGSU LITERATURE AND ART
PUBLISHING HOUSE

图书在版编目（CIP）数据

蚀心者 / 辛夷坞著. — 南京 : 江苏文艺出版社, 2012.11

ISBN 978-7-5399-5774-6

Ⅰ. ①蚀… Ⅱ. ①辛… Ⅲ. ①长篇小说 - 中国 - 当代 Ⅳ. ①I247.5

中国版本图书馆CIP数据核字（2012）第275669号

书　　名　蚀心者

作　　者　辛夷坞
出版统筹　黄小初　李国靖
选题策划　李国靖
责任编辑　胡小河　姚　莉
特约编辑　张　昕
责任监制　刘　巍　江伟明
出版发行　凤凰出版传媒集团
　　　　　凤凰出版传媒股份有限公司
　　　　　江苏文艺出版社
集团地址　南京市湖南路1号A楼，邮编：210009
集团网址　http://www.ppm.cn
出版社地址　南京市中央路165号，邮编：210009
出版社网址　http://www. jswenyi.com
经　　销　江苏省新华发行集团有限公司
印　　刷　三河市兴达印务有限公司
开　　本　710mm × 980mm　1/16
字　　数　295 千字
印　　张　19
版　　次　2013年1月第1版　2013年1月第1次印刷
标准书号　ISBN 978-7-5399-5774-6
定　　价　29.80元

影视版权抢订热线　13911704013

江苏文艺版图书凡印刷、装订错误可随时向承印厂调换

目录 CONTENTS

蚀心者

序

好的写作是一场抵达

当我提笔写这篇序言的时候，忽然想起四年前的一个夜晚，在北京一个临时找来的小屋里，那时我怀着完成任务的心态，半是不屑半是应付地拿起一本据说很有名的网络小说准备阅读，因为第二天我要在刚入职的新公司讨论它下一步的营销方案。而之前，我一直自足地做着一份全国知名报纸的执行主编，自以为还是一个有所坚持和追求的文学青年。譬如，从来不看网络小说。

然后，我内心的轻视被完全击溃。凌晨两点，我哭得稀里哗啦，像一个失恋患者。

那本书的名字叫《致我们终将逝去的青春》。

现在，众所周知，这本书已经被拍成电影，并且成为影星赵薇的导演处女秀。但很少有人知道，赵薇当时也很纠结，因为之前她已经拒绝了很多找上来的项目，有内地的、台湾的，有传统文学的甚至先锋文学的。虽然她自己也被这部小说感动，但多少有点不确定，一部这么年轻化且架构、故事并没有那么复杂的网络小说是否能够撑起一部电影，达到她想要的重量。于是，她给身边的很多优秀编剧朋友送了这本书，听他们的意见，最后，实在忍不住了，也送了李樯一本。

她已经做好了马上被嘲笑的准备。

结果，这个因为《孔雀》、《立春》、《姨妈的后现代生活》而扬名国际的知名编剧，大半夜也哭得稀里哗啦。并立即给赵薇打电话，说你一定要拍这部电影。

李樯后来跟我在电话里说，赵薇觉得他一定看不上这种小说，但没想到看完了他比谁都感动。

好的创作是一种抵达。

可以花哨，也可以朴素；可以很技巧，也可以很笨拙；可以玩深度，也可以很简单。随便一个写作者怎么去包装他的作品，但好的小说，就是能够不失准头地，穿过那些形式的森林，抵达你的内心。

对应辛夷坞各个时期的作品，你尤其能够理解这一点。

《致我们终将逝去的青春》描写当下年轻人真实的大学生活及爱情，稍显青涩但足够真诚；《原来》将一对恋人的爱情写出了变奏曲一样的层次感，故事简单但铺陈细腻动人；《山月不知心底事》开始变得荡气回肠，将一个被生存、欲望和爱情裹挟的女强人的前半生描摹得惊心动魄；《许我向你看》则到达了一种结构的极致，错综复杂的人物关系里，几条爱情线却穿插得舒缓有致、脉络清晰；《浮世浮城》，作者小小地颠覆了一下，开始将笔触攀爬进更为现实或冰冷的围城，以期待制造出一些心酸的浪漫——无论辛夷坞怎么挑战自己的写作难度，或变换她的写作手法，小说里展现的人性和情感总是充沛的，充沛到足以让你和小说里的任何一个你喜欢的人物神交而永不担心缺乏共同语言。很多时候，你甚至会有种错觉，你也是小说里的一个人物。只不过是隐形的。

然后在《蚀心者》里，作者来了一个所有人意料不到的大爆发，和之前的作品都不一样，又似乎都有一点点它们的影子。这个酝酿五年的风格大作，像一个历练多年终脱胎换骨的 OfficeLady，举手投足都充满着干练和自信！

辛夷坞说，这是我目前为止写得最好的一部小说，没有之一。

交稿的时候，我第一次听她亲口这么讲，心里小惊了一下，觉得这不是我认识的一贯低调谦虚的辛夷坞。后来她又很认真地说了一次。我只好推掉眼前所有的工作，立马开始阅读。当我看完全文的时候，我在感动和震撼中再次重温了一个真理：永远不要低估女人。

小说开始于一个破败的傅家园子里，这个曾经声名显赫的大家族，如今早已迁徙出故地，只剩一个七十多岁的老园丁和傅家的一个被遗弃的私生子守着曾经的记忆。几房后代里，有的繁华，有的落寞，飘散在各地，几无联系，却不曾想那点血脉最终会因为利益之争而再次“团聚”。然最终的讽刺并不针对这个豪门内斗，辛夷坞写的还是爱情，但这一次的爱情，不是我们熟悉或期待的那个面孔。至少，从发生的那一刻，就多少带了一点传奇性。这也一度令人担心共鸣性的问题，但好在之后的镜头，作者已完全擦除了家族关系带来的年代感，反而借由男女主人公的爱情挣扎让时下所有的人性现实实现了一次高技术含量的井喷。爱情，因此不再呈现出言情小说里一贯的死去活来、你侬我侬的旧模样，而更像是一次旱地里的粗野作业，不管果实是否成熟，那些绿茵茵的作物被一把生拉硬拽出来，带着断裂的血与土。那种悲剧效果是触目惊心的。

辛夷坞兴致勃勃地制造了这次断裂，无论是人性的还是爱情的。世界是变化的，地球也在每分每秒地自转着，凭什么一个人不会变？变是永恒的，不变是短暂的。而更为高明的是，辛夷坞并没有把这种变化当成小说高潮的开幕式，在这个小说里，她放弃了很多作家喜欢的这种突然袭击，而是让读者带着早预想到的结果去体验过程。女主在对男主产生爱的那一刹那起，她或许就已经很笃定地知道男主并不爱她。之所以还坚持走一段时间，只不过是因为有些时候，即便你的那些戏码感动不了别人，感动感动自己也是好的。至少，那能让你在这个残酷的世界里找到自己的体温。而脆弱的时候，没有人会挑剔一个可以相互取暖的物种。

这种错位感，像极了《甜蜜蜜》里的黎小军和李翘，两个明明很有感觉的人死活不敢承认爱情。很多次可以花好月圆的时候，都被心底里那个跟生活未赌完的一口气而生生扭转了剧情。电影里，李翘很理直气壮地凶对方：黎小军同志，你来香港不是为了我，我来香港也不是为了你。但观众很清楚，这话更像是说给她自己听的。

这个世界，很多人走着走着，就忘了为什么出发。这句话很令人唏嘘，也让人充满联想，其间可以填充无数的波折和故事，也因此被很多作家当做自己作品的骨架。但辛夷坞这次做了一个巧妙的推翻，她在想，如果原来开始的方向就是错误的，那么后来的错误还是错误的吗?

没有过多的纠缠，因为那不是爱情；也没有多余的细节，因为那就是人生。只要上路了，那就决绝地走下去，前方，等待你的可以是无数个开始，也可以是无数个终点。人生赋予你的过程的精彩和跌宕永远超出你的预期，也永远比一个简单的结果更为震撼心灵。

这次的阅读，不适合放舒缓的音乐，虽然是一部二十万字的长篇小说，但你绝对不要指望自己可以心平气和地甚至分好几天时光去慢慢享用它。只要打开书的第一页，你就被绑架了。不过不用担心，只是一次过山车，但绝对是速度最快的那种，快到你的尖叫还来不及发出声，你就已经平安降落了，不过给你造成的那些耳鸣，至少要绕梁三日。

那就好好回味吧。

这本书值得一读再读。

李国靖
北京儒意欣欣文化发展有限公司总经理
电影《致我们终将逝去的青春》策划人

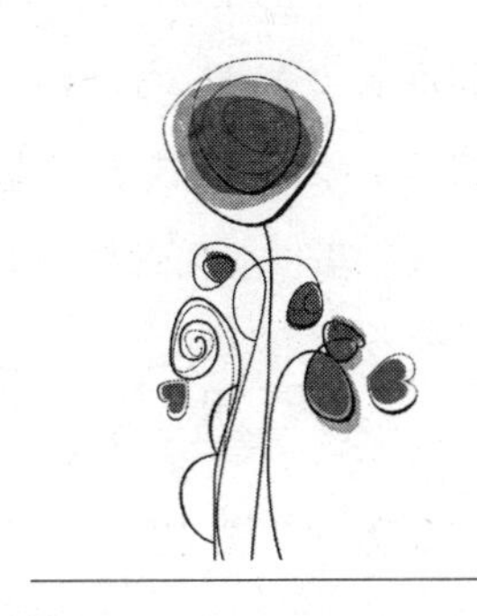

第一章

瓜荫洲之秘

瓜荫洲在方灯的印象中就像一幅老旧的苏绣，娟秀，却蒙了层光阴的灰。你觉得它应该是好的，但总是看不仔细。兴许还受了潮，闻上去湿漉漉的，但那也是别处没有的幽凉矜持的霉味。不过，一周前，这还只存在于她的想象中，她生在更南边的省份，活了十五年从未踏上过这座父辈曾生活过的小岛，就如同她从未亲眼见过苏绣，一切都来自姑姑朱颜清醒时的描述。

八个月前，姑姑死了，就剩下方灯父女俩。因为欠了钱，债主追得凶，她父亲走投无路，才带着她迁回了这里。至于钱是谁欠下的，姑姑还是父亲，方灯不知道也没有问。她已习惯了从这间平房迁徙到那间棚屋。这一次唯一的不同之处在于这里是瓜荫洲，一个她完全陌生却又能叫出许多小巷名字的地方。奔赴一个未知的前方，头一回不是“去往”，而是“归来”，方灯发现她并不讨厌这种感觉。

搬过来之前，方灯刚念完高一上学期。这一回她父亲嫌转学手续麻烦，不想让她上学。虽说上学那点儿钱他勉强还拿得出，但是他觉得学那么多知识没什么意思，那点儿钱还不如用来买酒喝。方灯也没有和他争。即使相对于所投入的时间、精力而言，她的成绩还不赖，她也从未设想过自己会有凭借苦读成为社会栋梁的一天。最后这件事还是靠了街道办和学校那边来人的游说，用了“国家鼓励女孩也要多读书”，“反正已经念了半学期，好歹拿了毕业证才不吃亏”等理由，她父亲这才点了头。这个男人的强横只会出现在酒后和女儿面前，对于大多数外人，他总是唯唯诺诺。尤其和“公家”或是“国家”的字眼沾边时，他决计不会有说半个“不”字的勇气。方灯在小屋角落看着父亲佝偻着背送走来人，觉得有些可笑。下午她自己冒着雨去办好了入学所需的手续。

瓜荫洲只有一所中学，涵盖了初中和高中，里面就读的多半是岛上居民的孩子，全校师生也不过三百余人。这学校的前身是教会创办，解放后才改为公立，至今还有一两个年老的“姐妹”尚在为食堂和图书馆服务。这些标本似的老人和散落在岛上四处的破败洋房一样，都在昭示着小岛的过去。

一个半世纪以前，瓜荫洲还是这城市边缘几个名不见经传的岛屿之一，因为岛上遍布瓜田而得名。世代居于此的人们靠海吃海，多以捕鱼为生。时值战乱，民生多艰，这里又是出海通道，岛上不少人沦为“猪仔”，被半骗半卖到异国他乡做苦工，还有一小部分人自己熬不住饥荒，漂洋过海下了南洋。这些飘零客很多都成了他乡的孤魂，落魄不得归根，可是也有不少人凭着胆大命大发了洋财。当地人脑子灵，挨得苦，而且重乡情恋故土，无论在外混得如何风生水起，都盼着老来落叶归根埋骨小岛，所以那些衣锦还乡的豪客多在岛上重新置地兴建洋房以供家人安居和自己老来归依。白花花的洋元源源不断地涌回这曾经的孤岛，渐渐地，瓜田被红瓦白墙取代，纵横阡陌的泥泞乡路铺上了青石板，曲折蜿蜒地通向掩映在繁花绿树丛中的高门大户。从那时起，瓜荫洲就是远近闻名的侨乡，城里别处的有钱人也慕此地风光来此建宅。一时间小岛富贾云集，豪商遍布，繁华笙歌整日与海风湿雾相伴……

不过，这都是很久很久以前的事了，经过了百余年变迁，先是抗战时的日军蹂躏，后有“文革”期间的动荡，那些有钱人家的后代多数外逃，留在了海外，没有迁走的人家多半也衰败了。别致堂皇的洋楼别墅人去楼空，解放后的新工业进程又带来了大量的新居民，方灯的爷爷辈据说就是那个时候移居岛上的。他们以社会主义新主人的身份住进了过去普通人只能仰望的亭台楼榭，那些花园、回廊、小楼、大院被分割成无数个逼仄的小房间，飘香的白玉兰树和森森古榕之间飘荡着晾晒的内衣裤，遥远而朦胧的精致富贵被热闹俗辣取代，只有巷子里时常被偷了配件的铜质街灯和斑驳蒙尘的大理石雕花扶栏仍固执地诉说那段过去。

方灯从来都和精美奢侈无缘。她能感觉得到，岛上每一个荒废院子的角落，每一块残破青砖缝隙中溢出来的旧日风光，都是和她的生活大大不同的，但却又很难去细细想象究竟不同在何处。可是即便她只有十五岁，也隐约知道，哪怕瓜荫洲的盛景不可能再复返，逝去的繁华就好似凋落的文明，也总有那么一种难以言喻的诱人气息，远胜过原始的贫瘠和荒芜。况且这里还有得天独厚的自然恩赐，满岛的绿荫，湿润的海风，姑姑和爸爸钟爱的偏甜家乡口味。她想不通他们当初怎么舍得离开?

正赶上雨季，淅淅沥沥的小雨这一周都没有停过。方灯从学校回来的路上忽然想，说不定自己过去对于瓜荫洲总是水汽氤氲的想象，不是因为姑姑提起往事时嘴里吐出的烟雾，也不是她沉默下来时藏在木然面孔后的忧愁，而是因为这里本来就是个难见天日的地方，不是雨就是雾，让人骨头里都阴郁了起来。

到了巷子中段的一处民房，她收了伞，钻进黑且窄的过道。门口杂货店老板的声音和过道里扑鼻的尿臊味一样阴魂不散。

“方家小妹，不叫我上去和你们家‘血脓’喝酒? ”

方灯没有应，抖了抖破伞上的雨水，噔噔地上了楼。她和父亲最新的落脚处在岛正中央的一条巷子里，确切地说是在废弃的天主教堂和圣恩孤儿院这两幢旧式建筑之间的缝隙里搭建的一处违章建筑。楼下是全岛唯一的一间杂货店，斜对面则是瓜荫洲大名鼎鼎的傅家园，位置也算得上“得天独厚”。杂货店老板用红砖砌墙，歪歪斜斜地堆砌起两层半的小楼，顶上覆盖着石棉瓦，一层是店铺和自住，楼上隔出的几个“鸽子笼”分别租给几家人。方灯和父亲就住在那半层多出的“阁楼”里。每逢外面下大雨，几乎可以触到头顶的石棉瓦就会开始滴滴答答地下小雨。

走进用布帘子隔成两半的小开间，果然不出方灯所料，她父亲方学农正躺在外面那张竹床上打瞌睡。出门前她用来接住屋顶漏雨的小塑料桶已经满满当当，不断有水从边缘溢出来，而方学农却依旧睡得安然，浑若未觉。

方灯一言不发地拎着桶走到窗边用力泼向街心。大概是门板被溅上了些水，楼下的杂货店老板咒骂了几声。就在这时，她眼尖地瞧见对面傅家园里东侧那栋房子二楼朝街心的窗口帘子动了动，里边的人或许是被她制造出的哗啦啦水声惊动，有只手微微撩开了窗帘一角，露出立在窗边人的半张面孔，帘子被重新放下来之前，原本敞开的半扇百叶窗从里面轻轻带上了。

这还是方灯住进来之后头一回觉察到对面的动静。之前几天，那扇在一条小巷和大半座花园之外的窗子始终覆盖着厚重的猩红色绒质帘子，窗里的世界就和曾经盛极一时而如今早在时光中化为传说逐渐荒废的傅家园一样神秘。不过是二三十米开外的距离，却与小巷这一端的私建小楼宛若云泥之别，哪怕这边的生活更加鲜活，更加人声鼎沸，更充满俗世中应有的气息，浑浊的、鄙俗的……活着的气息。

没错，与这一头相比，对面的傅家园死一般的沉寂。如果不是雨打在它院子里参天古榕上的窸窣声，风呜呜地穿过空荡荡的四面回廊，偶尔雨小一些的时候鸟雀翅膀拍打着攀附在小楼墙面的鸡血藤的叶子，它就像一个被冻结在时光里的巨大水晶棺材，或者是聊斋故事里一幅妖异的古画，静谧，幽凉，仿佛没有什么风霜雨露能侵蚀那帘子后的世界分毫。

这才是朱颜姑姑叙述里的那个瓜荫洲，这个蜷缩着藏身在废弃了大半的巨富庭院里的瓜荫洲之魂，和方灯、她父亲方学农、楼下的杂货店老板一家，以及如今大多数岛上的人没有任何关系。如果这帘子后坐着一个人，方灯心想，那应该就像朱颜姑姑一样，美人老去了，枯竭的皮肉中都还有令人遐想的旖旎，她端坐灯下，远处的人们在影影绰绰中揣测她昔日的荣光。

不过，这也只是方灯这个小女孩的想象，但凡她往深处探究，就会发现这想象多么牵强。傅家当年显赫一时，如今虽比不得往日，儿孙多半散布海外，但也算不上没落，至今圣恩孤儿院的一部分经济来源还来自傅家后人的捐资。富贵人家的后代是什么样的，方灯说不清，但决计不会像朱颜姑姑，要靠着“那种”营生混口饭吃。况且姑姑和她父亲方学农是一个妈生的，上辈都是苦出身，和富贵毫无半点瓜葛。这些方灯都心中有数，她只是困惑，为什么有人说……

“你再怎么折腾，这屋子也不会光鲜亮丽到长出一朵花儿。”

方学农在竹床上翻了个身，哑着嗓子嘟囔了一句，打断了方灯的想入非非。

方灯重重将塑料桶放回原地，伶牙俐齿地顶了回去："我不折腾，你身上都能长出青苔。"

方学农哼了两声，像是在笑。难得他在没有活干的下午没有喝醉。在岛上住了几天，方灯就深刻感受到她父亲不愧是从瓜荫洲走出去的人。这儿的老居民大多都还能叫出他的名字——当然，他们多半记得的是他那个并不好听的绰号"方血脓"，那一张张笑着打招呼的脸上挂着如出一辙的轻蔑。

怪不得别人看不起，方灯也知道父亲窝囊。他年轻的时候就没有正当工作，靠着做一些别人不愿意干的活计谋生。比如说，谁家孩子恶病夭折，通常就会交给方学农，只需付他几个钱，或者一些米、面也成，他就出面找地方把孩子埋了。又或者岛上有丧事，扛尸、抬棺、撒纸钱这些他都拿手。实在没有此类活干的话，替人清理便池、收收垃圾，只要能够换来足够糊口的钱他都愿意做。方学农没什么胆量，也没脾气，任谁恶言相向都笑嘻嘻的，平日里也不修边幅，有点闲钱就买酒喝，所有人都把他当做一个笑话。也不知道是哪一个促狭鬼起的头，大家就依他名字的谐音叫他"方血脓"，他也照样应着。

跟同母异父的妹妹朱颜一同在外那几年，方学农起初只打打散工。他酒喝多了，做不了纯粹的体力活，方灯记忆中的孩童时代总是饱一顿饥一顿的。后来有一天，朱颜姑姑在他们住的棚屋里扯了块旧布帘，方学农拉着小方灯在门外屋檐下坐了一下午，无论女儿问他什么他都不吱声。傍晚，方灯看到姑姑塞了几张钞票到父亲手里，她很清楚地记得那时太阳刚落山，天色有些暗，姑姑发丝凌乱，脸上却没有一丝表情。但是方学农接过钱就哭了，晚上喝酒砸碎了瓶子，一直醉到次日黄昏。再后来，他就时常从外面带回不同的男人送进姑姑的房间，然后坐在外面喝酒，再从姑姑手中接过或新或旧的钱，给他们三个买吃的。朱颜死后，方学农在外也混不下去了，就带着方灯回了瓜荫洲，打算重新操起旧营生。他时常恬不知耻地看着方灯笑，说再熬几年，闺女就可以给他养老了。

平心而论，方学农待方灯不算太差，他自己低贱到尘土里，但也有一顿没一顿地带大了唯一的女儿，并且也没怎么虐待过她，最多喝多了拿她出气，发发酒疯，扬言要把她卖了。可近几年方灯也不太怕他了，卖了她，他连饭都吃不上，醉死也没人知道。他发酒疯的时候她也不怕，不久前就有一回，他喝多了，无理取闹地支使方灯干这干那，方灯写着作业，没有理会，他无名火起，揪住女儿的头发就往墙上撞。方灯挣扎了几下，头皮疼得发麻，还是摆脱不了他，急得抬腿朝这醉鬼的肚子踹了一脚，一下就让方学农住了手，跌坐在墙角许久站不起来。第二天他酒醒了，嘟嘟囔囔揉着肚子，却也再没提昨夜的事。

方灯有时会疑惑，这世界怎么可能会有一个女人蠢到给她父亲那样的人生儿育女。但假若这个女人不存在，她又是怎么出生的呢？莫非她是抱养的孩子？可方学农养活自己尚且困难，哪里会伟大到收容一个和自己毫无瓜葛的弃婴？有一段时间，大概在上小学之后不久，方灯怀疑自己是朱颜姑姑和别人生的孩子。她甚至怯怯地管姑姑叫"妈"，姑姑从不应她。她叫得多了，姑姑就会不耐烦地把她推搡开去。

至今方灯也没搞清楚自己从何而来，不过她已经学会了不在乎。她是捡来的也好，方学农亲生的也好，姑姑生的也罢，对她而言都没有分别。她还是那样长到了十五岁，再过几年，她就能做自己的主了。

方灯像平时那样坐在窗口就着外面的光线择菜，过不了一会儿就不由自主地朝另一扇窗看上一眼。刚才窗背后一闪而过的面孔激起了她内心最深处的好奇，可是直到她把明天中午的菜都择好了，那边仍旧没有任何动静，就连看惯了的猩红色窗帘都藏在了紧闭的百叶窗后，何况是帘子后的人。

方灯毕竟是孩子，好奇心切，发了一会儿呆，忍不住朝床上的人问了句："爸，别人都说傅家一大家子人都在国外，那为什么院子里还有人住着？留下来的是谁？"

"你管这个干什么！"方学农半晌才答道。

"我就随便问问。不是说政府已经把房子还给傅家了吗？他们家这么有钱，怎么会让祖宅荒废成这样？"

"我哪知道，这和你有什么关系？和我又有什么狗屁关系？"方学农坐了起来，本来就不牢靠的竹床在他突如其来的动作下发出一阵尖锐的吱吱声。

方灯不傻，她早看出父亲虽然口口声声说对面的事和他们没有关系，但是每次她有意无意提起姓傅的，父亲总是特别的烦躁。他是个习惯了被人搓圆捏扁的人，然而这几天当他喝了酒之后，也会下意识地朝对面张望。只不过不同于方灯的好奇，方学农看向傅家园的眼神中满是小人物的恶毒。这更对应上方灯心里巨大的疑惑。她已经懂得不少事了，外面听来的传言，还有过去朱颜姑姑无意中向她透露的端倪扭成一条无形的绳索。这绳索一端系着她和姑姑、父亲，另一端却如灵蛇一般逐渐朝那扇近在咫尺又遥不可及的窗口延伸。想到这里，她再也按捺不住，索性把心里的话说了出来。

“姑姑以前生过一个孩子，他现在就住在傅家园是不是？”

方学农愣了一会儿，脸憋得通红，像是下一秒就会暴跳如雷，连话都说不利索了，“放……放屁！你从哪听来……你姑姑怎么可能……她和对面的野种一点关系都没有……没有！”

“你骗谁？姑姑都没有瞒过我。你去问问，这岛上谁不知道？”

方灯也不是说谎，姑姑以前嫁过人，听说对方就姓傅。姑姑也的确对方灯说过她曾经有个儿子，比方灯大两岁。而且方灯和父亲搬进来的第二天，楼下的杂货店老板和老板娘就拿她开玩笑——“哟，你不是朱颜的侄女嘛！怎么不住进对面的大房子？反正都是一家人。”

这藏在只言片语和流言蜚语中的一段过去，或许就是朱颜姑姑离开瓜荫洲的原因，也是方学农竭力回避的话题，然而，十几年过去了，这在瓜荫洲却已并不是个秘密。

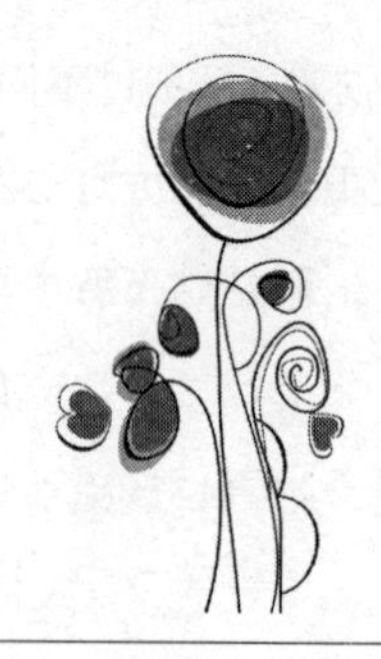

第二章

狐园迷梦

方学农睡前又喝了个烂醉。方灯躺在帘子另一边的小床上，听着玻璃酒瓶落地，哐啷一声，没碎，滴溜溜地滚过地板，紧接着父亲的鼾声一阵高过一阵。她试着让自己睡去，周围忽然传来泥土的腥气，她似乎才明白过来，此起彼伏的，不是鼾声，是风声。

风挟着草叶的尖端扫过方灯的面颊，她低头，不知名的寥落野花被她踩在脚底，四周是高得与她胸齐的干枯的荒草，在风声中折腰、俯看、呢喃低语。她和父亲租住的小屋成了身后一团模糊的灰影，而前方不远处，鸡血藤的紫色花朵和榕树的垂须之下，猩红色的窗帘在风中微微摆荡。

她竟然身在傅家的废园里。传说中美轮美奂的南洋橡胶大王的祖宅已成断壁残垣，只有东边的小楼依然完好，中西合璧的大理石回廊被满目颓败之色衬得尤其惨白。

方灯拨开身前的荒草朝小楼走去。明明不过是十几步的距离，可那些疯长的植物在脚下像张纠缠的网，羁绊着，使她步履缓慢，手指被薄利的草叶划开了口子，居然不疼。她气喘吁吁，可那扇窗还是不远不近。心急如焚之下，方灯想也没想就朝那扇窗喊出一个名字。

她从哪里听来的这个名字？是姑姑的呢喃中，还是岛上闲人的碎语里？名字被风吹散，而就在这时，猩红色的窗帘被人徐徐拉开。

他站在半弧形的缠枝花窗楣下，静静看着楼外的方灯，就是下午曾惊鸿一现的那张面孔，好看却有些苍白，仿佛暴雨冲刷过之后的大理石，洁净微凉。

缠绵雨季中的瓜荫洲第一次在方灯的视线中放晴了。他的身后，也就是她所好奇的窗后的世界，竟然是一片青色的天空，带着大雨过后特有的空茫和坦荡，看不到边际。

她当时的样子一定傻透了吧，像个异乡来的土包子，甚至开始有些胆怯，慢慢停下了脚步，不敢上前，却不想离开。

没有人说话，她听着风声，这样很好……然而，风声中为什么又渐渐夹杂着喑哑的滴答声，莫名的熟悉，好像……是雨点敲打着头顶的石棉瓦。

方灯睁开眼睛，又迅速地闭上，只是徒劳，她已经醒了。没有青色的天空，破窗外的世界在雨中悄然破晓。

方学农一个晚上喝完了大半瓶烈酒，吐得满地都是。正赶上周日，明天才用去学校报到，方灯费了好大工夫才收拾好残局，给他和自己熬了锅粥。中午，方学农昏昏沉沉爬起来的第一件事就是差遣女儿去楼下买酒。他以前喝得也凶，但是像今天这样，刚醒过来又立即要酒并不常见。

“没钱！”方灯没好气地一口回绝。搬回瓜荫洲之后，她父亲还没出去干过活，仅有的一点钱在她手里，那是两个人下半个月的吃饭钱，她是打死都不会掏出来的。

“没钱先赊着，你跟楼下老杜说是我要的酒，他不会不给的。”

方灯闻言冷笑，楼下杂货店的老杜只会追问“方血脓”父女什么时候能交下半个月的房租。

方学农见女儿不吭声，烦躁地伸手拦住她，“去，打酒！”

方灯本想将他的手打下去，抬头却看到父亲那双浑浊且布满血丝的眼睛里，竟

然有种类似于悲伤的神情。她已经很久没有看到这个男人有血有肉的样子了，除了对酒的渴望，其余时候的他就像个空心的臭皮囊，朱颜姑姑死时，他也不过是木然地将她送去火化了。

“听话，我就要半斤。喝完这半斤就不喝了。”方学农放软了声音哀求女儿，他知道如果自己亲自去，老杜一两都不会赊给他。

方灯当然不会相信一个酒鬼说的话，但是她忽然有些可怜这个窝囊的家伙。他活在这个世界上，还有什么意思？还会有什么快乐？除了被酒精刺激后短暂的麻醉。

“最好喝死你。”

方灯匆匆扎好头发就下了楼。赊账是不可能的，她太清楚。有些时候，你暂时省下了钱，就要用别的东西去换。可饶是她把半斤酒的钱放到了老杜店里肮脏且布满裂纹的玻璃柜台上，那老不死的打好了酒，把瓶子递还给她时，还是有意无意地在她的手背上摸了一把。

方灯手一震，没加盖的酒瓶溅出了几滴，那味道让人作呕，她人却没有动，斜睨着对面的老头。

老杜揩油得手，见这小姑娘面无表情，不慌也不躲，准是吓蒙了，又或许还不知道当中的门道，心中暗喜，于是胆子又大了几分，一只手试探着朝她胸口探去。

“你和你姑姑当年长得一个样，真俊呐……这头发。”

大白天开着门做生意，老杜也不敢太过造次，指尖在方灯垂于胸前的发梢上蹭了蹭，稍作停留就要收回。

方灯低头去看他的手，冷不丁在他回撤时扣住他的手腕，皱着脸呜咽一声，下一秒就要哭喊出来。老杜哪里会料到这一出，本能地想要去捂她的嘴。方灯挣扎着尖叫一声，那声音不轻不重，却足以让老杜慌神。他老婆就在店铺后面的厨房烧饭，两处仅隔了一间卧室。那婆娘又凶又壮，老杜平日无事还惧她三分，以他的胆子最多也不过是调戏调戏酒鬼家的小姑娘，若被家里那口子撞见，不死也得脱层皮。

“别喊！小姑娘家家被别人瞧见就没脸面了！”

“你不要脸！”方灯面露惊恐，双眼含泪，死死抓住他的手却未曾放松，也不知道哪来的力气。

老杜惊恐地朝门前屋后各扫了一眼，急于摆脱，推搡间方灯的声音又大了几分，“你想干什么呀，手放规矩点。”

午间时分，人们多半在家中准备吃饭，雨又大，路上的行人并不多，可老杜似乎听到了后面厨房传来的脚步声。

“当心我老婆撕了你的脸。”他气急败坏地恐吓道。

“你动手动脚在我身上乱摸，我要告诉我爸爸。”方灯抽泣着。

老杜气息变粗，“谁会相信你这死丫头的话！”

“总有人会信。”

是啊，她那酒鬼父亲就算当真，也不敢拿房东怎么样，可老杜那婆娘如果会撕了她的脸，也必定先砍了丈夫的那只手。

老杜看着她梨花带雨却丝毫不含糊的样子，仿佛有些明白了，压着嗓子求道：“别闹了，姑奶奶，你要什么？要不这酒钱我不要了？”

他慌慌张张地拿起柜台上的钱，顺便还抓了一把糖果，一股脑儿往方灯手里塞。

方灯的抽泣声把他的心肝都吓碎了，他心一横，“下半个月的房租我已经收过了，好不好，好不好？”

抓住他的手力道一松，他还没反应过来，原本在方灯另一只手里的酒瓶整个摔碎在杂货店地板上，老杜的老婆站在小店的后门满脸狐疑。

“你们干什么？”

方灯哭着说：“杜伯伯手撒得太快，我还没拿稳。酒洒了，我爸非打死我不可！”

“那我可管不着，酒钱得照收。”老杜的老婆瞄了一眼地板上的碎酒瓶，“死老头子，连个酒都打不好，地板给我弄干净了！”她嘴上骂骂咧咧，人却掉头朝后头厨房去了。

老杜长舒口气，提到嗓子眼的心稍稍落地，视线正对上方灯泪痕未干、悲喜难辨的脸，心头又是一阵打鼓。不过这次他脑子转得快多了，扭头就给她拿了瓶新酒。

方灯接过，不忘说一声：“谢谢杜伯伯。”

她走出杂货店，才听到老杜在后头嘀咕，“真邪了门了。”

正要转进通往楼上的窄道，方灯的步子忽然一顿，她侧身看向杂货店左侧，不

远处圣恩孤儿院门口的花坛边果然站着个人，她用了足足五秒，才将那个人是谁的事实彻底消化了。

瓜荫洲没有几条平顺的大路，不是上坡就是下坡，傅家园和杂货店是这条小巷也是整座岛的制高点，所以他一路走来，刚才是在斜下方。老杜和方灯看向门口时并未发现有人，但是从他驻足的角度，方灯很怀疑他把刚才那一幕都看在了眼里，并且有意不愿卷进是非之中。

现在好戏已经散场，他也不疾不徐地绕过小花坛，继续走他的路。

方灯没有挪脚，仍旧是站在过道口侧身看他。他走过她身边的时候若无其事，仿佛她是路边的一簇野花，或者巷子里的一个垃圾桶，与他全无关联。

方灯张了张嘴，喉咙里却像堵了一团棉花，眼见他经过了老杜的杂货店，她着了魔似的跟了上去。

天上下着不大不小的雨，他撑了把黑色的伞，背着画板，方灯手里却只拎着一瓶酒，徒劳地用另一只手遮在头顶。她没有刻意放轻脚步，用同样的步调在几步之外亦步亦趋地尾随着他。鞋子和着水声落在油亮的青石路面，他一定能觉察到身后有人，可他既没有回头，更没有加快或放慢行走的速度，画板随着他的步调有规律地拍击着他清瘦却挺直的脊背。

方灯的头发已经湿了，却还傻乎乎地跟在他背后，却不知道这番举动的意义在哪，似乎她还没从昨晚的梦里完全醒过来。梦里的不算，现实中她只见过他在帘子后一闪而过的脸，可她知道他就是那个人，他看人时的神情，他走路时的姿态全是她想象中的样子。

傅家园本来就在杂货店的斜上方，走不了多久就到了院子门口。整个大宅和花园都被高墙和铁门环绕着，他在门边停下，用钥匙去开铁门上的锁。

看上去有些年头的铁门咿呀地打开了，他走进去重新将门锁上。方灯就站在门外不远，和铁门内的他面对面。她咬着下唇，没有吱声，头也一直没有抬得太高，看着他那双有着修长指节的手摆弄锈痕斑斑的铁锁，直到一切工作就绪，门内的人还站在那里，她才仰着脸对上他的视线。

原本拎在手里的酒瓶被她抱在胸前，仿佛这样她看上去就更强大，至少更理直气壮一些。

他的目光只在方灯脸上停顿了一秒。那是好奇？困惑？或是……鄙夷？人已经走向院内的另一头。门外的方灯想起了杂货店里那一幕，她从未如现在这般厌弃自己。

方学农看到一整瓶未开封的新酒喜不自禁，连问都不问这酒从哪来就拧开瓶盖喝上了。方灯闷闷不乐地在床上躺了一阵，黄昏的时候爬起来，见方学农趴在竹床上，恐怕踢他两脚他也不知道喊疼。这样也好，她没什么胃口，连晚饭都省了。

方灯又想起那个人。她尚且听说过关于他的一些事，那他呢？是否也知道世上有她这样一个人存在，如果是，那他一定也知道她是个烂酒鬼的女儿吧。有其父必有其女，所以她的一言一行那么不堪一点也不奇怪。想到这里她忽然有些难过，这种情绪已经许久没有来找过她了。她习惯了被人笑话，被人瞧不起，可如果传言都是真的，那他就是这个世界上除了父亲之外，她已知的仅存的亲人。这是多么奇妙的一件事啊，这么一个人，有着和她相似的血脉，却冠着截然不同而且远远比她的出身要高尚的姓氏，住在一路之隔的传说中的花园。他那么好，像是在云端，又像是在梦里。与他的牵连，是她在这污浊如泥沼的世界唯一洁净且美好的一部分存在。

在天空仿佛都要被雨下出一个窟窿之前，雨势好像收住了，只不过厚重的云层依旧乌压压的没有散去。方灯拍了拍手上的污泥，坐在围墙上往下打量。她是野惯了的人，借着陡峭的地势和路边的一棵芒果树，翻上傅家园一侧有些崩塌的高墙并不是多么困难的事。这个角落并没有朝着巷子，没人会发现她，原本竖立在围墙顶端的锐利铁条也崩出了个缺口，正好可以容她坐在上面。

她嚼着中午老杜塞给她的泡泡糖，伸长脖子四处张望。他居住的东侧小楼就在跟前，不过门窗都朝着另一边，她的脚下是一小片开阔的空地。角落里有个顶上塌了一半的小凉亭，凉亭边是口井，四周花木繁茂，并不似正门那一边的荒凉。方灯还在想要不要跳下去看看，忽然明白了这里的一花一草为什么被修整得很好。因为她要找的人手里拿着花剪，正在她视线所及的转角尽处，低头给一盆她叫不出名字的盆栽修枝，似乎并没有发现外墙上坐着的不速之客。

他在外给人的感觉并不易亲近，说不上冷漠，但就是显得疏离，和什么都像隔了一层，中午的时候一度让方灯不知所措。她觉得他在家也应该是高高在上的，像个真正有钱人家的孩子，虽然有钱人家的孩子通常会做什么，她根本不知道。反正不是现在她所看到的那样，卷着袖子，裤脚都被花草上的雨珠打湿了，一侧的脸上还有点泥。

他的动作很熟练，眼神专注，花剪在他手中轻巧而灵活，这使得他整个人都变得柔和了许多。方灯也放肆了起来，随手捡起墙头上的碎泥块轻轻朝他的方向扔去。泥块正好砸在他前方的玉兰树枝头，他伸手挡住了轻晃的树梢溅起的水珠，一扭头就看到了方灯。这次他脸上的惊讶是真真切切的。

“傅镜殊，你是不是傅镜殊？”

她也觉得这句话有毛病，自己先笑了起来。

“你跟着我干什么？”他没有笑，却也不像生气。

方灯说：“原来你会说话，我还以为你是哑巴。中午你为什么不问？”她想要做出满不在乎的样子，吹了个巨大的泡泡，没想到用力太猛吹破了，泡泡糊了一嘴。

她不确定他嘴角是不是闪过笑意。他说：“中午？哦——我怕你讹我。”

这样的话他说起来也轻描淡写。方灯悻悻地去撕嘴角一圈的泡泡糖，糊上去容易弄干净难。“什么破糖！”想也知道老杜给的不会有什么好东西！她不愿承认自己忽然变得糟糕的心情是因为傅镜殊看似无意却直切要害的一句话。

他没有再说话，竟然又低头去修剪那盆奇形怪状的破盆栽。方灯越撕泡泡糖，心里就越堵得慌。

“他不是什么好东西。从我搬进来那天起他眼睛就色迷迷的，总想着占便宜。”她低头看着自己的脚尖，有一下没一下地去踢院墙内的树枝，“是，我也占了他的便宜，可那是他活该！总得有人给他点教训。”

她义正词严地说完，自己也觉得没劲。她是正义的使者？骗鬼去吧。

“我爸一时间是肯定交不上下半月的房租的。钱对我来说很重要。”她不想被老杜夫妇俩赶出去，不想再搬家了。那出租屋虽然臭烘烘的，但是她已经觉得很好，至少那里还有一扇窗。

她说完横下心去看他的反应。他还是面朝他的盆栽，做出修剪的姿势，剪子却慢了下来，过了一会儿才说道：“我可没有酒，不是你的房东，也没有钱。”

没有过多的道德批判，没有轻视，也没有安慰和怜悯。方灯听了却出奇地心情好转了，又恢复了笑嘻嘻的样子。

“你怎么会没有钱？你有那么大的房子，和那么大的花园。”她边说边用手比划，“有什么是你没有的？”

她的动作幅度大，险些坐不稳，人在墙头摇摇欲坠。

傅镜殊说：“我还没有医药费，去付给一个摔断腿的人。”

方灯发现，和他这并不太热情的人比起来，他说话的声音着实让人如沐春风。柔和、克制，不紧不慢，仿佛天生有着让人心悦诚服的力量。她想，假如这个声音要说服她黑夜是光明的，恐怕她也会相信的。

“你还要做什么，我可以帮你。要不我替你浇花吧，我的力气不小。”

“谢谢，刚下过雨，花都会被你浇死……喂，你可别跳下来……”

他话还没说完，方灯已经匍匐在墙角的草丛里。

“……小心！”

方灯刚想站起来，冷不防看到不远处草丛中蹲伏着一条白色的大狗，想起他的后半截话，不由得哆嗦了一下。

早知道院子里有狗，她当然会更小心。

“妈呀……叫住你的狗！”方灯捂着脸瑟缩后退。

傅镜殊没有动，那条白色大狗也没有动，她揉了揉眼睛，不怪她眼误，天色暗了下来，草丛里藏着座石头雕成的狗，体态大小和真狗无异。

“我是让你小心别崴了脚。”

“你怎么不把话说全了？”方灯灰头土脸地凑近去看那条石狗。不对，那“狗”下颔更尖，双耳直立，虽然在园子里饱受风雨侵蚀，雕刻的细部纹理已不可辨，但还是能看出它野性诡异的神态。这不是狗，而是狐狸。

“难怪有人把你家叫做‘狐家园’。”

早先时候听到这种叫法，方灯还以为是当地口音“傅”、“狐”发音相似的缘

故，就好像他们把“方学农”叫做“方血脓”。没想到这里真的有“狐狸”。

她说话的时候回头去看他，惊讶地发现他脸上带着笑意。是因为她摔下来的窘态吗？他实在应该多笑的，在方灯看来，笑起来的傅镜殊身上像是有一层淡淡的光。

“你也是狐狸吗？”方灯知道自己又说了傻话，可这样美好却荒凉的花园，这样一个人，在黄昏时分的半明半昧中，很难不让人心生遐想。

他的笑意更浓了，“你现在不是更像狐狸吗？”

方灯怔了怔，才明白他话里所指，她匍匐在草丛中和那只石狐两两相望，姿势如出一辙。

“也对，狐狸们长得通常都很美。”她自圆其说地站了起来，并不觉得惭愧。很多人都瞧不起她是个酒鬼的女儿，但也有很多人承认酒鬼方血脓有个漂亮的女儿。

方灯心中一动，忽然目不转睛地看着傅镜殊。

“你看我干什么？”傅镜殊再老成，也毕竟年纪不大，被方灯直勾勾的眼神看得有些不自在。

方灯没有绕弯子，“别人都说我和朱颜姑姑年轻的时候有点像，那我和你会不会也有点像？”

笑意在傅镜殊的脸上消散，就像烟火消散在夜幕中。他抖了抖花剪上的残留枝叶，低眉敛目，“你快走吧，别让老崔看见了，他脾气不好。”

“谁是老崔？”

他显然已丧失了与她对话的兴致。

“快走。”

“我从哪出去？”

“你跳得进来，就爬得出去。”

第三章

烂泥与花

方灯爬出傅家园院墙，由于找不到合适的落脚点，过程远比进来时艰辛，姿态也狼狈到了极点。傅镜殊继续趁雨停修剪花枝，就站在她附近，宁肯看着围墙上的青苔泥块在她的奋力攀爬下纷纷脱落，也没有伸手托她一把。反倒是方灯对他那把锋利的花剪很是恐惧，生怕自己一个不小心脱手摔下，正好被该死的剪刀戳个正着。

有惊无险地在围墙另一头落地时，她听见一个苍老的男声从院子里传出。

“小七，吃饭了。”

大概这就是傅镜殊所说的“老崔”吧。

后来方灯是从老杜老婆那里听说，老崔就是对面看管院子的人，顺便也照顾傅镜殊。偌大一个傅家园，现在就只住了他们两个。

方灯想不通，傅镜殊就算没有妈妈，但总有父亲吧。哪怕父母双亡，傅家一大家子人，怎么会留他一个人在岛上和废园相伴，只让看院子的人照顾他的生活。关于这个问题，老杜老婆也没细说，大概她也说不出个所以然。

到一所新的学校上学对于方灯来说不是什么新鲜事，除了上课时老师的口音让她暂时无法适应，其他的事并没有给她带来任何困扰，反正她也从未期待过能够在学校里结识到知心好友。岛再小，红白喜事、生老病死总是有的，方学农收费不高，陆陆续续也能接到活干。回到瓜荫洲之后，他的生活只局限于方寸之地，少了东奔西走，方灯不用跟着奔波，放学后也不必像曾经那样给朱颜姑姑把风，学习的时间反而多了起来，落下的课程也都赶上了。

虽然高一和高二同在一座教学楼，但方灯并没有在学校偶遇傅镜殊太多次，更多的时候是她刻意在学校门口徘徊，等到他走出来，然后她再尾随他沿同样的路归家。除非她班上的老师拖堂或者被别的事缠住，她的守株待兔鲜少落空。傅镜殊的生活基本上就是学校和傅家园两点一线，周日上午会过海到市里去学画。

放学时涌出校门的学生经常是一窝蜂，但很快就会分流隐没在岛上蜿蜒密布的窄巷里。方灯回家这一路的学生不多，除了圣恩孤儿院的人，就是她和傅镜殊。没有人的时候，她总是哼着歌自得其乐地在他身后不远处晃晃悠悠地走，偶尔会促狭地学老崔的口吻叫他“小七”。

傅镜殊只在第一回从方灯嘴里听到这个词的时候，惊讶地回头看了她一眼。

“谁让你这么叫的？”

他的口吻显然并不是那么乐意。当时路边正好有只觅食的流浪狗，方灯不接他的话，又叫了声“小七”，眼睛却是看着那条瘦骨嶙峋的狗。傅镜殊掉头就走，从此以后不管她笑嘻嘻地在后面怎么“小七七七阿七”地乱叫一通，他只当没有听见，也不再开口阻止。

只要不下雨，天没黑之前，傅镜殊总在院子里的那个角落摆弄他的花花草草，或是架着画板写生。方灯时不时还会故伎重施地翻上那座墙，只不过不再冒冒失失地跳进去，而是坐在墙头没话找话和他搭讪。

“喂，小七，你在画什么？”

“七七，这盆是什么花？它看起来要死了。”

“老崔干吗要叫你‘小七’，你有七个兄弟姐妹？他们都到哪去了？我从小就是一个人，姑姑说我出生的时候，窗外的路灯比月亮还亮，所以我叫方灯。”

他通常是不会搭腔的，不过方灯也因此不用担心被他出言驱赶。她喜欢叫他“小七”胜过“傅镜殊”，虽然两者在她心里都一样特别。傅镜殊是猩红窗帘后面沉如水、难以捉摸的梦中人；废园角落里的小七话不多却有着柔和的目光，在他的天地中自得其乐。他会挥汗如雨地给他的花浇水施肥；会因为画得不满意重重地把笔扔回笔筒，反在袖口上划出一道油彩；会在听到方灯特别欠抽的话之后，“不小心”把刚从叶子上捉到的害虫甩到她身上；会看到一朵花开的时候情不自禁微笑。

老崔这个时候通常在屋子里做饭，很少会到院子里来，只有一回，方灯险些被他捉个现行。那次她一如既往地在墙头聒噪，伴随着傅镜殊突如其来的一阵咳嗽声，老崔特有的一重一轻的脚步已经很近，方灯连滚带爬地在他眼皮子底下溜走，缩在墙根听里面一老一小交谈。

“你和谁说话？”

“外面有条流浪狗叫个不停，我想让它快点走。”

方灯在墙根下忍不住笑出声来，他还知道反咬一口。

傅镜殊至少是不讨厌她的，她能感觉得到。想必他也早就知道她是谁，和朱颜姑姑是什么关系。只不过他一直都很沉得住气，从来不提。

方灯也不意外，天下无不透风的墙，朱颜姑姑这些年在外面靠什么为生，绝对不会没人知道。不管当年她为什么会和傅七的爸爸走在一起，又为什么分开，可就算是普通人家的孩子，多半也不愿接受有个从小抛下他在外做皮肉生意的母亲，何况是他。

对于方灯来说，他认不认她这个亲戚都不要紧，只要他清楚他们之间的牵连，知道她不是个不相干的人，这样就够了。

当天空开始放晴，瓜荫洲的夏天来得又急又烈。每周一次的劳动技能课上，方灯和班上的同学被派到岛上唯一的池塘边捡垃圾。太阳晒得人睁不开眼睛，池塘里的水差不多都干涸了。方灯不爱扎堆，独自用一根长竹竿把废弃的塑料袋从岸边的淤泥里翻捡出来装进垃圾筐。她做惯了这样的事，小时候没少跟着她父亲去收破烂，做起来自然不在话下，可并不是每个同龄人都和她一样忍受得了烈日和池塘边的恶臭。

不远处的树阴下，那些乘凉的女生叽叽喳喳的议论不时飘入耳朵。

"你们看她的动作多熟练啊。"

"那当然，难道你不知道……方血脓……天生就是干这个的……"

"怪不得我总闻到她身上有一股味……我听说她爸爸……专门埋死掉的小孩……捡垃圾……恐怖死了。"

"我听说她总是跟着……脸皮真厚！"

"你没听说……"

方灯并没有太往心里去，这样的嘲弄和议论几乎伴随了她整个成长的过程，如果她每次都为此而伤心，恐怕早已因难过而死去。她能做的只有离她们远一些，再远一些，要不就当自己聋了。

她不在乎，她对心里的那个自己说，于是想着法子把注意力转移。

这附近的垃圾基本上已经清理得差不多了，只剩下一片片的水葫芦漂浮在淤泥上。方灯脑子里忽然灵光一现，听说池塘里的淤泥用来养花最好不过了。她想到就马上去做，正好手边有个废弃的化肥袋子，看上去还算干净，老师叫收工之前，她正好装了大半袋塘泥，都是从最干净的地方挖出来的，而且干湿适宜，他一定会用得上。

收工的时候学校也放学了，大家的工具都是从家里带来的，老师清点了一遍人数，就让他们各自回家。方灯一手拎着家里带来的垃圾筐，一手提着那半袋塘泥如获至宝地走回家。不过塘泥看上去不多，但分量却不轻，天气又实在太热，她自认为力气不小，中途也不得不停下来休息了一会。

那地方离学校正门不远，方灯单手在耳边扇着风，一扭头就看到了熟悉的身影朝她的方向走来。她起初以为他会和平时一样若无其事地经过，不料傅镜殊看到她脚边的垃圾筐和化肥袋，竟然有些好奇地放慢脚步看了几眼。

方灯难得见他关注，喜滋滋地把装了塘泥的袋子举到他身前，"给你的，这可是好东西，用来……"

他并没有立刻去接。

"什么好东西？"

说话的并不是傅镜殊，方灯不悦地回头，一个和她年纪相仿的男孩，长得白白净净，脸上却挂着不折不扣的嘲笑。

“今天有人送你这个，昨天又有人送你那个。难怪我爸妈说现在住在傅家园里的人和要饭的没两样。”

那男孩不等傅镜殊和方灯作答，凑近了想要去看袋子里究竟装了什么宝贝，结果被熏得退了两步，捏着鼻子瓮声道：“什么玩意，臭死人了！”

“又不是给你的，是香是臭和你有什么关系？”方灯不知道他是谁，只是纯粹不喜欢他和傅镜殊说话时轻慢不屑的口吻。

男孩仿佛这才正眼打量了一下方灯，愣了愣，问：“你哪个班的？”

后面跟上来好些看热闹的同校学生，其中几个女孩凑在一起窃笑，她们之中有人替方灯回答了男孩的问题，“你不知道她是谁？方血脓你总认识吧，给人抬棺材撒纸钱的那个烂酒鬼就是她爸。”

“我听说她爸爸脑子有毛病，她也不太正常，挖一大坨臭烘烘的东西也好意思拿来送人。”

“别人从来都不搭理她，她还好意思厚着脸皮跟来跟去。”

方灯看了傅镜殊一眼，他面色冷淡，一言不发。

方灯咬着下唇，身体里某个早已被厚厚武装起来的部位开始有些疼了。

他当然是和她不同的，但她一直想的是，生活中有这样不同的存在是多么好的事，仿佛在泥潭里还能嗅到云端的花香。殊不知这在别人眼里恰恰是最具讽刺意味的地方，云端的花需要来自于臭泥潭的向往吗？方灯最不需要的就是有人站出来提醒，她是人人得而辱之的方血脓的女儿，属于她的每一样东西都是肮脏恶臭的；而傅镜殊呢，他的好，不只她方灯，别人也看得见。正因为这云泥之别，所以她的热情和奢望才显得格外可笑可怜。

“你说她装了那一袋子的泥巴想要干什么……”

“滚！”方灯忽然爆发出来的声音把周围的人都吓了一跳，她咬着牙冷笑道：“你们别忘了我是脑子有毛病的人。”

人人都厌恶有毛病的人，但是没有人愿意和有毛病的人硬碰硬较真。果然，身边的声音消停了不少，有人怏怏地离开了。

然而那个充满挑衅欲望的男孩却没有走，他撇着嘴笑道："我倒觉得你们好是正常的，反正是一家人，血脓女儿和血脓妹妹的野种，都是一个窝里的老鼠！"

"你有种再说一次！"方灯说这话时反而看上去平静了许多。

"我说错了吗，一个窝里的老……"

方灯身子刚一动，傅镜殊立即抄住了她的胳膊。

"够了。"他既像是劝方灯，又像是对那男孩说。方灯从他脸上看不到被激怒的神情，即使对方同样也用恶毒的话语羞辱着他，他浑身上下却只有一种置身事外的抽离感。她狠狠甩开他的手，在那男孩把嘴闭上之前，抓了一把袋子里的塘泥，迅速地糊进那张洋洋自得的嘴里。

男孩依旧张着嘴，时间仿佛凝滞了几秒，他用手背抹了一把嘴角的污泥，毫无预兆地弯腰呕吐了起来。

后面的事态变得无比混乱，男孩吐得天昏地暗，哭得差点背过气去，围观的人越聚越多，其中不乏成年人，方灯很快被人揪住了，然后又陆续赶来了学校的老师和男孩的家长。

男孩的父母看上去还算体面，瞧见儿子的惨状心疼不已，他父亲简单地向路人问了原委，体态丰腴的母亲红着眼朝方灯扑来，抬手就是一个耳光，眼看要扇到脸上，方灯被人揪住躲闪不及，只得闭上了眼睛，却久久等不到火辣辣的疼痛和羞辱降临。

傅镜殊截住了男孩母亲的手，平静地叫了声"二嫂"。

那年近四旬的女人脸上闪过尴尬、愤恨、厌恶和犹疑，僵持了一会儿，终究恨恨地将手收了回去。

接着方灯一行人都被带回了学校，老师将她单独拖到一间小办公室严厉斥责了一番，说是要找她的家长。方灯倒不怕这个，她还没从傅镜殊那句"二嫂"中回过神来。

也是回到学校之后，从老师的训斥中她才知道被她糊了一嘴塘泥的男孩叫傅至时，难怪……原来他们都是傅家的人。但为什么傅至时一家没有住进傅家园，而且无论是儿子还是父母，他们看向傅镜殊的眼神都并无亲人之间的友爱和善意?

直到晚上八点多，方灯的班主任才确定不会有家长来领走这个闯祸的学生了，于是再三警告，并让她写了检讨，才肯放她回家。方灯有些意外，池塘淤泥的味道她很清楚，以傅至时的骄横，吃了这个大亏，他们一家人居然也没再找她麻烦。要说他们是看在傅镜殊的面子上就此算了，她也不信，他们若是如此顾忌傅镜殊，傅至时身为晚辈也不敢随意口出恶言。

方灯伴着自己路灯下的影子回家，经过之前闹事的地方，垃圾筐和那袋塘泥也被人收走了。方学农也刚回来，眯着眼睛问女儿吃了饭没有。方灯摇头，他举着酒瓶笑着问她要不要来两口，方灯刷地拉上了自己床前的布帘。

第二天，太阳照样升起，对面的傅家园平静如故。方灯不知哪来的火气，中午放学后到外边找了叠旧报纸，把出租屋里唯一的破窗糊了个严严实实，小屋里顿时黑黢黢的。

方学农一边嚼着花生米一边喃喃说："这样好，这样最好。"

接下来的日子，方灯放学就自顾回家，巷子里遇见傅镜殊，她就装作不认识一样迅速从他身边走过去，更没有再爬墙去找他说话。她有些明白了，傅镜殊也许不讨厌她，但也仅此而已，也许他就是这个样子，不会与谁特别亲昵，也不会特别讨厌谁。他不会刻意驱赶墙边的流浪狗，可是也不会伸手去抚摸它的头，因为他也知道，那狗身上是脏的。从这点上来说，他和外面的其他人并无分别。方灯满腔热情只余下透心凉。

第四章

佛祖脚上血

把傅镜殊摒弃在生活之外，方灯好像重新认识了瓜荫洲。以往她只看到他的背影，现在才发现回家的小巷子两旁美人蕉都开花了，肥厚油绿的叶子上衬着斑斓的大花，无论是嫩黄还是殷红色的，都带着种妖冶而浓烈的鲜艳。她最喜欢摘下美人蕉的花去吮里面的蜜，甜滋滋的。另外，放学后用不着惦记傅家园的围墙，她就自己做了个网兜去捞池塘里的鱼，运气好的时候一天能抓个十几条，回家用油炸了，方学农最爱用这个来下酒，每逢见到都“好闺女”叫个不停。

大约十来天后，方灯原以为早被扫街工人清走的垃圾筐蹊跷地重新出现在出租屋的过道口，里面还有个叠得整整齐齐的化肥编织袋。她纳闷地朝傅家园看了一眼，不知道是不是出于心理作用，她记起这一段时间以来，小巷里似乎都飘散着若有若无的塘泥气味。

第二天，方灯在学校做值日回得晚了，走到老杜的杂货店门口，总觉得有哪里不对劲，一回头，对面小楼上半开的窗帘又被人忽然拉上了。她从家里提了桶和网兜打算继续去池塘边碰运气，刚走了几步，就听到有人叫她。

“方灯你过来。”

声音是那个声音，叫出她的名字却是破天荒，连带方灯都觉得自己的名字有些陌生了。她做出很不经意的样子回头。

“干什么？”

“你进来，我给你看样东西。”

方灯这才注意到傅家园长年累月铁将军把守的铁门竟然是半开的，傅镜殊站在门内。她离奇地联想起小时候不知哪里听来的鬼故事：小孩被人用他心心念念的东西引进了某个洞穴，从此以后再也没有出来。

“不！有话快说。”

她站在门外生硬地回答道。

他没有马上开口，慢性子就是这样惹人厌。要是再耽搁下去，天一黑，池塘边就不那么安全了。方灯面露不耐，却没有挪脚。

“这是给你的。”

循着傅镜殊的目光，方灯看他脚边摆着一盆花，好像是……美人蕉？

“哈，谁种这个！”方灯用讥笑掩饰她的惊讶。美人蕉是她认得的为数不多的花之一，岛上随处可见，都是野生野长，没听说谁家有意去种它，还放进了那样一个看起来不错的花盆里。

傅镜殊说：“我从路边移进盆里的，用你给的花泥。”

“难怪那么臭！”方灯故意吸了吸鼻子。

“开始是有点气味，不过晒干了再碾碎，用来种花肥力很足。我挑了最好的一盆，你拿回去浇浇水就好。”

方灯斩钉截铁地拒绝，“我不要。”

傅镜殊也不恼，笑着说：“你气性真不小。”

方灯低头去扯网兜上的线头，漠然道：“我那里不是养花的地方。”她的住处和他不同，别说花园，就连个窗台都欠奉，人都快没有立足之地，哪来养花的闲情。

“这也不是什么娇贵的花，只要……”

“你就让它长在墙角不就行了，何必浪费一个花盆……和心思？”

“你不是喜欢？”他的声音听起来依旧舒缓妥帖，让人很难硬起心肠拒绝。

方灯却忽然烦躁起来，大声道：“谁说我喜欢？我喜欢吃了它，嚼碎，再吐出来！”

“那你就拿回去把它吃了。”傅镜殊说得也无比自然，方灯开始觉得把他激怒是不可能完成的任务。

“我不吃。”她信口说道。本来心里有气，到头却像是自己在胡搅蛮缠。方灯并不讨厌这盆花，甚至也不是真的讨厌种花的人。只不过她清楚这盆花就算捧回去，没多久就会被她父亲扔了，然后再把花盆当成装呕吐物的绝佳容器。花虽不值钱，但既然另眼相待将它重新移植，就该对它好一点。

傅镜殊也想了想，自言自语般说道：“那不如我先替它主人照顾着它？”

“随便。”

方灯知道不能再说下去了，否则她会宁愿这花被她父亲糟蹋了，也要捧回去好好看它一个晚上。她在天黑前赶到了池塘边，却连只蝌蚪都没有抓住。

一无所获地回到出租屋，她还在懊恼想不起来他今天究竟和自己说了几句话，却见老杜夫妇都站在杂货店门口看热闹。对面傅家园大门洞开，灯火通明，不时有说话和走动的声音从里面传来，少见的热闹。

方灯满心狐疑地驻足观望，过了一会儿，几个赤膊的男人纷纷抬着重物走出来，其中有柱子，有石凳石桌，还有几件看上去和古董无异的家具。

“小心点，都给我小心点，别磕坏了！”戴着眼镜、身材微胖的中年男人在一旁照看叮咛着，面有得色。方灯认得，那是傅至时的父亲。

阴沉着脸站在门边的瘸脚老人是老崔，手里还拿着纸笔，每抬出一件东西他就在纸上划一道。

“站住！这个花架是二楼的，不在我们说好的东西里面。”走在最后的是傅至时的母亲，也就是傅镜殊口中的“二嫂”。她手里提着个造型精巧的木制品，被老崔毫不含糊地拦了下来。

“老家伙鼻子比狗还灵！谁说这是二楼的，明明就摆在楼梯中间。”那妇人看来并没有把老崔放在眼里，冷笑两声，“再说了，就算是二楼的又怎么样？这整个傅家园里里外外哪样不是我们家的东西？当年我们住在这里的时候，你也不过是个破园丁，当然现在你还是，什么时候轮到你发话？”

老崔微微佝偻着腰，声音不轻不重却不无讽刺，“你们住在这里？我十三岁顶替我父亲进傅家园，今年我七十三。脚瘸了，耳背了，脑子却还没糊涂。早在十多年前你们大房维仁先生还在的时候，就按手印把大房名下那份房产卖给了我们郑太太。这房子你一刻都没住过，里面的东西没一样是你们的。”

“哟！‘你们’郑太太。你老人家叫得可真亲。我们大房是落魄了，你有本事跟着‘你们’郑太太到大马去吃香喝辣呀。只可惜呀，三房的人是在外头过得有滋有味，可人家未必记得有你这号人物。”傅至时的母亲看打扮也像个知识女性，恼羞成怒之下说话也不含糊。她拍着自己的脑袋尖声道：“我差点忘了，你走了上哪再去找只看门狗守住这破园子，顺便照顾那个不知道打哪来的小野种。”

她说最后一句话的时候刻意压低了声音，方灯还是听见了。二楼的灯亮着，方灯真希望这个时候最好一阵风刮过，把那句恶毒的话吹走，不要传入他的耳朵里，虽然她不知道这个女人为什么要那么说。

老崔毕竟年纪大了，哪里争得过一个伶牙俐齿的女人，一激动胸腔里好像藏了个风箱。他喘着粗气道：“有本事你们就别厚着脸皮伸手要三房的接济，没有郑太太，你们家前几年建得了新房？亏你好意思说得出口！”

“我们也没说过三叔婆什么，这些东西不也是你们答应的嘛！”傅至时的父亲出来打着圆场。

“答应？”老崔声音抬高了，“你们光知道用下三滥的手段占便宜！”

“屋子里的人都没说话，用得着你多嘴？”妇人不顾丈夫的劝阻，非要争一口气，“有本事你就打越洋电话向三叔婆告状去啊，她要诚心管这档破事，也不会把人和院子都丢给你这老不死的不管不顾。”

“你嘴利，你嘴利！任你说一千道一万，住在里面的才是正儿八经的园子主人，你们拿走他没同意的东西，就算一根草，也是偷！小偷！下三滥的货，难怪你们大房……”

“你说谁？大房怎么了……”

“别吵了。”眼看就要吵得不可开交的场面忽然被打断，仿佛一瓢冷水骤然浇进热锅里。傅镜殊不知道什么时候站在院子的榕树下，朝门口的人说道：“崔伯你去休息吧。二哥二嫂，东西你们拿走——人也走。”

老崔叹了口气，掉头回到院子里。那妇人还打算说点什么，她丈夫用力扯了扯她衣服下摆，朝她摆摆头，像是示意她见好就收。他们背后肆无忌惮地嘲笑傅镜殊，当着面却不得不留几分余地。虽然他多数是不气不恼，客客气气，越是这样他们就越撕不下脸皮闹到底。

“我一分钟都不想在这阴森森的鬼地方待。”妇人说。

男人拉着妻子往回走，顺便没好气地朝杂货店门口的老杜夫妇还有方灯道：“滚开！看什么看？没你们的事。”

方灯再次轻车熟路地爬上傅家园围墙时，傅镜殊正和老崔一块弯腰收拾仿佛被台风扫过的园子。刚才那拨人搬东西的时候踩坏了好几丛花，还有两盆架子上的盆栽被碰倒了，花盆碎成几瓣，泥撒了一地。他逐一将它们收拾，扶正花架的手势温柔而小心。更让方灯诧异的是，枯井边原本那座半塌的小凉亭彻底被拆毁了，里面的石桌石凳被搬得一空。她记得傅镜殊在凉亭边画画，在石桌上摆弄花草的样子，心里替他难过了起来。

这回老崔也发现了方灯，喝道：“谁家的野孩子？那是你随便坐的地方？还不快点下去？快给我走！”

傅镜殊闻言直起腰来，看着方灯忽然笑了。他笑的模样让方灯想到了梦里看到他身后的那片澄碧天空，这使她相信，也许傅至时一家的小人行径并不能伤害到他。

老崔看到了傅镜殊的笑，有些讶然，很快，想必他昏花的老眼也认出了墙上的人，他拍了拍裤腿上的灰，低声对傅镜殊说：“我累了，先去睡了。”

等到老崔走远，方灯扑通一声跳进了院子里。傅镜殊说：“你当心脚下，别一不留神摔成了失足少年，嗯，应该是失足少女。”

方灯见他还有开玩笑的心情，给面子地扯了扯嘴角，一屁股坐在草地上，背靠着那只石狐。

“这个他们没搬走？”

“大概他们觉得它又沉又不值钱。”

他的花架上还有几盆新移植的美人蕉，其中一盆还开着花，他把几朵花都摘了下来，递给方灯，“给你，小孩子都爱吃这个。”

“说得你好像很老一样，不就比我大两岁，充什么老头子？”方灯接过来仰起头三下两下把花里的蜜吸得干干净净，笑嘻嘻的，目光流转。她拍拍身后的石狐，问：“莫非你不是人，是石狐狸变的？这玩意儿都是成双成对的，要不怎么会只剩下一只？别人都说上了岁数的东西会有灵性，变成各种精怪。我早觉得你不像人了。”

“你是骂我还是夸我？”傅镜殊看着被方灯扔到一边的美人蕉，笑着说：“美人蕉又叫虞美人，按照佛教的说法，它是佛祖脚趾上的鲜血幻化成的。你整天都吃这个，说不定也有灵性，会变成一只狐狸。”

“为什么你变成人，我倒变成了狐狸？”方灯细想他的话，越想越恶心，“你是说我一直在舔佛祖的脚趾头？”

“你看，我就说你有了悟性。”

方灯捡起脚边的残花朝他扔过去，“傅镜殊，你这坏蛋！”

他歪头避过，学她坐在石狐的另一侧，“咦，难得你没有乱喊我的名字。”

“傅七也不是什么好东西。”方灯嘴里顶回去，心里却早就不生气了。

“为什么你放任他们像强盗一样搬走你的东西？”她说完心里忽然有了个让她害怕的答案，于是有些惊慌地试探道：“……因为你让他们拿走了那些东西，小王八蛋傅至时的家人才没有找我的麻烦？”

傅镜殊说：“他们总会找到理由从这里顺走东西。不过也无所谓，去年风刮倒一棵玉兰就砸坏了凉亭，前年西楼也彻底崩塌了。即使没有傅至时他们一家，这院子也在一天天破败，说不定什么时候，东楼也成一堆烂砖破木头。”

他说得云淡风轻，方灯却懊恼到一句话也不想说。她万万没想到自己一时解气的举动会造成这样的后果，恨不得把臭泥糊到自己嘴里。

傅镜殊见她面色黯然地沉默，猜透了她在想什么，用手里玩耍着的狗尾巴草扫过她的鼻尖，“要你操什么心？该去的让它去，会来的自然来。”

“他们真的是你的亲人吗？”方灯闷闷地说。

狗尾巴草在他手上颤巍巍地点头。他调整了一个舒服的姿势，说道：“老崔叫我小七，是因为我在家族同辈兄弟中排行第七。他也是实在不知道怎么叫了，老思想转不过弯，不肯叫我名字，但是都什么年代了，总不能再老爷少爷地叫。我也不是什么大少爷，老崔带大的我，他就像我的父亲一样。”

“那你真正的父亲呢？他为什么留你一个人在这里……朱颜姑姑说他去了国外。”方灯自悔失言，她忘了朱颜对于傅七来说是个不可触及的禁忌。

果然，他连提都不愿提那个名字，没有接方灯的话。

“傅至时他爸叫傅镜纯，他的祖父和我祖父是亲兄弟，我曾祖傅学程一共有三儿一女。大儿子傅传本，二儿子傅传格，三儿子傅传声，女儿叫傅传云。”

“我知道你的曾祖父，老师在历史课上提过他，还有傅传声，他们都是了不起的人。傅传云……是不是那个大名鼎鼎的钢琴家？”方灯说着不禁悠然神往，想到那些个在近代史上或多或少留下了痕迹的故人都在他的族谱里，在他的血脉中，那真是一种奇妙的感觉。

傅镜殊点了点头，“曾祖父的三个儿子里，大儿子传本很早就去世了，只留下一个遗腹子维仁，也就是傅至时的祖父，我的大伯父。大伯父由寡母带大，没有同胞兄弟姐妹，他是个本分厚道的好人，心不在经商，他年轻的时候家里还好，但他一直在岛上的中学任课，大房的产业也多半交给三房代为打理。解放前，傅家举家迁往海外，大伯父不肯走，理由是他根在这里，一辈子教书育人，清白处事，不管时局怎么变化也于他无损。事实上后来他吃了很大的苦头，其中也有一部分是代替外头的傅家人受过。”

“他为什么把名下的傅家园产业卖给了郑太太，郑太太是谁？”

“嗯，这个待会我会告诉你的。解放后没几年，傅家园里住的就不是傅家人了，政府把它收为公有。听老崔说，最多的时候这里挤进了二十几户人，你肯定想象不到那时的热闹，正门花园里都是棚屋。”

方灯嗤笑道：“笑话，你是典型的饱汉不知饿汉饥。我从小就过得那么‘热闹’，现在也住得不怎么‘孤单’。说不定当时的二十几户人里就有我祖上的哪门亲戚。”

傅镜殊轻声地笑了，继续叙述他的家族往事。

“后来，政府落实侨房政策，又把这房子还给了傅家，过去住在这里的人才陆续搬走。当时西侧大屋已经惨不忍睹，我现在住的东楼因为面积不如西边，住的人稍微少一些，但也残旧得可怜。大伯父一家已经在外面住了二十几年，他们被折腾得彻底地怕了，不愿再和任何家族有关的事沾上关系，而且他们的家底也早就没了。所以维仁大伯父临终前，做主把大房名下仅存的产业，也就是傅家园的部分产权卖给了三房的管事人，我祖父的妻子郑太太。”

“祖父的妻子”这个词听着就一阵别扭，方灯知其中有异，怕触及他的禁区，不敢再随便发问。

“签字画押之后，傅家园就彻底和大房没关系了。维仁伯父死后，傅至时他家就用卖房的钱下海。结果生意亏得一塌糊涂，最惨的时候被人追债追得连家都不敢回。好在改革开放后他们和外面的傅家人也有了联系，二房三房都知道大房过得不易，时常接济一些，所以他们一家比岛上大多数人过得都好。”

“那他们就是白眼狼！”方灯想到傅至时一家人的嘴脸气不打一处来。

“谁不想清高矜贵，都是现实逼的，他们是穷怕了，恨不得能抓住一切能抓住的。我猜他们家心里不是没有怨恨过，同样是姓傅，海外的亲人还在过着好日子，他们却替一家人受罪。”

“那也不能拿你来出气啊！”

“欺弱怕强本来就是这个世界的法则。”傅镜殊淡淡地说，“那些给他们接济的，他们自然不敢怎么样。我给不了他们任何东西，这很正常。”

“接下来是二房。二房傅传格一家要简单得多，我曾祖父有过一个姨太太，只生了傅传云一个女儿，为了怕这位姨太太膝下无依，曾祖父做主把账房大主管的小儿子过继到她房下。”

“呀，那就是说傅传格不是你曾祖父亲生的？”

“没错，但是曾祖父待他和亲生骨肉没有分别，他也一直非常孝顺。傅传格信教，娶了当时台湾望族邱家的女儿，也是个虔诚的基督徒。他们接手了曾祖父在台的全盘生意，经营米业，曾富甲一方。二房有四子二女，是傅家人丁最兴旺的

一支。”

“可惜再怎么样他身上流着的也不是真正傅家的血，难怪三房坐大。”方灯若有所思地说道。

“所以我说你是小狐狸，什么你都知道几分。”傅镜殊用狗尾巴草驱赶两人面颊边的蚊子，“虽然宗谱上他们是铁板钉钉的傅家人，但是二房也知道自己毕竟不是正统血脉，所以从傅传格那一代开始就长期居住台湾，一心一意在那边扎了根。傅家园这个祖宅虽然有他们一份，其实他们也没住过几天，家族里的事务也很少主动过问，大房没落后，就唯三房马首是瞻。他们记着我曾祖的恩情，在台湾桃园据说有一座和祖宅格局大同小异的院子，也叫傅家园。说是仿造，不过现在另一个傅家园一定比这里要好上许多倍。二房后人众多，我也是偶尔听到关于他们的消息，听说多半不经商了，不是从医，就是搞艺术的，大多过得还不错。”

方灯从没听过他一口气说那么多话，但看他的样子并不厌烦，仿佛他也需要这样一场回忆和倾诉。听他说话对于方灯来说是一种享受，连院子里飞舞的蚊蝇也没那么讨厌了。

“三房傅传声就是你的祖父吧，他的名气一点也不比你曾祖父小呢。”

“我祖父傅传声是曾祖最小的儿子，大太太嫡出，视同珍宝。他也争气，从小勤奋善算，聪明果敢，最有曾祖父当年风范，所以曾祖父也最疼爱他。二十岁那年，祖父在家族安排下娶了马来西亚一个拿督的女儿，姓郑，也就是现在大家说的郑太太。婚后他正式代父打理生意，继承了公业，把木材和橡胶生意做得更大。除了我曾祖打拼下来的基业，他自己还购置帆船，开拓船务。那是傅家最鼎盛的时候，岁入万金，富极一时，祖宅也是在他手上重新翻新，重整了花园，加盖东楼，供自家三房妻小居住。我祖父字风涛，东楼当时又叫做风涛别院，就是我现在住的地方。”

“你祖父有几房妻妾？几个儿子？”这才是问题的关键，方灯小心翼翼地问道。

“三房不如二房人丁兴旺。我祖父只有一个妻子，就是仍旧健在的郑太太。”

方灯纳闷道：“怎么会……”

傅镜殊当真就像一只修炼了千年的老狐狸，总是能一眼看穿对方的心思。他顺着方灯的话说道：“郑太太也是个奇女子，人品才貌不逊于我祖父。她是家里独女，为人精明，手腕玲珑，在娘家待嫁时说话就很有分量。她带着巨额的嫁妆来到傅家。可以说，如果没有她娘家的助益，傅家在南洋不可能至今四代不衰。我祖父生前也很敬重她……”

“我听出来了，你祖父怕老婆！”方灯笑着拍手，自觉不妥，又拉了个鬼脸。

傅镜殊似笑非笑，“总之，郑太太一直是我祖父的贤内助。不过……婚后几年她连生了一儿一女都夭折了，之后很长时间无所出。”

“然后呢……”

““四十年代末，国内局势渐渐明朗。我祖父同意郑太太的提议，将三房暂时迁往大马。二房一直都在台湾，傅家园里除了大房，还有两个负责看管园子的下人。”

“我是问你祖父后来是不是有了别的孩子？”方灯想说的是，她其实只关心傅镜殊的身世和命运，别的统统与她无关。

“你就是沉不住气。”傅镜殊笑话她，“我说的就是这件事。解放前夕，傅家三房，实际上也就是继承公业的傅家本家举家外迁，人和值钱东西基本都带走了，只留下一个园丁，也就是老崔，和一个丫鬟，还有……丫鬟肚子里的孩子。”

“那就是你父亲？”方灯小心翼翼地问。

“没错，他叫傅维忍。”

“为什么别人会相信那是主人家的儿子，而不是丫鬟和园丁生的。”方灯暗暗祈祷老崔听不见她的话。

“因为丫鬟和老崔是两姐弟。一年后我祖父亲自来信承认了这个儿子，还托大房的人多多照顾他。他本打算缓几年等到郑太太那边心境更平和就把那对母子接过去，没想到一转眼时局就不允许了，这一等就是几十年。”

方灯说：“那个丫鬟当初被留下来看院子，也是郑太太的主意吧。”

傅镜殊答道：“你有时很聪明，有时又很傻。不过还好聪明的时间比较多。丫鬟叫小春，大家都叫她小春姑娘。她是我祖父乳娘的女儿，比他大五岁。”

方灯张嘴做了个惊讶的表情，“后来这个小春姑娘，也就是你亲祖母也去了大马？”

“不，她死了。原本也可能是去得了的吧。毕竟小春姑娘生下的也是我祖父唯

一的血脉，没想到郑太太遍寻名医终于得偿所愿，在三十五岁之后又生了一对龙凤胎。所以，不愿意再接他们过去。直到十多年前我祖父去世，临终交代郑太太一定要把我父亲带回大马好好栽培。郑太太念着几十年夫妻恩情，才最终同意了。”傅镜殊将这些事用寥寥数语带过。

“小春姑娘是怎么死的？你为什么没跟你父亲一块去大马？”

“你问题太多了。我没有去，是因为郑太太只答应了把我祖父的‘儿子’带往大马，并不包括其他任何人。”

“你也是其他人？”她隐隐觉得其中的缘由必定和朱颜姑姑有关，否则傅维忍也不可能丢下妻儿独自远走，但方灯不敢问这个。

傅镜殊不想说的事，谁也没办法让他开口。

“你还没被蚊子咬够吗？我不想明天到学校被人以为脸上长麻子。”他转开了话题。

方灯扭过头去看他。院子角落有一盏昏黄的灯，灯下的傅七面色如常，但方灯看得很清楚，他那双大多数时候都无比清明的眼睛里此时透出了些许迷茫，仿佛还随着他先前的追述迷失在旧时光里。

“那我回去了，我的脸好痒。”方灯走到墙根，又回头对他说了一句，“真好，我真羡慕你。”

“羡慕我？”她没头没脑的话让傅镜殊有些惊讶。

方灯点头道：“你的家人就好像活在故事里的人一样，难怪大家都说傅家是这岛上最了不起的家族。如果我是你，我一定会觉得很骄傲。”

傅镜殊把手里捏了一晚上的狗尾巴草扔进草丛里，自我解嘲地笑了，话语里不无落寞，“你真觉得除了这个姓氏，我和原本住在这座宅子里的傅家人还是一样的吗？”

“当然！”方灯想也不想就回答道，“说不定你会比他们更好……你看，你会画画，还会种花。”她好像也觉得自己说得乱七八糟的，挠了挠头，笑着说：“反正我也不认识别的活着的傅家人，除了你——傅至时那个小王八和他的一家子不算，他们不配，就好像凤凰窝里生出的黄鼠狼，只会干些偷鸡摸狗的事。”

方灯说完已经窸窸窣窣地爬上了墙头，姿态并不雅观。她义正词严地说别人偷鸡摸狗，自己倒好像体面地从主人家款款离去一般。双脚在另一端利索地落地时，方灯还有些闹不明白目送她消失的傅镜殊在笑什么。他坐着的地方光线是那么黯淡，但那个笑容却亮得像屋檐上的月光。

或许一切都出自于她的想象。

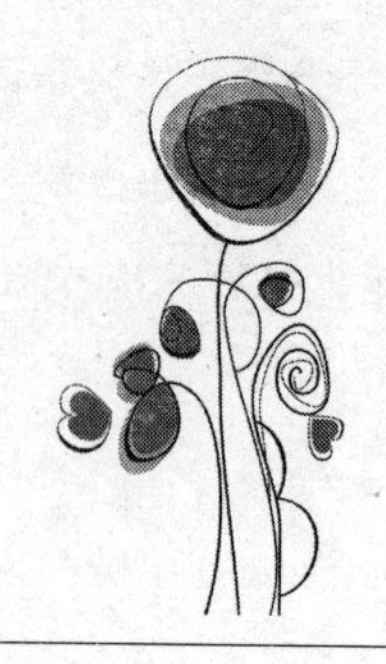

第五章

我赢了吗

第二天早上，方灯撕掉糊在破窗上的报纸，习惯性地朝斜对面小楼上的那扇窗望去。她惊讶地发现他的窗台上多了一盆美人蕉，盆底湿漉漉的，似乎刚浇过水，油绿肥厚的叶片中绽开了娇黄色的花。

一旁竹床上睡着的方学农被报纸撕开后透进来的光惊醒了，单手遮着眼睛坐起来，嘟囔着，“大清早地傻笑什么？”

方灯摸了摸自己的脸，才知道自己是笑着的，她讪讪地回了父亲一句，“你喜欢看我一脸晦气？”

方学农捡起昨晚喝完的酒瓶子，倒过来晃了晃，“妈的，又没了。楼下老杜开门了没有？”

“他开不开门我管不着，有本事你自己下去问他要酒。”方灯自顾梳头。

见女儿不买账，方学农脸色更加阴沉，他无意看向女儿视线所对的方向，冷哼了一声，阴阳怪气地说道：“我说我的好闺女怎么一大早笑得跟朵花似的。你看人家，人家拿正眼瞅你了吗？”

“你瞎说什么？”

“难怪连老杜都说你整天像只小浪蹄子一样跟在人家后面，我先前还不信。说出去别丢尽了我的脸……”

方灯毕竟年纪小，被父亲这番话说得脸皮一阵发热，又羞又恼地把梳子朝床上一扔，“丢你的脸，你以为你还有脸？别以为我不知道你为什么一大早朝我发酒疯，不就想我下楼替你打酒？”

“那你还不赶紧去？”说到酒，方学农什么都忘了。

“老杜的老婆这两天回娘家，说不准他真愿意再赊我两瓶。”方灯自言自语一般地说着。方学农浑浊的双眼都亮了起来，就差没觍着脸叫“好女儿”，方灯却忽然话锋一转，“可我凭什么去给你赊酒，伤了你的脸面可不得了。”

她抱起书包就走，灵敏地绕开方学农试图阻拦她的手。

“敢耍老子？看我不打死你！”他嘴里骂得狠，可宿醉虚浮的脚步如何跟得上方灯，眼看女儿闪下了楼，只得大声叫骂：“都不是什么好东西！我早知道你们都是一样的贱骨头，眼巴巴的以为能攀上高枝，你和你姑姑一样没什么好下场……”

方灯又是厌恶又是惊讶地回头看了一眼，楼道一头的父亲脸涨得通红，他已经许久没有这么歇斯底里地发疯了，她甚至不知道他现在是清醒还是糊涂的。

“你们以为对面住着的是什么了不起的玩意？不过是一堆野种，都是野种……总有一天老子要扒了他们的皮……”

他越来越不堪入耳的叫骂声渐渐地远了，方灯再了解自己的父亲不过，他嘴上叫嚣得再厉害，通常也不敢冲上来拿她怎么样。她只是不明白为什么他对傅家的厌恶是那么根深蒂固，难道是因为朱颜姑姑的缘故？

到了楼下，方灯甩了甩头，远远地朝摆放着美人蕉的那扇窗看了一眼，想借此驱散从父亲那惹来的不快。老杜今天开门还真早，几个附近住的学生一边啃着刚买的面包一边从店里走了出来。

“哟，今天那么早。吃过了吗？今早刚送来的面包，新鲜得很。”老杜殷勤地朝方灯打招呼。家里的凶婆娘不在，所以他显得胆子格外的大，“你过来尝尝嘛，

怕什么，我又没说要你的钱！”

方灯冷笑，天下没有白吃的午餐，老色鬼还真以为能凭小恩小惠占到便宜。

“真的不要钱？我能尝尝吗？”

一个怯生生的声音传来。方灯这才注意到店门口还站着个小不点。那是个瘦小的男孩，身上穿着和她一样的校服，但年龄看上去要比她小好几岁，脸黑糊糊的，鼻孔下挂着的两串鼻涕，随着他时不时的吸鼻忽长忽短。

“你倒想得美，小兔崽子。”老杜不耐烦地驱赶着男孩，男孩的眼睛却仿佛死死地被黏在了柜台里的面包上——早上刚出炉的面包，透明的塑料纸包裹下是烤得焦黄酥香的外皮，那对于渴望它的人来说就是无上的诱惑。

老杜从方灯那受了冷遇，见男孩纹丝不动，心中冒火，想把他推远点，可他身上邋遢，又恐脏了手，便骂道：“馋死你！想吃？找你的上帝要钱去。”

听老杜这么一说，方灯也有些知道这男孩打哪儿冒出来的了。果然，他身上斜背着一个褪色的黑布书包，那是一旁圣恩孤儿院的孩子特有的标志。孤儿院虽有政府和部分民间善款支持，但毕竟收入有限，开支又庞大，里面的孤儿们日子过得清苦，这是大家都知道的，可大多数孩子维持温饱没有问题，在嬷嬷们的打理下衣服破旧好歹还算整洁，像眼前这男孩一般邋遢落魄的并不多。不过仔细想想也没什么好奇怪的，方灯暗忖，哪里不是弱肉强食？孤儿院也不例外。以这男孩的窝囊瘦弱，不被人欺负嫌弃才是怪事，恐怕平日里嬷嬷们也不待见他，才任他像个小乞丐似的。

方灯自顾尚且不暇，更没多余的同情心分给这种没用的小鬼。离开之前，她听见那男孩瓮声问老杜：“我能不能拿这个和你换？”

“换个屁！滚远点！别挡了老子做生意。”

一个草编的小玩意儿被扔到了方灯身旁，看上去像是只蜻蜓，倒还像模像样，挺精致的，只是不知道他哪来的异想天开，竟以为这玩意儿能从老杜那里换来吃的。

男孩呜咽着去捡他的草蜻蜓，一脸委屈，可是连哭声都压抑着不敢放肆，两条鼻涕在他弯腰时滴落在马路上。方灯摇头走远。

上课时，方灯托腮看着黑板，脑子里却只有那盆美人蕉。美好的一天过得很快，放学做值日她也是哼着歌完成的。

回家的路上天色已经略微暗了下来，方灯绕进她住处所在的小巷，忽然远远地看见傅至时朝她迎面走来。傅至时的家在小岛的另一面，通常他出现在这一带是为了到老杜的店里买零食。方灯感到一阵厌恶，趁他没注意到自己，赶紧退回和他回家的路相悖的一条小径。她并不是怕那小王八蛋，不愿与他打照面只是不希望自己在他口出恶言的时候按捺不住又起了冲突，到头来反倒给傅镜殊惹麻烦。

岛上曲曲折折的羊肠小径和高高低低的围墙很好地掩饰住了方灯的身形，傅至时如她所料地折向了另一条小路。他并没有留意到十步开外一大丛三角梅后面的方灯，方灯却把他一脸的得瑟和手里把玩的东西看在眼里。

傅至时手里的东西方灯很是眼熟—— 一只草编的蜻蜓。

待到傅至时走远，方灯才继续朝回家的方向走去，经过圣恩孤儿院和杂货店相接处的花圃时，她毫不惊讶于那里多了个瑟缩着为失去爱物而抽泣的小可怜虫。

也许是感知到方灯短暂的驻足观望，小可怜虫哭得愈发伤心，可他再悲痛，那哭声也不过是闷在胸膛和鼻腔里的呜咽。受惯了欺负的人，连痛哭都不敢放肆。纵使他低着头，方灯也可以想象那两条仿佛永远擦不干净的鼻涕在可怜巴巴又卑微地伸缩着。

她心里涌起一股夹杂了厌恶和不适的烦躁感。很久很久以前，有个烂酒鬼的女儿也曾经因为邻家孩子的戏弄嘲笑躲在墙角偷偷地哭，但她很快就学会收起无用的眼泪，悲伤和愤怒应该是化作保护自己的利器，而不是缩在暗处折磨自己的借口。

“他抢你东西你不会揍他吗？”方灯没好气地问。

小可怜虫大概没料到她会和自己说话，抽泣声顿了顿，许久才颤声回道：“我怎么可能打得过他。”

的确，傅至时比他高了不止两个头，别说打架了，恐怕对方只需恐吓一声，便能轻易将他手里的东西夺走。可方灯不觉得这有什么问题，她不耐烦地斥道：“就算你打不过他，他打你三拳，你还踢不了他一脚？我不相信他断了你一只手，你还敲不碎他一颗牙！”

小可怜显然被方灯这番话吓到了，抬起头睁大眼睛看着她，连鼻涕都忘了吸，任它颤颤巍巍地挂在下巴上。

“不敢是吧！就是因为你没用，别人才欺负你！”方灯鄙夷地说。

“他……”小可怜满脸是泪，下意识地缩往花圃更深处，“我不敢。”

“哭死你活该！”方灯抛下他往前走了几步，傅至时把玩着草蜻蜓时喜滋滋的模样不断地闪现在眼前，还有不久前他当着众人的面肆无忌惮地嘲笑她和傅镜殊的那副嘴脸……此前眼看着傅至时父母借儿子的事由像强盗一样从傅家园往外搬家私，方灯心里就窝了一把火。她嘴一撇，掉头将小可怜从地上拽了起来。

“有什么不敢的？你跟我来！”

小可怜的身子轻得像落叶，任她牵引着快步流星往前，左行右拐地追了好几个巷子，傅至时漫不经心的身影出现在不远处。

方灯见四下无人，天色昏暗，路灯又尚未亮起来，示意身旁的男孩放轻脚步，抄起路边一个空的竹编垃圾篓，狸猫一样几步窜到傅至时身后，趁他来不及回头，迅速将垃圾篓往他头上一罩，脚顺势踩在他的膝盖内侧，毫无防备的傅至时仓促地发出一声“唉哟”，整个人重心不稳地向前扑倒。方灯不等他稳住身子，举起书包将他砸得趴倒在青石路面上。

倒地的傅至时挣脱了罩在头脸处的垃圾篓子，方灯却整个人骑在他身上，见他将脸转过来，就势一个大嘴巴子抽在他满是灰尘的脸上。

“我叫你欺负人，叫你欺负人！”

傅至时忽遭变故，似乎被她这毫不拖泥带水的一巴掌打蒙了，居然没喊出声，也没顾上挣扎，只是呆呆地，双眼直勾勾看着骑在他上方的方灯。

“你过来！”方灯催促着一旁发抖的男孩凑近前来，飞快地命令道：“打他，像我刚才一样打他，快！”

流着鼻涕的男孩吓得又开始抽咽。方灯气不打一处来，傅至时开始试图摆脱她爬起来，她用书包死死按住他的上半身，声音也变得急促而尖锐，“我叫你打他听见没有！你今天不收拾他，他以后永远欺负你！”

男孩缩着肩膀上前一步。

“你们敢……放开我，我整死你们。”傅至时的挣扎更激烈了，方灯在体力上并不能与一个同龄男孩抗衡，靠的不过是偷袭取巧和一股子狠劲才暂时制住了对方。

“没出息的东西！他看见你了，你打不打他，他以后都要整你！”方灯气喘吁吁地朝男孩喊道。她这句话起到了作用，瘦弱的男孩犹豫了一瞬，手忙脚乱地跪坐下来，用半边身子替方灯压住了傅至时揪她头发的一只手，闭上眼睛，以一种豁出去的姿态挥手朝傅至时脸上扇去，只不过那力道轻得像替他抹灰尘。

眼看被自己视作蝼蚁一般的胆小鬼也敢朝自己动手，心高气傲的傅至时狂怒得差点没背过气去，腾出来的另一只手死死掐住了男孩的脖子。男孩用尽吃奶的力扳开那只手，纠缠中用力咬了傅至时的手背，傅至时痛叫一声。

“你知道要怎样才能不被别人欺负？让他怕你！你赢了他，他害怕了，才会离你远远的。胆小怕痛就会被人打得更痛，一辈子翻不了身！”方灯的声音适时出现在男孩的耳边。

两个人的力量终究强过一人，男孩和方灯合力把傅至时压倒在地，小可怜虫仿佛也被激怒了，他一手捞起掉落在傅至时身旁的草蜻蜓揣进口袋里，鸡爪一样瘦骨嶙峋的手握成了拳，雨点一样朝傅至时身上招呼。

眼看傅至时已经放弃了招架，方灯知道是时候了，她从他身上爬了起来，又扯开了双眼冒火的男孩，“行了，快走。”

他们趁着夜色撒腿狂奔，路灯在身后陆续亮起，但这光亮也驱不散激斗过后夹杂着快意的恐惧。一路跑回到他们出发的地方，方灯扶着孤儿院门口的围墙大口喘气，男孩更是脸色煞白，差点连站都站不稳了。

“你回去吧。他要是找上门来你打死不承认。没人会相信你敢动手打他的，嬷嬷们也不会相信。他要是揍你，你就和他拼了，不过我猜他未必有那个胆子。”方灯说完，却见那男孩纹丝不动站在原地，只嘴角动了动，似欲言又止。

“怎么，现在知道害怕了？”方灯挤出了一个笑容，不怪他后怕，连她现在都不确定是不是下手太重了。不过她可不怕傅至时找她算账，光脚的不怕穿鞋的。

男孩吸着鼻子，嘴里却颤巍巍地冒出一句，“我赢了吗？我打赢了吗？”

“你……”方灯又诧异又好笑，还来不及接话，却见灰头土脸的傅至时出现在巷口，他竟然也一路追了过来。

“你快回去。”方灯推了男孩一把。没想到傅至时那么快就找上门来，是祸躲不过。

男孩全身都在发抖，他慌慌忙忙退后了两步，没有躲进孤儿院，却用颤抖着的手捡起了花圃旁的一块石头，缩在方灯身后。

“方灯，你居然敢打我？”傅至时又靠近了几步。

“你一肚子坏水满身贱骨头，我打你怎么了？”方灯讥讽道，“你不赶紧回去搬救兵，找你爹妈替你出头，一个人追过来不怕再被揍得满地找牙，孬种！”

她嘴里不留情，但正面冲突之下，毕竟对“复仇”的傅至时有些忌惮，脚下不落痕迹地也动了动，情况实在糟糕的话，她还可以跑。

傅至时靠得更近了，路灯下他的眼角亮晶晶的，方灯凝神一看，竟然是眼泪。正纳闷间，傅至时又抬高声音重复了一遍刚才的话，“方灯，你凭什么打我？”

一声控诉罢了，他没有如方灯所料地扑上来和她扭打，反倒哇地哭出声来，像个受尽了委屈的孩子。想来他平日被爹妈捧在手里，养尊处优的，偶尔跋扈，看起来张扬，临吃了苦头，瞬间被打回原形，哪里有什么彪悍勇猛的劲头。

方灯微张着嘴被这一幕震得一时无话，打架的时候没有惊动人，这孬种哭起来的动静倒引出了好管闲事的老杜走出店门观望。

“这是唱哪出？这不是傅老板家的孩子吗？你这是怎么啦？方灯，你这小坏种又干了什么好事？”傅至时家境尚可，他父母算是这岛上的体面人，他自己也经常慷慨地掏出零花钱光顾老杜的小店。老杜有心巴结，走上前察看，见傅至时一脸脏污悲愤，腮边红肿，知他多半在方灯手里吃了亏，又恼方灯不给他好脸色，便做出一脸心疼状，“一定是方灯和那个死爹死妈的小兔崽子合起来欺负你。走，我送你回去，让你爹妈找他们算账。”

傅至时不说话，还是流着眼泪死死瞪着方灯，仿佛要在她身上刺出个血窟窿来。

“你倒是说句话，她是不是欺负你了？别怕，我知道那丫头阴损着呢。回头让你爹妈找她那酒鬼老爹下跪赔不是……”

“杜叔，你真会开玩笑。你看他们两个像是能欺负他的吗？”傅镜殊从傅家园里走了出来，反手掩上院门，不以为然地打断了老杜的话。

老杜的杂货店虽然离傅家园很近，但一条马路之隔，两边向来泾渭分明，傅镜殊一贯深居简出，甚至连老崔都鲜少与他们打交道，这时忽然出声，老杜竟一时间不知道怎么接话。

“怎么都不说话？”傅镜殊挑眉看向傅至时，又问了一遍，“是他们两个把你打成了这样？”他的语调依旧是慢悠悠的，说话间眼神却刻意在方灯和她身后的小男孩那扫了一眼，嘴角似有笑意。那话背后的意思傅至时怎么会听不出来，方灯是个细挑身材的女孩，那小男孩更是瘦弱得像只小鸡仔，若是承认自己被这两个人收拾了，只怕不是什么光彩的事。

傅至时是个好胜的人，尤其在和他年纪差不多，辈分却长了他一辈的傅镜殊面前。

“关你什么事！你管好你自己吧，小野种！”

傅镜殊并不生气，冷冷道：“你不叫我七叔不要紧，不过被别人听见了，还以为你父母没管教好你，说不定还嘲笑姓傅的一点教养礼数都没有。”

“你算什么姓傅的？我爸妈都说你是小野种，你爸是个大野种，你是野种和妓女生的……”傅至时最恼火的就是傅镜殊压在自己身上的辈分，虽然他父母明面里对傅镜殊还算客气，可他偏不把他看在眼里。

“好啊，这话真是你爸妈说的？我不相信，要不我们一起去找二哥二嫂，当面问问清楚。”

傅至时当然不敢，他父母之所以对傅镜殊有所忌惮，归根到底是因为大房现在少不了受海外三房的恩惠，而三房虽把傅镜殊独自晾在这岛上，但长辈们也没说不认他，毕竟他现在是名正言顺住在傅家园里的主人。背地里怎么嘲笑他都可以，他们小孩子之间闹矛盾也可以一笑而过，但当着大人的面撕破脸，傅至时绝对在他父母那儿讨不到好处。

“你说去就去，凭什么？我爸妈才没空搭理你。”傅至时犹逞口舌之快。

“这不要紧。我不够分量，下次郑太太让人打电话回来的时候，就由他们来问问二哥二嫂，我们三房是不是真的出了那么多野种。”

“呸，我懒得跟你说那么多。”傅至时后悔自己一时没留意被绕了进去。傅镜殊平日里最不喜别人叫他小野种，这次却偏偏要在这件事上揪住不放，他父母若是知道了，只怕顾不上他在方灯那里受的委屈，也要给他好看。

“方灯，你给我记住！迟早我会找你们算账！”傅至时甩下狠话扭头就走，老

杜见状也讪讪地回了店里。

直至傅至时的身影再也看不见了，方灯低头，看见男孩手里依然攥着的石头，奚落道：“你今晚上要抱着它睡觉吗？”

“不能让嬷嬷们看见。”男孩好像没听出她话里嘲弄的意味，郑重地将拳头大小的石块收进了黑色的布书包里，迟疑了一会儿，忍不住又问道：“我们赢了吗？”

方灯翻了个白眼，“你赢了。”

男孩用手背擦了一把鼻涕，第一次在她面前露出了笑脸。

“我叫苏光照，嬷嬷们都叫我阿照。”介绍完自己，他忽然从口袋里掏出那个已经不成样子的草蜻蜓，献宝似的举到方灯面前，“这个给你，这是我编得最好的一只。”

方灯笑着说：“你自己留着吧，说不定老杜哪天心情好，能答应你用它换个面包。”

叫阿照的男孩见她不肯要，又眼巴巴地把草蜻蜓递给了傅镜殊。在他眼里，方灯带领他痛揍了欺负他的人，傅镜殊却几句话把坏人打发走了，他们在他心目中都是了不起的存在。

傅镜殊说声“谢谢”，手却推开了阿照送过来的草蜻蜓。他看着方灯，方灯懂他的意思。

“我就是看不惯他那嚣张的样子。”她强辩道，“反正我给了他好一顿苦头吃，我一点都不后悔。”

傅镜殊说：“我还以为你是个聪明人。让他吃苦头的办法多的是，你偏偏选了最蠢最费力的一种。”

“像你这样忍耐，他们就会怕你了吗？”方灯说完，等了一会儿，并没有听到傅镜殊接她的话。她抬头悄悄瞄了他一眼，他的嘴紧抿着，面无表情。

她觉得没趣，不知道再说什么才好，只得拿身旁眨巴着眼睛看他们的阿照出气。

“你还杵在这干吗？没你的事了，快走。”

阿照显然还不愿意离开，但方灯凶巴巴的样子让他有些发憷，孤儿院也管得严，一日三餐均有定时，再回去得晚一点，只怕连剩饭都没了。

依依不舍的小可怜走后，傅家园的高墙边只剩下静悄悄的两人。方灯玩了一会儿手指，期间自然又偷偷打量了他好几回。他不说话的时候，她实在不知道该怎么办。

过了一会儿，傅镜殊才开口道："你站在这又是干什么？回去吧。"

方灯暗喜，谢天谢地，泥塑菩萨一样的人终于肯开口了，虽然他说的话与她驱赶阿照时如出一辙。

"只准你站在这儿？这又不是你们傅家园的地盘。"她微微侧着头看着他嘻嘻笑，"你先说你站在这干吗。"

他没有马上回答。方灯怕他又冷着她，不情不愿地说了句，"行了，你说得对，我不该找事的，以后我都不去惹小王八……傅至时了好吗？"

"好不好都是你的事。"傅镜殊嘴上那么说，眼神却明显缓和了不少，瞥了方灯一眼道，"你以为你每次都能赢？"

"怕什么，我打的架比他吃的盐还要多。像他这样的人我见多了，赢不赢不说，至少不能让人觉得我是好欺负的。"

方灯说得轻松，但傅镜殊知道，如果不是从小看惯了别人的白眼，受够了欺负，她未必会是这个样子。她长在一个什么样的家庭，方学农是个什么样的父亲，他也不是不知道。

"女英雄，打了胜仗也要回去吃饭吧，天都黑了。我在等今天的邮差，一会儿也回去了。"

"邮差？"平日里像拿报纸这样的事都是老崔代劳的。方灯纳闷地问道："老崔呢？都这么晚了，今天的报纸早就送过了吧？"

"我在等一个包裹。老崔有事要离岛一段时间。"

方灯原本还想追根问底，然而看他的样子似乎也不想多说。她只能踮起脚尖和他一样望向黑黝黝的巷口，喃喃道："你确定今天会有包裹吗？"

傅镜殊沉默了一会儿，"不确定。我想今天是不会送来了。回去吧。"

他示意方灯回家，自己也朝傅家园走去。他的表情和说话的口吻虽然依旧轻描淡写，但方灯爬上了自家的阁楼，瞧见他锁好了院门，犹驻足朝邮差可能到来的方向看了一眼。

第六章

豪门弃儿

也许是方灯有心留意，一连三天，她都看到傅镜殊有意无意地在门口，或是窗前等待。他等的那个包裹迟迟未来，他素来平静的脸上也渐渐染上了几分焦灼。

方灯从来没有收到过包裹，甚至也没人给她写过一封信，她不明白那种等待的滋味，却知道那个包裹对于傅镜殊而言一定非比寻常，才会让他这样什么都习惯放在心里的人按捺不住地期待。这份期待也像一种神秘的病毒似的感染了她，以至于每每听到类似于邮差自行车铃的叮叮声，她都会不由自主地停下手里的事伸头去张望，虽然好几回那样的声音都来自于收破烂的。

有一次，方灯在渡口附近遇上了刚上岛的邮差，她赶紧把对方截住，问有没有送到傅家园的包裹。即使邮差不会把包裹交给她，能第一个把好消息带给傅镜殊，于她而言也是一件快乐的事。

邮差的摇头让方灯失望了，她不死心，央求邮差再检查一遍包里的物件以便确认。年老的邮差却告诉她，他在岛上送了十几年的信，每年差不多这个时候，的确会有一个从海外寄到傅家园的包裹，他不会弄错，但今年确实没有收到。

方灯陷入了沮丧之中，她也没发现是从什么时候开始，自己的情绪不由自主地被傅七掌控，他喜则她喜，他忧她更忧。掐指算算，已是十月末，马上就到他的生日了，这是方灯偷偷看到学校的学籍登记表记下的日子。她得想办法让他高兴，哪怕逗他笑一笑也好。

方灯翻出自己仅有的零花钱，到岛上的文具店买了最好看的一张卡片——这是少数她能够买得起的东西，一切与衣食住行无关的东西都是她的奢侈品。她攒下点钱不容易，平日里家用归她管，但除了吃饭、买酒，家里能剩下的钱少得可怜，还得躲过父亲酒瘾发作时满屋疯狂的翻找。

那张生日卡片一面印着不知名的花束，上面还撒了闪闪的金粉，花朵是黄色的，和摆在傅镜殊窗前那盆“她的”美人蕉有点相似。她想，他会种那么多的花，一定也知道这卡片上的花束是什么品种。

为了力求完美，方灯在废稿纸上演习了好几回，才一笔一画地在卡片另一边写上“傅七生日快乐”几个字。她不是嘴笨的人，然而想了许久，似乎最想对他说的也只有这几个字。她就是希望他快乐，仅此而已。最后，在署名的地方，她用笨拙生涩的线条画了一盏灯。

如果他是镜子，那她就是灯。这样，她就可以照亮他，并且在他的折射里也看见光芒。

到了傅镜殊生日的那天，方灯早早就做好了安排。她打算在渡口截住老邮差，托邮差把卡片送到傅家园，好给他一个惊喜。阿照自告奋勇地接下了这个任务。

自从经历了那天的事之后，这个叫做阿照的鼻涕虫就整天出现在方灯和傅镜殊的左右。他大概是孤独惯了，平日里围绕着他的满是漠视和白眼，所以稍微遇见对他好一些，又远比他有力量的人，他就像溺水的人抓住了救命稻草，再没有放开的道理。

方灯鲜少给阿照好脸色，被缠得烦了就会毫不留情地损他，可在她和傅镜殊两人里，阿照面对她时反而比较自如。虽然傅镜殊从不会在言语上对阿照刻薄，阿照

还是有些怵他，更确切地说，是敬畏。他愿意用崇拜而向往的目光看着那个比他长几岁却住在岛上传说一般的傅家园里的少年，与这个人之间产生的任何牵连都是他黯淡生活中值得引以为傲的事。

正因为这样，替方灯跑腿，又是给傅镜殊送礼物，这在阿照看来是个绝对的美差。方灯起初有些犹豫，但是想到邮差上岛的时间多半是放学后的黄昏时分，她若在渡口守候，难免就耽误了做饭，饿了肚子的方学农必定又让她不得安宁——况且，她也期盼着亲眼在阁楼上看到傅镜殊收到礼物的那一幕。于是她再三叮嘱，阿照欣然领命。

傍晚，方灯刚把饭烧熟，楼下就传来阿照的口哨声，这意味着他已经顺利求得邮差接下这个委托，虽然横竖也是顺路，不过想必阿照可怜兮兮的样子也帮了不少忙。方灯探出头给了阿照一个赞许的笑，阿照喜滋滋地跑开了。

接下来，方灯就一直竖着耳朵聆听窗外的动静。直到吃过晚饭她收拾好碗筷，巷子里才终于传来邮差自行车的铃声，这对于方灯来说不啻于天籁。

“傅家园，有东西到喽，下来领一下。”老邮差扯着嘶哑的声音唤着。

方灯立在小窗一侧，咬着嘴唇窥视楼下的动静。傅镜殊很快走出了傅家园，说不清是不是方灯的错觉，她几乎觉得他接过邮差递过来的东西时，双手是微微颤抖的。

傅镜殊所在的位置，方灯只能看清他的侧脸。她在加速的心跳中半是观察半是猜度着他的表情。喜悦？纳闷？狐疑……接下来却更像是失望和愤怒。

邮差推着车走远，傅镜殊缓缓转身，方灯看到他手中拆开了的卡片。他定定地看向方灯所在的小窗，方灯飞快地把头缩了回去，可她心想这一定逃不过他的眼睛。心中默数了二十下，她再度小心翼翼地看往楼下，他还站在原地，手里的卡片不见了，脚边却多了个揉成一堆的纸团子。

方灯心里乱糟糟的，雀跃和期待更是跌入了谷底。在逼仄的小阁楼里没头苍蝇般转了两圈，她还是跑下了楼。

傅镜殊看着她走过来，目光冷冽，不对，那里边藏着她从来没有见过的怒火。

“你是怎么了？我就是想让你高兴！”方灯俯身去捡他脚边的纸团，心疼地重新将它展开，“就算你是嫌弃我，这东西也没碍着你什么呀，犯得着这样吗？”

“你想让我高兴？还祝我生日快乐？你希望我高兴快乐就不会开这种玩笑来耍我！”傅镜殊竭力让自己声调如常，然而急促的呼吸让他的掩饰显得有些失败。

方灯也明白了，这不是他心心念念的那份包裹，他要的不是她可笑的祝福，这个所谓的生日“惊喜”反倒让他空欢喜了一场，所以他生气了。

她有些意识到自己所做的事是那么的不合时宜，难怪他觉得她蠢。然而后悔并不能减轻她心中的难过。

方灯不服气地朝傅镜殊喊道：“你的包裹就那么重要吗？”

“当然。”傅镜殊声音很轻，却言简意赅，没有分毫犹豫。

“那么重要又怎么样？活该你等不来！”方灯嘴上强势，眼泪却不受控制地夺眶而出。

傅镜殊脸色一白，没有说话，一旁却传来他们都不想听见的一个声音。

傅至时嘴里含着冰棍站在老杜杂货店门口，声音含糊，但却足以让不远处的两人都听得清楚。

“啧啧啧，有好戏看了，一窝的老鼠也会打架！”他挑衅地看向方灯，“你求我啊，说不定我会告诉你我的好七叔在等什么？”

“滚！”方灯的怒气正愁无处宣泄，顺势将手里的卡片又揉成一团，朝傅至时掷去。卡片轻飘飘的，还没近身就已落地。

傅至时将冰棍从嘴里抽出，他的嘴角还挂着未散的淤青，昭示着不久前刚和方灯结下的新梁子。然而奇怪的是那天他被方灯和阿照揍了一顿之后，竟迟迟没有发难，不管明的还是暗的都没有。方灯自是没有把他放在眼里，阿照的石头揣在书包里好几天，也没有派上用场。方灯觉得，或许傅至时这种人就是欠收拾，就像王八一样，喜欢张口咬人，你给它迎头痛击，压下它的气焰，它就会把脑袋缩回王八壳里去。

“你叫滚我就滚？有本事再来打我啊，别玩阴的，看谁吃亏。看你哭得那副熊样，我还怕打脏了我的手。”傅至时满脸不屑，斜瞥了傅镜殊一眼，又对方灯说道，“你以为你是谁？一张破卡片能和大马寄回来的包裹比？有些爹不疼妈不爱的人就

靠着一年一度的那点念想过日子了，好让人以为他不是个野种，还有人记挂着。我的好七叔，他不知道，大马那边的人早就不要他了，他就等着和这鬼屋一块烂掉吧。”

“你什么意思？”傅镜殊向来不与他计较，然而这时也难掩怒火，声音冷得像冰。

“没什么意思，你不是爱用辈分来压我吗？就算你是祖宗辈的，家里头都不认你了，你连个屁都不是。要不怎么你爸自己认祖归宗去了国外，把你单独留在这？三房容下你爸一个野种已经够了，野种的野种想翻身，门都没有。你爸一年就给你来一封信，随便寄点东西，你当做宝？呵呵，我妈说，这和打发叫花子没两样。现在好了，别人连这点施舍都懒得敷衍你……你不服？那你说，怎么大马那边不给你寄东西了？趁早别等了，换往年，该到的早到了！”

方灯都不敢去看傅镜殊的面孔，她应该还生他的气的，但更恨傅至时落井下石的搅局。有些人就是以别人的痛楚取乐，她恨不能撕下对面那张得意洋洋的脸。

“疯狗！你叫够了没有？”方灯环顾四周，在墙根下捡起一块拳头大的石子，“我再说一次，你给我滚！”

方灯动真格的时候，傅至时还是有几分忌惮，他清楚惹恼了她，她什么事都做得出来。反正看着傅镜殊的样子，他已经得到了莫大的快慰，见好就收，一点也不吃亏。张嘴将快要融化的冰棍咬下半截，傅至时扬长而去。方灯想不出自己留下来有什么意思，擦了把眼泪，扭头跑回了她的阁楼。

第二天是周六，方灯带着阿照去池塘边捞鱼。她心不在焉，阿照看上去傻乎乎的，学东西倒很快，瘦猴似的小身板，灵活地舞着比他人还高的网兜，居然收获不少。一想到方灯答应炸了小鱼之后给他留几条，他的口水都快要和鼻涕一块掉下来了。

“灯姐，我出来的时候看到七哥好像站在他家门口，不会还在等他的包裹吧。”阿照一边把鱼往塑料桶里倒，一边对方灯说道。他嘴甜，在方灯面前一口一个姐姐地叫，又听方灯有时将傅镜殊唤作傅七，便跟着叫他七哥，反正傅镜殊没有应过他，也没有反对他这么叫。用阿照的话说，他刚出生不久就因为感染了重度肺炎被扔在圣恩孤儿院门口，没见过父母的模样。因为身体弱，胆子又小，孤儿院里大一些的孩子们都欺负他，嬷嬷也嫌他流着鼻涕总是脏兮兮的，没人搭理他，方灯是唯一肯带着他的人，傅镜殊也愿意帮他，不嫌弃他，在他眼里，他们就像他的亲人一样。

他虽然不是很清楚他的灯姐和七哥之间发生了什么事，只知道为了一个包裹，他们都很不开心。

方灯低头看了看今天的收获，又看了看天际，意兴阑珊地说道："管他呢。走吧，看样子要下雨了。"

她没说错，这雨来得比预料中快，而且势头不小。方灯和阿照提着捞鱼工具一路小跑着回到巷子时，身上衣服已经湿了一片。

她说了不想再管他的，可是躲进住处的楼道前，还是忍不住朝傅家园看了一眼。傅镜殊居然还像阿照所说的那样在等他的包裹，雨来了也不知道躲一躲，整个人静悄悄的，面色如水，像是恒久以来就立在院墙边的一尊塑像。

阿照也瞧见了，有些不知所措地看着方灯。方灯大声骂他："愣什么？还不快回去？想淋出毛病来？"

阿照莫名挨了一顿吼，怏怏地双手遮雨冲进孤儿院大门。方灯也钻进了楼道，噔噔地上了楼，还没进屋又停住了，用力跺了跺脚，放下鱼桶又跑回了雨里。

"你傻啊，今天是周六，又下那么大雨，邮差都未必上岛。再说，你这么等有用吗？"她恨恨地对傅镜殊叫道。

傅镜殊看了她一眼，轻轻抹去自己脸上的水渍，"那你说，我做什么才有用？"

"我不管这些乱七八糟的，淋出病来谁可怜你？说不定那包裹是路上耽误了呢？"

"所以我才在这等。"

"你在哪儿不是等？犯得着和自己过不去？已经等了这么多天，该来的早就来了，如果给你寄包裹的人今年忘记了，那你是不是要在这等到死？"

"不会的，这已经是他唯一记得我的时候了。方灯，这件事和你没关系，你别管。"

"我不管你谁还会管？老崔也不在。"方灯气急，像他这样平日里什么都看得明白的人，偏偏遇上这件事如此固执。"他们把你一个人扔在这也不是一天两天了，真的惦记你的话，至于除了一年到头用一个包裹打发你之外，其余什么都不管吗？你爸寄来的包裹和信再重要，难道没有它你就活不下去？"

"我当然活得下去，但是和死了也没什么分别。"这是方灯头一回听到傅镜殊那么大声地对她说话，雨越下越大，似乎连他自己也对这种不管不顾的宣泄感到陌

生。“傅至时说得一点都没错，我什么都不是，如果没有顶着这个姓，我就是他们嘴里不折不扣的野种、弃儿。我住在这个大房子里面，但是和阿照，和对面孤儿院里的人有什么两样。方灯，你不是没见过那些人的势利和白眼，我不想这样，不想一辈子被人看不起，不想烂在这个鬼地方！那个包裹，已经是我说服我是傅家人的唯一理由了，你懂吗？”

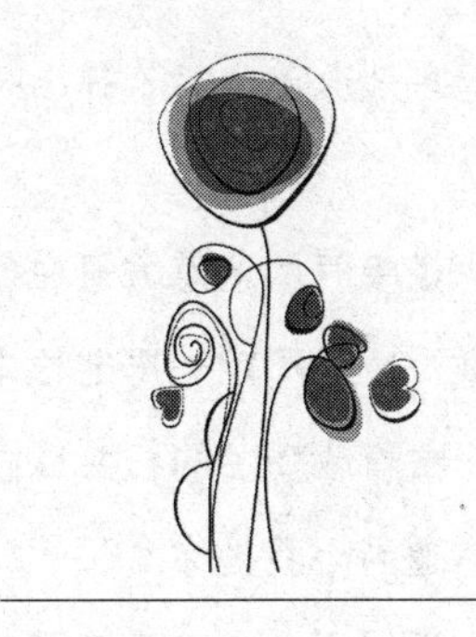

第七章

云烟旧梦

傅镜殊问方灯懂吗，方灯不懂。她只是个酒鬼的女儿，更是个有一天过一天的人，那些所谓的家门荣耀从来就与她无关。但她想了又想，也许这也没什么难懂的，这世上有些东西在别人看来一钱不值，但是在某个人心中却是一切。

雨在入夜时分就停了，第二天一早，太阳急不可待地施展秋老虎的余威。傅家园院墙上的青苔被雨水洗刷得格外苍翠，方灯再从那里经过时，墙下已经没有了等待的人。

这天，她在去学校和回家的路上都未遇见傅镜殊。到了晚上，对面的窗口也没有了透过猩红色天鹅绒帘缝流泻出来的一线灯光。他去了哪儿？自从方灯搬过来那天起，就从没有见过他离岛过夜，按他的说法，岛外的市区也早就没有了亲人。

“我去他们教室里看了，七哥的座位是空着的。”又过了一天，阿照啃着油炸小鱼对方灯说。他的脸看上去干净了不少，方灯说过，想要吃她做的东西，最起码要把鼻涕擦干净。

“灯姐，七哥他会不会想不开……”

“我呸！”

阿照不敢再说晦气的话惹方灯生气，吃完了炸鱼，又恋恋不舍地舔着手指，突发奇想地又说道：“说不定七哥他根本就不存在……嗯，就像是石头变出来的。别人都说傅家园里藏着成精了的石头狐狸，所以他说不见就不见了。”

“再胡说八道当心我抽你。”

阿照挨了一记爆栗，捂着头跑了。

黄昏中的傅家园铁将军把门，从铁门的间隙看进去，只看得见深深庭院。园中心的欧式喷水池边长出的野草尖儿枯黄了。几日无人打扫，前廊的阶梯上铺满了落叶，塌了大半的假山和假山后废弃了许久的西楼更显荒凉。整个院子里看不见嗅不出一丁点儿活人的气息。难怪阿照会相信那些鬼话。

方灯轻车熟路地翻墙入内，老崔出远门了，她可以放心地穿过后花园和屋顶都没了的下人房，一路走到东侧小楼正门。

作为园子里仅有的完好建筑，傅家园东楼在方灯看来不中不西的。一侧是古色古香的亭榭和月牙池，正门却有着欧式的高大廊柱和双向步阶，这在百余年前想必是当时的时兴设计，也是瓜荫洲特有的历史使然。

“傅七，你在里面吗？”方灯拍打着沉重的雕花木门，“喂！你没事吧！要是还活着的话你好歹应一声……”

方灯喊了好几分钟，手拍得发红了，那不知道什么木头做的大门纹丝不动。她又退开几步朝熟悉的那扇窗喊话，依旧没有任何回应。傅七房间的那扇窗远处看来平常，近距离观察才发现它离地近五米高，周围没有借力之处，就算她身姿灵活，也决计不可能徒手攀爬上去。

方灯沮丧地扫开落叶，一屁股坐在微凉的大理石台阶上。他能去哪里？莫非真如阿照所说，这座废园本身就是狐狸精布下的迷障，他则是住在里面的精怪，只为迷惑她而来？否则为什么这岛上日出日落一切照旧，没有一个人在乎这深宅大院里有人悄然消失了，只有她耿耿于怀？然而《聊斋》里的狐狸好歹还贪慕书生的阳气和才华，她有什么可以给他？

就在她捧着脑袋越想越离谱之际，身后传来古怪的吱呀声。方灯当即回头，严丝合缝的两扇木门被打开了一个缝隙，门缝后是傅镜殊略显苍白的脸。

“哎呀，你在里面为什么还让我叫了那么久？你这两天干什么去了？我还以为你死在里面，烂了臭了都没人知道。”

面对她连珠炮一般的责问，傅镜殊只答道：“死了就死了，烂掉臭掉有什么关系。”

他的声音不大，语气里竟有几分赌气的意味。

方灯揪着的心放下，又没见过他这副样子，顿时觉得有些好笑。不由分说顺着门缝挤了进去，一边好奇地张望，一边说：“要是我住在这么大的房子里，才舍不得死掉。”

傅镜殊有些无奈地看着门在方灯身后自然地合上，转身穿过门厅朝楼道走去，方灯自来熟地跟在后面。

不知道是因为四处帘幕低垂的原因，还是心理使然，方灯一进屋只觉得光线昏暗，四下都很洁净，但空气中偏偏弥漫着一种说不出的味道，混合了朽坏的木材、淡淡的熏香，还有久远的时光捎来的尘埃气息。这味道她似乎在哪里闻到过，却一时说不上来。

方灯尾随傅镜殊上楼，这时眼睛已经稍稍适应了屋内的昏暗。她回头打量刚走过的一楼门厅。果然，挑高的弧形落地窗前覆盖着与楼上相似的绒质长帘，地板和四周的护墙都是颜色深沉的木材，中厅异常空旷，左右两侧各有一扇门不知通往何处，可想而知当年这里富丽堂皇的摆设，而如今空空如也，只剩天花板上一盏硕大的铜枝水晶吊灯——当然，水晶和灯泡都荡然无存，灯架和天花板脱落的柳条木微微摆荡，方灯生怕它们会掉下来砸破自己的脑袋。

这房子看上去危机四伏，幸好楼梯还算结实，他们两个一同踩在上面，连一点动摇的声音都没有。方灯摸索着暗沉却光润的扶手雕花，又用脚跺跺楼梯踏面。

“傅七，你们家的楼梯是什么做的？”

“应该是楠木。”

方学农平日里干得最多的活计就是给别人家的丧事打下手，所以方灯听他说起过楠木，传说最最名贵的棺材就是用金丝楠木做成的。想到这里，她忽然明白了，为什么她会觉得这屋子里的味道似曾相识，那是丧礼和古老的坟墓特有的气味，死去的气味。

想到这里，自诩天不怕地不怕的方灯也打了个寒战，不由自主地抓住了走在前方的傅镜殊的手。

他的指尖冰凉，却有着异样的潮湿感。

傅镜殊也被方灯突如其来的举动吓了一跳，愣了愣，才缓缓把手抽开。

“你干什么？”

方灯紧抓着扶手停下来不走了，这诡异的老房子让她不寒而栗，她想不通怎么会有人能像他一样天长日久地住在里面。

“你老实说，你不会是鬼屋里住的老妖精吧？”方灯上下打量着他。

傅镜殊笑了起来，“可不是，当心我掏了你的心。”

他笑了之后，屋内的阴郁气息顿时被驱散了不少。方灯也笑嘻嘻地回道：“老妖精，你要我的心干什么，煎了还是炸了吃？”

“妖精都没有心，所以才去掏别人的填在自己胸口。”

“你听谁说的？”

“从别人那听来的故事罢了。”

“我喜欢听这个，你再说说。”

“以后再说。”

“什么时候？”

方灯不依不饶地，这时傅镜殊先一步踏上了二楼，倚靠在楼道尽头的扶栏处，呼吸有些不稳。

“合适的时候。”他说。

方灯这才发现他的声音很是疲惫，脸色也不大好，原本就瘦削的面颊竟有些微微凹陷了进去。

“你病了？”她为自己的粗心懊恼不已，难怪他一连几日都没有出门，她却还异想天开地纠结于那些神神怪怪的东西。

傅镜殊歇了一阵，又领着她往二楼更深处走。

“感冒了而已。”

他说话的样子总是像任何事情都没什么大不了，方灯却不这么认为。

“淋了雨不感冒才怪，你吃药了吗？”

“嗯。”

“不去看医生？”

她的絮叨让他有些无奈。

“你怎么话那么多？我真要是老妖精，一点感冒算什么。进来吧，不过别靠我太近，小心我把你传染了。”

他把她领进了二楼一个花厅模样的房间，自己先靠在了角落里的一张软榻上。

“你自便吧。老崔不在，我也没心思烧水，所以给你泡茶是不可能了。”

方灯压根就没想过要喝什么茶，她饶有兴味地去看他软榻边的壁炉，过去她只从插画书里见识过这玩意儿，想不到他屋子里就有一个，上面繁复的雕刻图案让她啧啧称奇，只不过壁炉里头连死灰都没有，想是废弃了许多年，早就成了个摆设。

这楼上的小花厅空间上虽不比一楼中堂，但看得出来是有人生活起居的地方，比别处更为完好，拼花的地板除了少部分有虫蛀的痕迹，大致还算平整，四处光线也较为柔和。除了傅镜殊靠着的软榻，壁炉边还有两张已不成套的沙发，另一侧甚至还有张长长的供桌，乌沉沉的，供桌上方是整排的人物画像，被精心装裱在木框里，表面的玻璃镜面擦得干干净净。

“你住的地方还真像画里一样，难怪别人都说你们傅家过去有钱得很。”

傅镜殊跟随着方灯的视线也环顾了一遍周遭，不无自嘲地说道：“这算什么，就算是画，画的也是颓败的景象了。”他指了指花厅里的某个角落，“那里以前有一张直径两米的楠木圆桌，还算是个值钱的东西。我祖父年轻的时候曾遣人把它送到当时的亚洲博览会展出，听说得了奖。桌子和壁炉前的一整张虎皮一样，都是我祖父最喜爱的物件，家里的大小事务多半是在它们旁边议定的。迁往马来西亚的时候，他们走得太匆忙，总以为还有一天能回来，所以没有把桌子带走，现在谁也说不清它到底去了哪里。你现在看到的供桌旁原本还有个博古架，和供桌一样是上好

的紫檀雕成的，十年前瓜荫洲博物馆‘请’我们捐了出去。天台上的撞球桌前年塌了，老崔舍不得扔，用废木箱垫着一脚用来晒菜干。楼道口的那把酸枝花架前一阵被傅镜纯顺走了，如果不是供桌上还有祖宗的画像，恐怕也保不住。这屋子，能走的，值得被带走的，都没了，剩下的都是……”他笑了笑，没有再往下说。

方灯在脑海里想象着他所说的那一切还存在时的景象，想象着烈火烹油、繁华最盛时的傅家园，那些写在历史课本里的人物谈笑着穿梭在撞球桌、成套的酸枝家具、两米宽的楠木桌和紫檀的博古架之间，四下还有无数她想不出、叫不出但无比精致富丽的摆设，空气中飘来似有还无的钢琴声……她朝供桌的方向走去，仰头去看那一张张泛黄的画像。就是他们吗？傅家园曾经的主人，曾经活在这里，傅七渴望着被收容的傅氏之魂？

“这是谁？”她指着一个“古装”打扮的枯瘦老太太问道。

傅镜殊说：“那是我曾祖父的母亲黄氏。”

“那这个就是你的曾祖父喽？”方灯挪了一步，站在下一幅画像前。画里的人头戴瓜皮小帽，一身长袍马褂，胸前挂着西洋的怀表。

傅镜殊点头。

“就是他为你们傅家开创的家业？”方灯细细端详着画里那个其貌不扬的老头，听说至今市里最好的大学里还有他的塑像，除了捐资助学，岛上最初的轮渡和大半道路都是他出资修建的。

“没错。我曾祖父傅学程幼年家境贫寒，小名阿旺，世代居住在岛上，以卖馄饨度日。不知道因为什么事得罪了某个乡绅，不得已卖了馄饨担子，带上所有家当，也就是十五个银元离家闯南洋。那年他才十八岁，先坐船去了印尼，后来又辗转到了大马，一开始还是卖馄饨，挑着担子大街小巷地走。他为人热情厚道，做出来的馄饨味道不错，生意越来越好，人称‘馄饨旺’。有一种说法是他当时看上了常来买馄饨的女孩，那是个小商铺老板的千金。商铺老板自然看不上卖馄饨的小贩，一口拒绝了提亲。我曾祖父气恼之下用攒来的钱转行做了货郎，后来又开了商行……”

“他后来有没有娶商铺老板的女儿？”方灯到底是女孩子，关注的永远是传说里仅有的那点旖旎。

傅镜殊果然又笑她，“这我就不知道了。不过我想没有吧，我的曾祖母也是瓜荫洲本地人。”

“哦……”方灯有些失望，真实的故事总是没有戏曲和小说里精彩，“那你曾祖父的商行是不是越做越大了？”

“商行做起来之后，曾祖父转而从事国际贸易，就是这时他创办了‘富年股份公司’，也就是傅家祖业的前身。一战时期，‘富年’把经营范围扩展到米业、木材和种植行业，在印尼买下大片的橡胶田，我的曾祖父就是这样被称为当时的南洋四大橡胶大王之一，也是当年南洋华人商行的领袖。”

“再然后他就衣锦还乡？”

“也可以这么说。我曾祖父是一九一九年回瓜荫洲买地建宅……”

“就是这里吗？”

“这里是其中之一，但是你现在看到的房屋和院子是大火后翻新重建的，最初并不是这个样子。我的曾祖父是个有些固执又十分传统的人，家里上下都有些怕他。不过对外他乐善好施，热心公益，很有远见。也正是因为这样，傅家的根基日益深厚，当年实力最雄厚的时候在上海、天津、汉口、重庆和广州与人合组信托公司，入股马来华侨银行，可以说他创建了一个金融帝国。”

“咦，我发现你长得有点像你曾祖父哦，这里……”方灯比划着下巴，“这里尖尖的，特别像。”

“我怎么没看出来？”傅镜殊笑道，“不过曾祖父的三个儿子里，我祖父傅传声的确和他最相像。”

方灯也开始数起画像，“这个是你曾祖父的大儿子吧，叫傅传什么，我忘了。”

“傅传本。”

“反正就是大房的人，他有傅至时那样的子孙辈，我不喜欢他。”

傅镜殊往软榻里窝得更深，笑声也低得几乎听不见了，“你别晃来晃去，我看着难受。”

他兴许是话说得多了有点累，声音越来越低沉，方灯只有依言走近，靠着壁炉坐在地板上，远远地朝画像比划。

“那个圆脸的是二房傅传格对吧，他是过继的，难怪和其他兄弟姐妹不太像……那么，下面这个穿西装的一定就是你祖父傅传声了。”

“嗯。”他的语调听起来懒懒的，这都不像他了，方灯有一种奇怪的感觉。

“喂，你是不是快睡着了？”

“怎么会？”傅镜殊又接着往下说，“我祖父十七岁那年，曾祖父为了考验他，把一间小小的米铺交给他打理。当时战乱，他领着几个随从，押着千担大米，避过马贼兵乱，一路运往旱灾饥荒的滇西，本来这一趟可以大获暴利，可他亲眼见过了当地民不聊生的惨状，做主把千担大米全部施给灾民，自己背着藤条回到曾祖父面前请罪。曾祖父当时就大笑说：‘我有一个好儿子，傅家有望了。’这些都是老崔亲口告诉我的，他当年就是我祖父几个贴身随从之一，陪着他走南闯北。”

方灯很难把风烛残年的老崔和经历了传奇时代，走遍大江南北的健壮汉子联系起来。

“傅家的产业是我曾祖父创下的，但却是我祖父牢牢守住了它，把它做得更强更大。祖父学贯中西，但一生遵循曾祖的遗训——‘勿忘祖业’。当年的旧宅被一场大火毁了，时下很多人，包括郑太太在内都劝祖父离开瓜荫洲这弹丸之地，迁居上海，最不济搬到市区里也方便很多，但祖父不肯，他说他的根在瓜荫洲，所以他花了比曾祖建宅时多两倍的巨资重建傅家园。如果不是时局不允许，也不知道再没有回来的机会，他是不会抛下傅家园定居马来西亚的。我父亲告诉我，直到祖父临终前，都在为客死异乡抱憾不已。他留下了两个遗愿，一是让我父亲认祖归宗，另外一个就是希望傅家后人重建傅家园。”

“那为什么傅家园还是这个鬼样子？”方灯很疑惑。

傅镜殊低声说：“重建？说起来容易……”

“看来郑太太并没有把你祖父的遗愿都了结了。”

“你有没有看到，供桌上有一套缩小了的馄饨担子。”傅镜殊想要转移方灯的注意力是件很容易的事，果然，他这么一说，方灯立马爬起来凑近去看，供桌上还真的有一套铜铸的馄饨担子模型。一尺来高，做工精细，活灵活现的。“这套馄饨担子是我祖父让人打造的，放在这里，就是要后人都记住傅家起于低微，勿忘先辈创业的艰难。”

方灯想要去摸摸这个有意思的东西，手伸出去，却碰倒了原本反面摆放在桌子上的一幅小像。和供桌上方悬挂的中规中矩的人物半身像不同，这幅小像不过巴掌大小，画工精细，上面是个倚坐在草地上嫣然而笑的少女。她身着素色盘扣布衫，黑油油的辫子垂在胸前，目光里含情带笑。方灯眼尖，很快就辨认出少女背靠着的石头雕像正是如今傅家后花园荒草丛中的那只石狐狸，画面的背景还有座小小的观景亭，不正是傅镜殊时常在里面写生的那个破亭子吗，只不过当时一切还完好如初，花园一角芳草萋萋，佳人如画。

“这……”

“她就是小春姑娘。也是生下我父亲的人。”傅镜殊不等她问完就直接说出了她想听到的话。

方灯把小像拿在手里翻来覆去地看，“画得真好，是你祖父画的吗？”

“是吧，他和小春姑娘是一起长大的，除了他还会有谁？要是郑太太还住在这里，这幅画像是决计不能光明正大摆出来的。这几年，老崔约摸是思量着他们再也不会回来了，又想到我祖父和小春姑娘也都去世那么多年，才偷偷把画摆放在这里。画里的人好歹是他的亲姐姐，她虽然是个丫头，但也生下了傅家的后人，不能归入宗祠，能离我祖父的遗像近一些也是好的，虽然她的那一脉一代又一代，在别人眼里都是不入流的野种。”

他的声音几乎低不可闻，但话里难掩失落，与他诉说祖辈事迹时的骄傲和热切有云泥之别的情绪。

“别这么说。”方灯焦急地打断他，“你是傅家的人，和傅学程和傅传声有一样的血统。说不定有一天，你的儿孙也会用这样骄傲的语气说起你的经历。”

傅镜殊怎么会听不出她安慰的意思，所以他只是笑，笑着笑着就咳个不停。

“你怎么了？”方灯听他咳得有些不对劲，担忧地走到他身边察看，“要不要我给你烧杯水？”

“不用，我没事。”

说是没事，但他的声音明显无力，即使是强打精神也有心无力。方灯才回忆起，从她进屋以来，他的状态就不太妙，他自己说不过是小感冒而已，她也就没往心里

去，然而说了那么多话，他在软榻上蜷得越来越深，声音也越来越低……

方灯用力扳开他试图遮挡的手，摸向他的额头。

“要死了，怎么这么烫？你都烧成这样了为什么不说？我真是蠢得和猪没两样。”她急忙想要给他去倒水、绞毛巾，可陌生的环境一时间让她无从下手，锅边蚂蚁似的原地转了两圈。

“我让你别转了，你坐下来，就坐在这里。”他虚弱地指着身旁的位置说道。

方灯找到了一个水壶，气不打一处来地骂道：“坐什么坐？坐着看你怎么死？”

“我死了，去哪找人告诉你那些过去的事。”他越笑咳得就越厉害。

“你们家那点陈芝麻烂谷子关我屁事！”

他安静了一会儿，又低声道：“是我想说，从来没有人听我说。”

他一直是个惜言如金的人。

“说说说，你就不怕把一辈子的话都说完了。”她话说出口才觉得晦气，拍了一下自己的嘴巴，“气死我了，哪里有干净的毛巾？”

“我和曾祖父第一次下南洋，祖父闯滇西的时候年纪相仿，可是只能窝在这里守着这个鬼地方，什么都干不了。”

“你活着有命在才能干别的。”

“方灯，方灯……如果我说，有一天我会重建傅家园，你信吗？”

他紧闭着眼睛，这时说的话已几近于烧糊涂之后的呓语。

“不行，你得去看医生了。”方灯想扶他起来，他身体滚烫且沉重，整个人已经半昏睡过去。

“你信吗？”即使是这个时候他仍喃喃地问同样的话。

方灯眼睛微红，大声回答他：“我信！我当然信！”

他应该知道的，即使他说他要在这里重建圆明园，她也会信的，她就是那么傻，在他面前。

似乎这个回答给了傅镜殊莫大的安慰，他终于被方灯强扶着坐了起来，但身子像被抽去了骨头一样软软的，半靠在她的身上。

“……以前我也信。但现在我开始渐渐地不信了。”

第八章

不离不弃

方灯找遍了二楼的花厅和房间，只翻出少量的感冒药，但这些已不足以应对傅镜殊加重的病情，照他发烧的程度和整个人的状态来看，不把高热降下来，发展成肺炎也难说。

窗外天已全黑，这个时候孤儿院禁止外出，就连阿照这样一个虾兵蟹将也指望不上了，老崔估计也不会回来，方灯找不到一个可以搭把手将傅镜殊送到卫生所的人。只能将他勉强扶回软榻躺好，自己跑去找医生。

岛上只有一间卫生所，平日里过了晚上八点医护人员就会下班。方灯跑得头发都乱了，上气不接下气地站在卫生所门口，惊喜地发现里面灯光还亮着。

“医生……”她推门进去，却发现只剩一个清洁人员在拖地。

“下班了。”拖地的大妈抬头对来客说道。

方灯望向诊室墙上的挂钟，指针正显示八点过十分。

“可是……可是有人病得很重！”

“医生刚下班。一般的病人等明早再来，严重的就往市里送。”

“医生住哪，我去找他。”方灯不甘心地问。

大妈继续拖她的地板。“住市里。”

方灯二话不说扭头朝渡口跑，幸运的话她还能赶在医生上轮渡前将他拦下。卫生所到渡口的路程几乎贯穿了全岛，等到方灯在灯火通明的渡口弯腰喘息时，正好听到上一班渡船离岸的鸣笛声。

她扎成马尾的头发都散落在双肩，被海风吹拂到脸上，痒痒的，喉咙像有把火在烧，却哭不出来。

再回到傅家园时，傅镜殊还在软榻上昏睡，如果忽略他紧抿的嘴角和略显潮红的面颊，他看上去睡得还算安稳，眉眼和神情中隐约可见稚气的不安，这个时候的他才更像和真实年龄相符的男孩。

他没留下老崔的联系方式，屋里甚至也找不到可以和外界联系的任何一组电话号码。方灯心知自己没法在这时将他送出岛外，只能尽自己所能地照料他，但求他能顺利熬过这一晚。

她出来的时候方学农还没有回家，饭菜已做好放在桌上。不知道晚归的父亲发现她迟迟未归会作何反应，会找她吗？还是大发雷霆？或者为身边少了个负担而庆幸不已？

从傅镜殊房间的窗口望过去，小商店楼上的阁楼已经有灯光亮起。她若回去告知一声，就别想再走出家门一步。方灯轻轻撩起遥望过无数回却头一次触摸到的猩红色窗帘，如她想象般沉重柔滑。从未以这样的角度看向另一扇窗口，对面才是真正属于她的地方，方灯却觉得如此陌生，仿佛在很多场梦境里，她都与他在绽放美人蕉的窗口相视而笑，那对面托着腮的孤独女孩又是谁呢？

方灯不记得自己给傅镜殊额头上换了几次湿毛巾，只知道几乎大半夜都没有停过。将近凌晨四点的时候，她去厨房烧开水，等待水滚的过程中，她趴在灶台边上竟然打了个盹，惊醒后吓了一跳，幸而水没有烧干，否则就闯了大祸。

她提着小半壶水回到花厅，惊讶地发现傅镜殊已经坐了起来，肩上披着她原本盖在他身上的薄毯，双手覆在额头，似乎还不是很清醒。

“难受就躺着。”方灯倒了杯水，试图帮他吹凉。将水递给他的时候，顺手又探了探他的额头。谢天谢地，高烧似乎退下来了，只是咳嗽好不了，她想去给他拍拍，却差点让刚打算喝水的他呛着。

她不好意思地干笑了两声。

傅镜殊抿了一口水，把杯子搁在一旁，抬起头正要开口。方灯像是猜到他要说什么，抢先道：“用不着谢我，我总不能看你病死。”

“你这个人怎么总喜欢把‘死’字挂在嘴边。”傅镜殊似笑非笑地，声音喑哑，但又恢复了他让人舒服的语调，“我是想问，先前迷迷糊糊的时候，你在我旁边哼的是什么歌？”

“哼歌？”他若不提，只怕方灯自己都没意识到。迟疑了一会儿，她脸有些泛红，她是出了名的五音不全，从上小学开始好几回学校的合唱团因为她长得还不错将她挑了出来，但是她一开口，老师们就放弃了她。

大概是当时静得发慌，自己在一遍又一遍重复绞毛巾的动作中无意识的哼哼吧。可是方灯不太愿意承认。“有吗？”她反问。

“是啊，你哼得很大声，然后我就醒了。”傅镜殊想了想，轻轻哼了一小段简单的调子，“就是这个。这是什么歌？”

他居然能辨认出自己哼唱的调子，方灯只能认为自己在他昏睡时的洗脑太恐怖了。

“这是摇篮曲。”她说道。

傅镜殊疑惑了，“我从来没听过这样的摇篮曲。”

“我姑姑就是这么说的，小时候我不肯睡觉或者生病的……”方灯急于辩白，但又迅速地打住了，然后两人都陷入了一阵难言的沉默。

“方灯，你为什么对我那么好？”他先打破了僵局，但这个问题却让人更难以回答。

方灯玩着自己的发梢，自言自语般道：“我对你好吗？”

“我爸在我七岁的时候去的大马，他说没办法带我走。我知道，郑太太指明让他一个人去，他反而松了口气。这世上他最不想见到的人就是我，他走了十年，电

话也很少打回来。如果不是还有责任和义务在，我猜连一年一封信和一个包裹他都未必肯敷衍。老崔……他对我很好，我很感激他。他照顾我，就像当年他照顾我爸，这既是三房主人家对他的托付，也因为我们是他亲姐姐的后人，这世上原本除了他，没人在意我的死活，也没人在意我过得好不好……”

“我在意的。”方灯急急说道，恨不得剖出一颗心给他看，“我希望看到你笑。不管你要做什么，我都愿意帮你。真的，不管做什么都可以，我愿意保护你。”

“你保护我？”傅镜殊被方灯的傻话逗笑了，“这是男人才说的话，而你……”

她只是个比他更可怜的小姑娘。

方灯的脸更红了，但她不打算收回刚才的话，“我说的是真话！”

“所以我才想知道为什么。”

为什么？如果方灯她自己知道答案就好了。他像磁石一样，让她本能地趋近。因为他是她的同类，一个与她相似，却比她好得多的同类，是这样吗？她说不清。然而他需要答案，那她就给他最天经地义的。

“我的亲人不多了。”方灯豁出去般说道。

傅镜殊的神情让她猜不透，他低头去拢了拢肩上的毯子。就在她开始后悔的时候，他轻声问：“她是个什么样的人……我是说，你的姑姑。”

方灯靠着软榻坐在地板上，想了想，回答道：“她很漂亮，但总是很难过。”这就是朱颜姑姑留在她童年记忆里最真切的印象。在过去的十几年里，姑姑的漂亮被生活消磨，但她的难过却像河里的沉沙一般累积，虽然她从来不哭，也不说。

“她说她有过一个儿子。有时候她在我窗边哼那首摇篮曲，我觉得她是在唱给她的儿子听。”

“是吗，那她为什么要丢下她的儿子？”傅镜殊不以为然。

“怎么会？明明是你爸爸提出离婚，是他把姑姑赶走的。”

“那是因为她水性杨花，她根本不爱我爸爸，心里也没有我们父子。”

“谁告诉你的？”方灯愕然转身直视着傅镜殊，其实答案不言而喻，当然是他的父亲傅维忍，“你爸爸一定在骗你。”

“他那么多年都为了这件事郁郁不乐，你觉得这是为了骗我吗？”

姑姑为什么一直没有回头来找傅镜殊，方灯不得而知，但若说她没有爱过一个姓傅的男人，没有思念她唯一的孩子，方灯打死也不相信，否则姑姑独处和静默时的悲伤从何而来。朱颜时常陷入失神中，短暂地分不清回忆与现实，方学农常说她那些时候脑子不太清楚了。这种情况随着她后来病情的加重而不断恶化，到了她最后的那段时间，守在她身边最久的人是方灯。

“他为什么骗我？我的孩子在哪里？”这是朱颜临死前重复了最多遍的话。

方灯想起姑姑油尽灯枯时形容憔悴的样子，禁不住有些激动，“明明是你爸爸为了得到上大学的机会才娶了我姑姑，把她利用完了之后，就不要她了。”她原本还想说这种行径卑鄙极了，但想到指控的那个人是他的父亲，又硬生生把那个词咽了回去。

这些事是方灯从父亲方学农许多次酒醉后的谩骂中拼凑起来的。方学农清醒的时候不敢拿朱颜怎么样，毕竟他还靠着朱颜的皮肉生意吃饭，可是只要多喝了两口，他就会指着朱颜的鼻子骂她蠢，还说她是贱骨头，一心想攀高枝结果整个人和半辈子都赔了进去。

方学农和朱颜是同母异父的兄妹，朱颜的父亲在“文革”期间曾经当过瓜荫洲的革委会主任，手握生杀大权。而傅维忍是个一心求学却苦于家庭成分所限的“资本主义余孽”，如果他不是娶了朱颜，根本没可能拿到上大学的名额。只是后来运动风潮刚过，朱颜的父亲作孽太多很快遭到了清算，他身体不好，不久后死在了牢里，朱颜的家庭短暂兴盛后又迅速没落了。就在她生下儿子没多久，傅维忍便以各种理由坚决向她提出离婚，朱颜也没有过多纠缠，只身离开，和兄长一道迁出小岛，再也没有回来。每当方学农谩骂不已时，方灯都听不下去，但泼辣的朱颜姑姑却从不反驳半句，她只是陷入长时间的发呆，或者一根根地抽劣质的香烟，而那个时候她的肺病已经很严重了。

“这不可能。”傅镜殊的眉头蹙得更深，“你不知道我爸爸是什么样的人，他骨子里比谁都清高。让他以婚姻为代价换取上大学的机会，去娶一个他不喜欢的女人，那是绝对绝对不可能的，我猜他宁可去死。他对……你姑姑一定是有感情的，要不也不会一直为她的背叛耿耿于怀。”

“有什么证据说我姑姑背叛了你爸爸？”姑姑是方灯自幼最亲近的人，比父亲还亲，她不能接受这种莫须有的污蔑，哪怕是出自傅镜殊嘴里也不行。她有些激动起来。

“你别急，耳朵都被你吵破了。”傅镜殊倒是比她更冷静和有条理，虽然他对这段往事也一样在意，“我模模糊糊地记得我爸和老崔都提起过，你姑姑有一个初恋情人，如果不是你外公，哦，不对，是你姑姑的父亲觊觎傅家在岛上的名声，想趁傅家落魄的时候攀上亲，非要你姑姑嫁给我爸，你姑姑本人是不愿意的。这是我爸在婚后才知道的真相，他一直都没办法取代你姑姑心里的那个人，这对于他来说是不能容忍的。”

方灯根本不接受这种说法，“你们简直是血口喷人。我亲耳听姑姑对我说起过，她第一次爱上一个人，是在瓜荫洲的圩日上，她和小姐妹在小摊上挑选梳妆用的小镜子。她说她拿着镜子对着脸照，镜子里出现了路上经过的一个人，那时她就想过要嫁给他，这个人就叫傅维忍！你说的什么初恋情人，都是胡说八道的。”

“不对。”傅镜殊似乎隐约觉察出一些端倪，他看起来也非常惊讶，肩上披着的薄毯滑了下去也浑然未觉，“你说到镜子，我也有印象。老崔说，你姑姑的初恋情人送过她一面镜子，她时常对着那面镜子发呆，我爸爸看见了，两人就会吵得不可开交……如果你说的都是真的，老崔也没有骗我，那一定是哪里出了问题。”

他陷入了沉思，方灯也绞尽脑汁地思索。

“难道……”

“我知道了！”

他们两人几乎同时发声，只不过方灯反应更强烈，她跳了起来。

“难不成你爸恨透了的那个‘初恋情人’就是他自己？我姑姑和他都没有撒谎，只不过……哎呀，怎么会这样！”这个荒诞却不无可能的构想让她顿足不已。

连傅镜殊都有些失神，想来他得出的答案也相差无几。

傅维忍和朱颜其实是两情相悦，只不过身为岛上外来户的朱颜是在圩日的镜子里看到傅维忍，当时就一见钟情，而傅维忍也早就暗暗留意她。两人互表心迹之前，朱颜那个做革委会主任的大老粗父亲看中了出身岛上望族傅家的近百年的声名，想借上大学的机会相与，希望两家结亲，好往自己脸上贴金。这桩婚事被顺利撮合成功，但是两个年轻人一个以为对方是迫于父亲压力才嫁给自己，一个却以为爱着的人是因为渴望上大学的名额才和自己结婚。这本来是一挑即破的误会，只错在他们两个都太过骄傲。傅维忍不懂表达自己的在乎，而好强的朱颜在他的冷漠下也赌气承认自己思念的是镜子里的人。其实从始到终，她所看所想的镜子里的人，就是她身后的傅维忍。

可悲的是直到天人两隔，他们也没有将心思向对方剖白，直到两个后辈碰在一起，才从各自所知的零碎片段中拼凑出一个真相。这看似不可思议，然而很多时候我们不都是这样，那些真心的话，往往在不相干的人面前才能说得出来。

自然，这所谓的“真相”只是方灯和傅镜殊的推测，事实究竟如何，随着朱颜的死去变得永不可知。

“你会告诉你爸爸这件事吗？”方灯还存有期盼，即使朱颜姑姑不在了，但如果尚且活着的傅维忍能知道她的心，她在阴曹地府也会高兴的罢。这对于傅维忍来说，也未尝不是解开了多年的心结。

没有想到，傅镜殊听了这话只是摇头，“我爸爸不喜欢我给大马那边打电话，就算我写信给他，他肯相信吗？我们想的就一定是真的？事情已经过去那么久，他也没打算再回来，即使这是真相，难道他了解了这个就会释然？当初先放手的人是他，现在他只会更加难过，这又是何必。事情的真相往往不像我们想象中重要，人们更多愿意相信自己赖以慰藉的那个幻觉。”

他说得不无道理，方灯无从反驳。那些阴差阳错，在旁人看来如同一个离奇的故事，在当事人心中，却往往是一场惨烈的事故。不如就让时光将这场事故彻底地掩埋。

“你名字里的‘镜’字就是这么来的吗？”方灯问。

傅镜殊笑道：“傻瓜。我堂兄叫傅镜纯，难道也是因为这个？我们这一辈排行就是个‘镜’字，就好像我爸他们是‘维’字辈。我叫傅镜殊，你也知道，‘殊’是不一样的意思。大概是因为在所有的族兄弟里面，我是不一样的那个吧。我爸的身份本就尴尬，郑太太看在我祖父临终遗言的分上接纳了他，这对于一个女人来说已经不是易事。我呢，从小没有妈妈，我爸也带不了我走，大家听说过我的生母在外面做的是什么。”

“姑姑那也是没有办法，我和爸爸拖累了她。”方灯心中思绪万千，想说却觉得喉咙干涩，无从谈起。过了一会儿才又说道：“其实她很可怜。走的时候，她什么都没有，身上的一副银耳环都被我爸摘下来拿去卖钱了。就只有她最宝贝的那个镜子，我放在她身上，跟她一起火化了。”

“什么镜子？”

“反正就是个破破烂烂的塑料镜子，不值钱的。我猜那就是姑姑第一次照见你爸爸时的那一面，否则她也不会一直带在身边。”

傅镜殊忽然支撑着软榻想要站起来，方灯赶紧扶了他一把，“你想要干吗？”

“你等我一会儿。”他推开方灯，自己慢慢走回了房间，很快，他将一件东西递给了方灯。那是一面半个手心大小的镜子。

方灯不解地把镜子拿在手中翻来覆去地看，这镜子可比朱颜姑姑那一面要精巧得多，背面似乎是银质的，颜色略有些发暗，像是有些年头了，上面有别致的簪刻云纹。也就是他们这样曾经富贵过的人家才在日常用具方面也极尽精细。

“这是古董吗？”方灯想的是，这玩意儿说不定值不少钱。

傅镜殊说：“算不上古董，最多是清末民初的东西。这面镜子最初是我祖父给小春姑娘的。小春姑娘让老崔把它交给了我爸，算是留给他一个念想。我爸后来又把它当做新婚礼物送给了你姑姑，你姑姑离开的时候把它留了下来，我爸去大马也没带走，结果就到了我的手里。”

方灯暗忖姑姑为什么把这面银镜还给了傅维忍，却一直将她那面廉价的塑料镜子视作宝贝，也许在姑姑心中，在意的是那面塑料镜子里曾经映照出她爱过的人最初的容颜。

“咦，这后面还有字。”方灯吃力地辨认银镜背面的两行小篆，“不离……什么……不……是谓……什么……如。”

“不离不弃，是谓真如。”傅镜殊没好气地说道。

方灯跟着默默念了一遍，体会其中的意思，“这是你祖父对小春姑娘的誓言？”

“我不知道。”傅镜殊淡淡地说，“这镜子经过那么多人的手，每个说不离不弃的人最后还不是离开了？”他将方灯递还镜子的手推了回去，“这个你留着吧，放在我这里也没什么意义，反正我爸也把它送给了你姑姑。”

他一直不肯把朱颜称作“妈妈”，但是再说起她的时候，神色已显得柔和了许多。方灯不怪他不肯改口，毕竟姑姑是丢下了他许多年，在他心里已经习惯了那个位置的缺失。谁心里都会有个坎，却固执地不肯跨过去。

方灯不敢收下。

“正因为这镜子经过了你那么多亲人的手，所以你该留着它。”

傅镜殊微微笑道：“方灯，你真的不懂吗？”

“什么？”也许是灯光忽然跳动了一下，方灯的心也跟着一颤。

“我问过你为什么对我那么好，你给了我一个理由。”他的笑容散去，眼里却多了方灯看不懂的东西，“我把它给你的理由也是一样的——我的亲人也不多了。”

第九章

家贼难防

方灯收下了那面镜子，却没有把它带走。就像傅镜殊为她栽培的美人蕉一样，这都是很好很好的东西，但她不能留在身边，尤其是这镜子看上去还值几个钱，她不想它最后被贱价卖到不相干的人手里，换了几夜的酒钱。

她让傅镜殊把镜子带在身边代为保管，说不定哪一天条件允许，她会找他要回来。其实方灯也有她的小心思，她就盼着傅镜殊看到这面镜子时多想想朱颜姑姑……也顺便想起她。就好像她和他之间多了一种羁绊，比血缘更微妙的默契。镜子里“不离不弃”的承诺于她而言像个难以抗拒的魔咒。

傅镜殊高烧退去后，精神有所好转，他答应方灯不急着到学校去，多休息一日，发现再发烧立即去卫生所就诊，方灯才肯在看着他吞下感冒药之后，回去做自己的事。

虽然早猜到回去后少不了一场折腾，然而方灯推开小阁楼的门，人还没迈进屋子里，就被夹着风声袭面而来的东西吓了一跳。她本能地侧身闪躲，一个空酒瓶砸在了身后楼道的墙壁上应声而碎。

“你死外面好了，还有脸回来！”方学农扯着喉咙吼道。

方灯确定他手里没有“凶器”了，才闪身进屋，反唇相讥道：“我不回来你有什么好果子吃？迟早饿死。”

“你说你干什么去了。”

“在同学家住了一晚。”

“你放屁，敢骗老子。”方学农暴怒，指着窗外道，“我亲眼看到你从对面出来的。不要脸的东西，趁早死了还好，免得再做出些见不得人的事脏了我的眼。”

方灯听出父亲的言外之意，知道他想的只会比自己猜到的更龌龊，当即臊红了面颊，分辨道：“你瞎说什么呀，他病了，老崔又不在，我去照看他一下怎么啦？”

“他的死活和你有什么关系，早死早干净！”

这是方灯一直都想不通的事，她父亲虽是个无赖，但平日除了那几两猫尿，鲜少在意别人的闲事。傅家，或者说是傅镜殊的一切像是他的一个禁区，只要与他们相关，他的愤怒几乎是一点就燃，这样的深恶痛绝究竟从何而生？

“他到底哪得罪你了？”方灯决定把话挑破，将事情弄个清楚，“就算他爸傅维忍对不起朱颜姑姑，但是他怎么说也是姑姑的儿子，你的亲外甥！你十几年都没回岛上，他哪儿对不起你了？”

“我呸，小杂种！”方学农嘴里依旧不干不净。

方灯恼道：“你骂他杂种，就等于骂朱颜姑姑，除非他不是姑姑的儿子。”

方学农呼哧呼哧地喘气，没有搭腔，过了一会儿，见方灯收拾书包准备走人，又不甘心地嚷：“别让我再看到你和他混在一起，轻佻玩意儿，你想什么我不知道？有那功夫倒贴小杂种，不如出去给老子挣点钱！”

这话在方灯听来无比刺耳，她把书包往地上一掼，书本纸笔散了一地。她红着眼睛大声反问道：“怎么给你挣钱，像朱颜姑姑一样？你还是不是个男人，是不是个人！那些钱你拿在手里就不觉得自己是个废物？难怪姑姑活着的时候看不起你，她说死了才干净，死了才能摆脱你！”

方灯的爆发一时间像是震住了方学农，他坐在竹床上，面容呆滞，似乎听不懂女儿的控诉，又似乎在回想她话里的意思。

“她真这么说？”许久，他才用浑浊的双眼盯着方灯说道。

“不只姑姑这么说，我也这么觉得。你骂天骂地骂别人杂种，那你是什么东西？你是我见过最窝囊的男人！我和姑姑这辈子最倒霉的事就是摊上你这样一个吸血鬼。你给过我什么？除了这条命。还有酒瓶吗，你砸呀，砸死了我，大家就两清了，我去陪朱颜姑姑也好，省得我们看到你犯恶心。”

方灯含着眼泪喊完这些话，方学农一动不动，像尊泥塑。她不想在这样一个人面前掉眼泪，俯身捡起地上的东西就跑了出去。

路上，方灯遇上了阿照。阿照见她眼眶发红，一个劲地跟在身后问：“姐，你怎么哭啦？谁欺负你，我揍他去。”

他挥舞着装了石头的书包。方灯回头瞥了一眼他弱不禁风的小身板，怯生生的眼神被一种“我有点害怕，但我要装得什么都不在乎”的傻气取代。她听说还是有些大一点的孩子会拿他寻开心，然而别人多少对他书包里的东西有所忌惮，最起码他现在在孤儿院能吃饱饭了，不至于刚吃了两口就被别人抢了去。

方灯没好气地说：“你要当英雄，还嫩了一点。”

下午放学后，方灯和阿照一块去看了傅镜殊。他已经能活动自如，虽然还是咳个不停，正打算提水去浇几日未曾照拂的花花草草。阿照主动包揽了全部的活，吃力地提着比他自己轻不了多少的水桶，眼睛却忙不过来一般环顾着从未曾踏足过的傅家园。看着方灯和傅镜殊在废亭子旁说话，阿照忙活着，脸上洋溢着满足的微笑，就像孤儿重新找到了他久违的家。

方灯故意拖到很晚才回到住处，不想和父亲再起冲突。方学农已经躺在床上呼呼大睡，也不知道吃过了没有。方灯去捡他床脚的酒瓶，却惊讶地发现他紧紧抱着被子，眼角的皱褶里有未干的泪痕。

一周后，老崔回来了，还带回了一个陌生人。方灯从傅镜殊那里得知老崔是去家在北边的远房堂兄家奔丧去了，那也是他所剩无几的亲戚之一。这次带回来的年轻人叫崔敏行，是老崔的远房侄子，听说家里不宽裕，父母都不在了，不知道干什么营生，干脆跟着老崔混口饭吃。

崔敏行年纪大概二十七八岁，中等身量，身材壮实，看上去憨厚中透着机灵，脸上也总挂着讨人喜欢的笑容。老崔征得傅镜殊同意，让他住进了傅家园，就在原本下人房的位置搭了个简易的棚屋住下了，平时帮老崔一道打理园子里的琐碎事务，闲下来也去岛上接些零散的活来干。

傅镜殊原本提出，让崔敏行住在东楼一楼的小隔间也无不可，但老崔坚决推辞了。他改不了老思想，东楼是三房主人家住的，虽然他算得上傅七的舅公，可从不敢以长辈自居，只要三房的人还在，他就是个守园子的老工人，崔敏行也一样。傅镜殊了解他的固执，也没有坚持。听说老崔已经和大马郑太太那边打过招呼，对方也同意接纳崔敏行，反正老崔年纪大了，迟早要寻个年轻力壮的来替他守着祖宅，不让傅家园荒废，他们也不介意多付一个人的工钱。

老崔与三房的联系一向都比傅镜殊要多，很多时候，他是傅镜殊和郑太太那边的桥梁，日常用度和平日里一些安排交代通常也是由他带给傅镜殊。对于大马那边已经认可的事，傅镜殊鲜少发表意见，凡事不过看在眼里，放在心里。

崔敏行住进来之后，对傅镜殊很是殷勤，他比老崔年轻，手脚勤快，脑子又活泛，许多老崔想不到的事他先做到了，还想方设法从岛上岛外找了些园子里没有的花草，他知道傅镜殊喜欢这些。傅镜殊倒是没那么热切，他本来也不是个容易交心的人，待谁都是淡淡的，客气，却始终保持礼貌安全的距离。

方灯现在是傅家园的常客，老崔起初给她开门还总有些不情不愿，但是傅镜殊默许她自由出入，他也不好再多嘴。对于方灯的身份，要说老崔一点戒备都没有那是假的，然而当他看到这小丫头和他的小七相处时的自然和融洽，他渐渐地也觉得，她常来也好。方灯在的时候，独来独往惯了的傅镜殊才有与人闲话的兴致。平时他们两个放了学之后在后侧花园，傅镜殊摆弄他的盆栽画他的画，方灯这里晃晃，那里晃晃，老崔一旁偷偷观察，发现小七不但会开她的玩笑，有的时候两个人甚至会因为某事各执己见争执怄气。到底是血脉相连，哪怕出身截然不同，也是打断骨头连着筋。念及这些，老崔后来给傅镜殊准备茶点小吃时，也免不了多备下方灯那一份，方灯偶尔留下来吃饭，他也不再板着脸。

阿照有的时候也会跟着方灯一块来，他想得更多的是从老崔那里蹭到点好吃的，因此总是抢着给老崔干活，围着他转。老崔无奈，总是“小兔崽子，小兔崽子”地

骂，碍于情面，也不好赶他走开。

相对于年老古板的老崔，崔敏行对傅镜殊的“两个小朋友”要热情得多。方灯倒还罢了，她总说“无事献殷勤非奸即盗”；阿照却相当喜欢崔敏行，因为这个新来的叔叔不但给吃的比老崔大方多了，还会教他用草叶编出很多新花样的玩意儿。

方学农经历了和女儿的那场大吵之后消停了不少，虽说酒是一样的喝，每次喝还是一样的烂醉如泥，但是只要方灯把饭和酒备好，去哪里他很少再过问。方灯有几回发现是崔敏行把歪歪倒倒的父亲送回家，方学农还举着手里的酒瓶说是他的“崔兄弟”孝敬的。方灯有些纳闷，这崔敏行刚上岛不久，怎么会那么快就和她父亲混在一起，又怎么会乐于和这样一个毫无用处的烂酒鬼做朋友。她观察了一阵，发现崔敏行似乎对待谁都是笑脸相迎，热情有加，又加上他能说会道，短短的时间就在相对封闭排外的瓜荫洲混了个不错的人缘。这对于一个外地人来说着实不容易，也说明他有几分能耐，无怪乎老崔大老远把他带回了岛上。

时间过得飞快，冬至刚过没多久，周末的一天，傅镜殊原本去了市里面的老师家学画，因为早就说好了趁池塘冻硬之前去挖些好的花泥，他提前了几个小时回到岛上。

方灯在渡口等着他，见他穿得单薄，非要他回去添件衣裳，顺便放下累赘的画具。两人回了傅家园，刚到东楼正门，恰好遇见崔敏行从楼里走了出来。

“今天回来得真早！”崔敏行见到他们有些意外，笑眯眯地招呼道。

傅镜殊看了他一眼，问：“老崔不在？”

“可不，我叔买米去了。去之前交代我得空把后院的那盆花挪到二楼花台，晚上冷，被霜打了怕不好。”崔敏行搓着手，袖子上还有些花盆里沾上的腐叶土，“你们快进去，屋外风大，我先去找几块好木头把花架钉上。”

“唔。”傅镜殊示意方灯随他进屋，又漫不经心地朝已走到月牙池边的崔敏行问了一句，“老崔让你搬上楼的是我昨晚修枝的金边瑞香吧？”

崔敏行笑着道：“没错没错，就是你昨晚摆弄的那盆，你上去看看，那花开得可好看了。我得走了，再不把花架弄好天就黑了。”

“你去吧。”

崔敏行刚转身，又听到傅镜殊不轻不重地补了一句，“人可以走，东西留下。”

“什么？”崔敏行脚步一滞。

傅镜殊说：“你是老崔的亲戚，我不想搜你的身。”

“这……你说的什么话，我怎么听不懂啊，方丫头你替我说白说白。”崔敏行满脸惊讶。

方灯不说话，抬头看了看傅镜殊，又不住地朝崔敏行身上打量。

“老崔不会让你把那盆金边瑞香移进屋的，那花不耐寒不耐阴，他更知道我不喜欢它太浓烈的香气。”

“你要不喜欢，我把它搬下来成吗？”崔敏行好脾气地说。

“我说了，东西留下，你可以走。你想等老崔回来，还是等我叫人？”

崔敏行直挺挺地站在那里好一会儿，脸上的笑容逐渐僵硬、冰冷。他从宽大的衣服内袋里掏出了一块旧怀表，一支金笔，两颗印章，还有一把旧钱币，一声不吭地弯腰放在门前石阶上。

傅镜殊低头扫了一眼，扭头对方灯说：“他倒挺聪明，知道挑些平时用不上，又值几个钱的东西。”

方灯几步上前把东西捡了回来，冷冷地白了崔敏行一眼。正如傅七所说，这个崔敏行有两下，至少挺会装的，他知道老崔平日里不太让他进东楼，防着有人提前回来，还特意拿了傅七昨晚打理过的一盆花做幌子。

“你搬进来时间不短了，我们也对你不错啊。”傅镜殊低声道。

崔敏行被戳穿，不但不恼，反而换上了一副玩世不恭的神色，上前一步。方灯提防着他，扯着傅镜殊退了两步。“你想干什么？”

崔敏行却只是伸手抚摸着石梯扶手顶端的大理石雕纹，“这东西真不赖。我总纳闷，同样是人，凭什么你就能居高临下，我就像狗一样住在院子里听你使唤，不就是老祖宗积德，留下了点好东西。我只是借几个小玩意儿拿去周转，又何必那么小气。”

“即使你有再多的好东西，也禁不起十赌九输。我不会声张，你自己去和老崔道个别，他年纪大了，我不想他难过。”

当晚崔敏行就辞别了老崔，离开了傅家园。老崔有些惊讶，却没有挽留。他是见惯了世情变故的老人，或许心下已察觉到什么，傅镜殊顾着他的颜面，他也没有多提，只是忽然消沉了不少，整个人也眼看着更苍老了。

清明刚过，老崔半夜里接到了马来西亚打来的一通电话，他接了之后一直没有出声，过了一会儿，捂着电话望向壁炉边看书的傅镜殊，神色复杂，欲言又止。

傅镜殊其实心思也没全放在书上，扭头问了句："是不是那边让我接电话？"

老崔点头，将听筒交到他手里，蹒跚走到一边。

傅镜殊吸了口气才把听筒放在耳边，很快，他原本还有些期待的眼神消散，背却挺得愈发笔直，手是冰凉汗湿的。

"……我知道了。"他对电话那头回应道。电话被放回原处，他回头，看到了一旁的老崔在偷偷抹眼泪。

傅维忍死了，四十多岁的他死于心衰。

早在老崔去亲戚家奔丧回来后没多久，和大马那边联系上之后，就得知他一手带大的傅维忍目前身体状况不佳，这才没有给儿子寄东西。不过老崔和傅镜殊都以为他不过是偶然抱恙，调理一段时间就会好转，哪里想到他正值壮年就骤然辞世。

乍然接到这个噩耗，老崔虽心酸不已，但他知道有一个人一定比他更无法接受这个事实。傅维忍可以说是小七在世上最亲的人，更是他今后唯一的指望。若他活着，小七的将来还有斡旋的余地，这下一来，只怕从此马来西亚的三房对留在老宅的这个孤儿更加不闻不问，他再难有翻身之日了。

老崔忍着哽咽想要安慰小七几句，傅镜殊却打出一个抗拒的手势，没有让老崔说话。他慢慢走回刚才坐着的地方，走得很稳，合上看了一半的书，里面夹着的书签掉落在地板上，他俯身捡了两次，都没有把薄薄的书签弄起来。然后他在老崔担忧的目光中关上了房门。一整夜，老崔没有听到里面发出任何动静。

第十章

蚀心之约

方灯很久没有攀爬过傅家园的院墙了，冬天人的手脚都没那么利索，前日刚下过雨，青苔厚厚的墙壁又湿又滑，她差点没在翻上去之前摔了个四仰八叉。

刚才她去喊门，老崔嘴里说小七不在，眼睛却朝后院招呼。她又不是傻瓜，哪里会不懂老人家的意思。

傅镜殊果然在那里，枯井边竖着的画架上只有一块白布，他人却靠在草丛的石狐狸上，手有一下没一下地扯着边上的狗尾巴草。

“如果你爸爸和我家那位一样是个浑蛋，说不定你就没有那么难过了。”方灯骑在墙头，拍着手里的碎泥屑说道。

他歪着头看了眼声音传来的地方，面无表情地说：“你这安慰实在不怎么样。”

“我不太擅长做这种事。”方灯承认他的说法。

“老崔告诉你的？”

方灯含糊地应了一声，混过了这个问题。她不想说其实自己最早是从幸灾乐祸

的傅至时那里得知的噩耗。

“我很怕看到你躲在这里哭鼻子，还好你没有。”

傅镜殊把揪下来的狗尾巴草朝方灯扔过去，结果草被风吹回了他的脚边，“下来吧，一个女孩猴子一样爬上爬下像什么样子。”

方灯扑通落地，走近前学他那样坐下来，和他相背地靠在石狐的另一边。

“其实你哭也很正常，我会假装没有看见。”她闭着眼睛，感觉到风拂过面颊。

傅镜殊却在沉默了一会儿之后说：“你信不信，我哭不出来，从接到消息那个时候起，我脑子里全是空的，就是回不过神来，但我不知道这是不是难过，你说我是不是特别不孝。”

方灯说：“朱颜姑姑死的时候我也没有掉眼泪，我才不想像我那混账老爸一样又哭又闹吵到了姑姑，她好不容易可以休息了。不过我觉得这里好像被人用力揪着。”她指了指心所在的位置，“这可能就是难过吧。”

“没准我早学会了怎么去当好一个孤儿。”傅镜殊不无自嘲，“每年我都在等他的来信和包裹，总想着他什么时候能打个电话回来。其实他的信来来去去就是那几句话，让我记住自己姓‘傅’。包裹里的东西也多半是我用不上的。我告诉自己，我还有父亲，总有一天我会去到他身边，和他一样被接纳，被认可，成为名副其实的傅家人。可事实上我了解的傅家人只是供桌上的几张画像，至于我爸爸，我连他长什么样都快忘记了。”

“可是他死了，你国外的亲人会不会再也不管你了？”方灯替他担忧。

傅镜殊摇头说：“我不知道。方灯，你也觉得我一直盼望着被一群我不了解的人承认，像做白日梦的傻子吧？”

“有梦做总不算太坏，我从来就梦不到我将来是什么样子。”

“很大程度上我对于‘傅家人’的概念是受我爸爸的影响，他是个很骄傲又敏感的人，打从我记事开始就知道，他没有一天不渴望着摆脱私生子的身份认祖归宗。后来他做到了，可是我祖父都已经不在了，郑太太有自己的儿女，像她那样精明强势的人，会怎么看待我祖父和丫鬟生的儿子？我爸爸在大马过得并不好，从他写回来的信里我感觉得到，即使他衣食无忧，郑太太对他还算客气，可在那边他始终是个外人。”

“说起来都是怪你祖父，他在做生意方面很了不起没错，可是既然他怕老婆，就不应该和丫鬟搞得不清不楚，连累儿孙两代人受罪。”

“不同人有不同的苦衷吧。老崔说，他和小春姑娘的妈是我祖父的奶娘，小春比祖父大五岁，说是抱着他长大的都不过分。不知道老崔说的是真是假，我祖父十二岁从洋学堂回来，还非要小春姑娘喂饭才肯吃。”

方灯显得有些受不了，龇着牙道：“这是有钱人家公子哥才有的臭毛病。”

“那时候的富贵大家庭里，父母和子女之间多少都有些距离，不像平常人家那样日常起居都在一起，关系亲昵。我猜在我祖父心里，小春姑娘是半个母亲，也是姐姐、玩伴……还是青梅竹马的爱人。”

“我看那张画像，小春姑娘倒算个美人胚子。你长得像她。”

傅镜殊轻咳了两声，他对于方灯这样毫不矜持的赞美依然不怎么适应。

“可惜美人多半命不好。”方灯很懂似的总结道，紧接着她扭转身子去问背后的人，“对了，小春姑娘是怎么死的？你见过她吗？”

“我怎么会见过她，我爸爸很小的时候她就去世了。她是跳井死的。”傅镜殊边说边朝方灯的左前方一指。

那口井就在方灯前方五六米。

“妈呀，你怎么不早说。”方灯抱着自己缩回来的脚，顿时觉得四周的风都带着鬼气森森的寒气，从乌压压的井口盘旋而上。那口井她不止一次探头去看过，直径不过半米却深不见底，一个人要怀着怎样必死的信念才能钻过窄小的井口义无反顾地往里跳？

傅镜殊慢悠悠地说：“你也有害怕的时候？”

“我怕什么，又不是我害了她。”方灯强作镇定，身子却更朝后缩了缩，坚实而冰冷的石狐抵在她的背上，仿佛给了她可靠的支撑。

“你现在背靠的石狐狸就是她留下的，原本是一对，另一只她跳井的时候绑在了身上……”

“傅七你够损的啊，你想吓死我？”方灯回头给了傅镜殊一拳，她不会忘记在

那张画像上，小春姑娘也是倚着石狐狸在同样的地方。身临其境的恐怖感绝对比鬼故事更让人遍体生寒。

方灯是真有些恼了，然而傅镜殊微微勾起嘴角的侧脸让她的怒气一点点消失于无形。至少他还有心思捉弄她，这一趟就没白来。

“你不会是编出来骗我吧？”她狐疑地问。

“我会拿这种事来骗你吗？老崔说，后来他找了人，费了很大的工夫才把他姐姐打捞上来。那副情景我就不说了。每逢清明，老崔都会在井边给小春姑娘烧东西。去年他身体不太好，是我把纸钱烧完的，灰烬都撒进了井里。”

傅镜殊若想让人相信他，通常很难让人怀疑他的说服力，方灯只是有个问题想不通，“照你的说法，小春姑娘是在你爸爸几岁之后才跳的井，可那时候你祖父傅传声已经离开很长一段时间了，是什么刺激她寻的短见？”

“听说是没有任何的迹象，大马那边没有来人来信，一切和往常都没有区别。”

“骗鬼啊，一个大活人怎么可能在毫无意义的一天忽然就跳井死了。她喜欢的人已经走了好几年，最难的分离都熬过去了，还有什么能让她抛下孩子，一点余地不留地去死呢？”

傅镜殊舒展身体，双手抱头枕在石狐背上，“这个谁也不知道。可能隔了那么久，她才忽然相信她等的人再也不会回来了，可日子还有那么长。”

“日子还有那么长……”方灯看向那口井，莫名地觉得这种解释比分离时的纵身一跃更让人绝望。伤口最疼时不是被割开的那一下，因为那来得太快，还没反应过来血就流了一地，人的第一反应是捂着它，包扎它。其实最要命的反而是天长日久之后轻轻撕下纱布，发现那道口子根本不可能愈合，它一直在那里，发臭了、腐烂了，只有自己知道。

“石狐狸是小春姑娘雕成的？”

“没想到一个丫鬟也有这样的本事？”傅镜殊说，“小春姑娘和老崔的父亲是石匠。她在这方面很有悟性，我祖父还曾经请了当时岛上的洋人来教她。有一年我曾祖母大寿，小春姑娘亲手做成个观音像送上去，看过的人都说观音一眨眼好像就会活过来一样。”

“她的手一定很巧，现在就只剩下这个了？”方灯盘腿转身，手轻轻地摩挲着久经风吹日晒光滑如初的石狐狸，指尖却不经意扫过了傅镜殊的发梢。他的发质细软服帖，不像她那一头粗黑浓密的头发，如果不扎起来就乱糟糟的像个疯婆子。方灯的手指停顿了一瞬间，那抚摸更小心而轻柔，呼吸却变得快而轻浅。

傅镜殊仿佛浑然未觉，“刚才我说她跳井的时候绑着石狐狸是用来吓唬你的。人确实是跳下去了，不过这狐狸原本就只有一只，是三房搬离傅家园之后小春姑娘才做出来的。”

“为什么偏偏弄只狐狸在这里，看上去怪唬人的。”

“她有她的说法。你想听？”

方灯嘟囔道：“谁知道你会不会又编故事骗我？”

“你就当个故事听吧。”傅镜殊声音低得像在耳语，“曾经有只野狐狸误打误撞闯进了荒无人烟的废园，发现园子里有只石狐，雕得栩栩如生的。小野狐过惯了孤独的日子，就把石狐当成了它在世间唯一的同类，终日和石狐为伴，度过了许多年。石狐不会动也不会叫，遍体冰凉，冬天小野狐蜷在它身旁，就想，要是石狐能活过来该有多好。于是它去求佛。”

“佛能感受到人的祈求吗？”方灯很怀疑，“何况它还只是一只狐狸。”

傅镜殊不管她，继续往下说：“佛问野狐，世间什么最珍贵。野狐说，得不到和已失去。佛认为野狐不乏灵性，感其心诚，给了它一个机会——要想让石狐成真，除非它把自己的心掏出来给石狐。”

“佛祖尽出馊主意！”

“小野狐太想让石狐活过来，有血有肉地和它做伴。所以它忍痛掏出自己的心，按佛祖的指示放进了石狐的胸膛。石狐真的活了，有了生命和意志，小野狐很高兴，一切都值了。它们共同度过了一段很快乐的时光。”

“就像小春姑娘和你祖父一样，他们曾经也很快乐吧。”

“不知道从什么时候开始，活过来的石狐渐渐不甘寂寞，它厌倦了被困在废园里，外面的天高地广在诱惑着它，它甚至还想变成人形，去尝尝人世间的风光。”

“我听说过，狐狸成精了，就会变成人。”

“这只石狐天资聪颖，它居然真的修成了正果，不但有了人的样子，日后还可能位列仙班。就这样，它离开了废园。”

“不带上小狐狸吗？”方灯有些惆怅。

“石狐舍不得曾经的伙伴，但是小野狐就是小野狐，它永远摆脱不了原形，怎么带它走？况且，石狐现在已经是人了，它不愿回想从前风吹雨打的苦，小狐狸只会让它想起自己从前的样子。”

“那小狐狸也太可怜了，丢了一颗心，最后却什么都留不住。”方灯开始觉得，小春姑娘的这个故事讲的是她和傅传声，也可以是后来朱颜姑姑和傅维忍的写照，说不定世间每一对痴男怨女里，总有一个是石狐变的，另一个就是又痴又傻的小野狐。

“有什么办法，这是它当初自己做的选择。石狐走后，小野狐整日在废园游荡，因为它没有心，不会老也不会死，永世摆脱不了狐狸的皮囊，等待它的是无穷无尽的寿命和寂寞。”

“它为什么不走？”

“它怕石狐有一天会回来。而且这也是它在佛祖面前和石狐换心的承诺之一，它必须替修炼成人的石狐经受千年雷罚之苦。”

“行了，我可以想到小春姑娘为什么活不下去了。她们都太傻，可佛祖也很奇怪，为什么一定要那么残忍，为什么就不能给小野狐多一次选择的机会呢？”

“故事就是故事，小野狐长生不死，人一辈子有重来的可能吗？即使有，多少人能熬到那一天？”傅镜殊看着那口井若有所指。

方灯仍纠结于故事，没办法接受这套说辞，心里面堵得慌。

“小春姑娘一定没有讲完，这故事不应该就这样结尾了！”

“傻瓜。”傅镜殊笑她太认真，闭着眼睛再没有说话。

“我不喜欢这个石狐狸的故事。”方灯闷闷不乐地把脚边的狗尾巴穗子都拔了下来，几次想开口却欲言又止。过了很长一段时间，傅镜殊的呼吸变得均匀，她疑心他睡着了，忽然低声道：“小七，你能不能别走？”

没有人回答她，只有风声。方灯嗅着根本就没有味道的狗尾巴草，也慢慢闭上了眼睛。对于潮湿多雨的瓜荫洲来说，这是个难得的好天气。

“我走了，你会难过吗？”他的声音在风里变得有些恍惚。

“你说呢？”没有谁失去唯一的同类会不悲伤，不管是人还是狐狸。

“我能去哪里？”傅镜殊的话听来无悲也无喜，“我爸不在了，我可能一辈子都会留在这里。可这有什么不好？以前我每天都在盼着让自己变得更好，好让别人承认我不是野种，好和我爸爸一样认祖归宗，从来没有想过人生有别的路。上回我病得迷迷糊糊的时候，真想死了算了，后来醒过来，才发现我之所以熬过去，不是因为我要活着做一个名正言顺的傅家人，而是因为还有我在乎的人希望我活着。”

“谁？”方灯装傻。嘴上这么问，脸却微微红了。

傅镜殊没有回答，只说道：“那时我开始觉得，他们认不认我又怎么样？这么多年不是过来了？没有傅家的富贵，我还是傅镜殊，没有人能够改变这一点。”

“可是国外那些毕竟是你的亲人，你不会想念他们？”

“亲人？”傅镜殊像听到了一个笑话，“我没有亲人了，方灯，除了你。”

风吹过白玉兰，吹过垂叶榕，窸窸窣窣，那里藏着多少双看不见的眼睛，端坐天际，窥视着俗世里渺小的两人。佛祖啊，方灯心中默念，她终于愿意承认这虚无的神是存在的，他听到了她的哀求。她的傅七会一直陪着她，他们是亲人，相依为命，血肉相连……这不是她想要的吗？至少，是她无法改变的。方灯说不出是欢喜还是惆怅，她想笑一笑，背对着他，可是嘴角怎么尝到的偏偏是酸涩的滋味。

第十一章

洞若明镜

陆宁海上了岛才记起今天是洋人的平安夜。妻子还在时，每到这个时候，总免不了领着儿子在家忙碌一番，他一回到家，就会看到满屋子的彩灯和用月桂替代的圣诞树。只是如今妻子已死去整整五年，儿子也住校了不在身边，想起来，只余伤感。

他的发妻一家是马来西亚归侨，岳父年轻时曾经做到槟城某大型加工厂的主管，而这个工厂的大股东则是当地一个很有名望的华人家族。因为这层关系，十四年前在岳父的引荐下，刚在法律界崭露头角的陆宁海受雇成为了这家人在国内的代理人，全权负责处理他们在内地的一切法律事务，当然，也包括一切雇主无法亲力亲为的琐事。

百余年前闯南洋的风潮使得本地不乏留居海外的富庶人家，其中又以从瓜荫洲走出的为多，他受雇的这家人更是其中翘楚。如今大马的傅学程后人虽已不复当年呼风唤雨时的鼎盛，但历经四代依然家业不垮，已属十分难得。傅家当年外迁及时，又是一直在南洋做生意，与当地望族联姻，在马来西亚可谓根基深厚，况且家族里现在主心骨尚在，不至于人丁飘零，所以家族财富得以保存和延续。这样的人家，除非遭遇重大变故或出了天大的败家子，否则通常不会短时间内彻底没落。

傅家的主要家庭成员多半常年居于海外，国内所余的产业并不多，需要委托陆宁海处理的，通常和政府陆续归还的祖产相关，不时也让他代为安顿当地的同宗后人。瓜荫洲近年来已渐有成为旅游胜地的趋势，距离市区也不过一道海湾之隔，可陆宁海每次上岛都来去匆匆。自从他和朋友合伙成立了律师事务所以来，事务缠身，哪里有心留恋风景，而岛上被人视作风光名胜的那些老房子、老别墅，在他看来不过是产权混乱、手续繁杂的一堆烂摊子。然而这天不知是因为想起了亡妻，还是因为冬日里的瓜荫洲显得那么陈旧而沉静，被百年风雨冲刷过的老宅掩映在灰绿色的树影中，街巷里偶尔传出自行车叮叮的铃声，圣歌从教堂遥遥地飘散过来，外来的人走在其中，仿佛闯进了一幅陈年的画卷。他不由自主地把脚步放慢了下来。

陆宁海今天是为了正事来的，傅家园里，身份尴尬的年轻主人和忠心耿耿的老园丁已经等候了他多时。他还记得，十二年前也是在冬天，他带着同样重要的使命来到傅家人的祖宅，当时迎接他的也是两个人，只不过现在老园丁的背佝偻得更厉害了，而站在他身边的人已然换了张面孔。

十二年前的傅维忍，瘦削、苍白，眼睛里写满不安和近乎狂热的期待。陆宁海带来了他父亲的遗嘱，他在一阵难以言喻的复杂神情中如愿以偿，很快，陆宁海为他办妥了手续，亲自送他离开。他再也没有和陆宁海有过任何联系，然而留在陆宁海记忆中的那个人毕竟是鲜活的。没有想到这些年一晃而过，再次上岛，陆宁海要做的竟是将傅维忍的死讯带给他的儿子，这样惊人的相似和命运的循环让人到中年的资深律师也不由得生出世事无常的感叹。

按照法律程序，陆宁海谨慎地向傅家的第四代出示了傅维忍的死亡证明，并告知骨灰已在当地选址安葬。他还带回了傅维忍部分生前遗物，不过是一些重要的随身物品。由于去世得突然，傅维忍并没有留下遗嘱，傅家三房尚未分家，所以他名下的财产可谓相当有限，除了少部分现金和存款，还有一笔生前属于他的信托基金，如今按郑太太的安排，受益人将转为他的儿子。也就是说，在他儿子二十岁生日之前，每月将能从基金中获取一笔收益，金额不足以用来挥霍，但度日足矣，二十岁

之后他方才对这笔基金享有全部的支配权。此后傅家将不再承担他任何的生活费用，马来西亚的所有产业他也将无权继承。

在整个交接过程中，傅维忍年轻的儿子都表现得相当克制。他仔细看过每一份法律文书，遇到不太明白的术语会礼貌地向陆宁海提问，但并没有对其中的任何条款提出异议，也没有过多地纠结于遗产分割方面的细节，然后平静地在纸上签下了自己的名字。在做这些事情的同时，他甚至没有忽略陆宁海端起茶杯喝水时短暂的迟疑——客人一到，老园丁就沏好了热茶，但是天气冷，水也凉得快，陆宁海胃不好，冰凉的茶水让他本能地抗拒，只不过出于礼貌，送到嘴边多少也得抿一口。

年轻人当下就亲手给陆宁海重沏了一杯，陆宁海掀开杯盖，见茶色深黄，上好的贡眉茶香和着热气扑面而来，这让他又惊又喜。他的家乡盛产此茶，只是当地人多爱铁观音和白毫，竟不知道眼前年纪轻轻的少年人如何会知他喜好。他虽然替傅家工作多年，但雇主说白了只有郑太太一人，与这个留在内地祖宅的孤儿联系很少，莫非对方是从他谈吐间偶尔流露出来的乡音猜出了端倪？若真是这样，不可谓不观察入微，洞若明镜。

正事办完，茶却才喝了一半。陆宁海没有像往常那样急着离开，反而坐下来边品茶，边和年轻人寒暄了一阵。傅维忍的儿子在样貌上与其父并不太相似，或许他长得更像母亲。陆宁海了解傅家，自然也听闻过关于他母亲的流言，小心地避而不谈。

短暂的接触下来，陆宁海觉得这孩子虽然样貌和性格都和傅维忍大不一样，却反而更像他心里所认可的傅家人的样子：思维敏捷却不急不躁，谈吐有物而毫不张扬，心思谨慎但言行利落。明眼人都能看出他自小被留在这老宅子里孤零零地长大，难免有不少委屈，陆宁海又可以说是大马那边的传话人，但他只字未提自己的苦处，反而配合着陆宁海的兴趣聊起了书法和绘画，投其所好，又适可而止，待人接物只让人觉得无比妥帖，就势而为毫无奉承之感。两人相谈甚欢。陆宁海告辞前，因为之前聊到了本地出产的好笔墨，年轻人还让老崔去书房拿了一方古砚，笑说自己不擅长书法，这东西虽不算好，但总算找到了合适的主人。

陆宁海知道傅家三房外迁时，最值钱的好东西都带走了，这老宅后来又遭了不知多少次搜刮，就算瘦死的骆驼比马大，但剩下的傍身之物已然不多。以对方的心胸眼界，拿得出手的必定不是什么“不算好”的东西，可别人态度恳切，他若拒绝反显矫情，心里又实在是喜欢，却之不恭，便唯有笑纳。道别之后，陆宁海回望了一眼荒凉得不成样子的傅家祖宅，又低头翻看刚才签好的一叠文书，落款处的签名是：傅镜殊。

以郑太太那边的态度，估计不打算过多地参与这个年轻人今后的人生。陆宁海也不知道自己日后是否还会与这个叫傅镜殊的傅家第四代再打交道，作为局外人，他只觉得有一处最耐人寻味——傅镜殊是傅传声私生子的后代，与郑太太毫无血缘关系，但是依照他接触过的所有傅家人来说，傅镜殊和郑太太在某种程度上最为相像。

离开了傅家园，陆宁海的工作并未完结。多年来大马的傅家一直是岛上圣恩孤儿院最大的非官方捐资人之一，作为傅家的代理人，把傅家的心意和资助款送到孤儿院也是陆宁海此行的目的之一。

圣恩孤儿院的迎宾架势远比傅家园要热烈得多，院长和嬷嬷们提前接到通知，早早地让孩子们排成整齐的队伍夹道欢迎金主的到来。陆宁海在院长的引导下，穿过孤儿们欢呼鼓掌的阵营，心中细微的不适应感很轻易就被荣耀感所取代。虽然他只是个代理人，并非真正的捐资者，享受这样的待遇有“狐假虎威”之嫌，但是看着那一张张被冻得通红的脸蛋和小小的身板，想到他们的生活将因为他的到来而改变，就有一种无法形容的快慰感，圣歌唱起，仿佛他就成了上帝。他想，这或许就是那些有钱人热衷于慈善的原因，至少是原因之一。很多人说金钱买不到幸福，那他一定是还不知道去哪里买。

孤儿院的院长是个年老的修女，她用最大的热情赞美了主让陆宁海的到来。陆宁海把傅家的支票交到她苍老如树皮的手里，也是第一次对她说起了自己的一个私人想法。

陆宁海的父母在他成年后不久就双双过世了，他没有兄弟姐妹，成婚后与妻子感情甚笃，但发妻五年前死于一场交通意外，只给他留下一个儿子。再婚之后，陆宁海的现任妻子一直无所出，他家里人丁单薄，很羡慕别人一大家子热热闹闹凑在一起的气氛。他和妻子努力了几年，但想添个小宝贝的期盼一再落空，医生认为大

部分是他身上的原因。这几年，陆宁海年纪渐长，公事繁忙，越来越力不从心，再要个孩子的愿望恐怕是成了泡影。就在不久前，他对现任妻子提出，如果实在生不了，不如趁早收养一个，也算了却一桩心愿。他那不过三十出头的年轻妻子起初还有些想不通，然而经不住陆宁海的再三劝解，想到自己膝下空虚，不用忍受十月怀胎之苦就多了个孩子，也多了份对事业有成的丈夫的羁绊，这才点了头。于是夫妇俩正式把这件事提上了议程，除了托人四处打听有没有合适的领养对象，孤儿院也是陆宁海的选择目标之一，这些被遗弃的孩子多半可怜，要能成功领养，说起来也是件善事。

院长听了陆宁海的这个想法，自然是点头不已，愿意给予最大的配合。她拿出了院里孩子的花名册，表示但凡他看中的孩子，只要符合领养条件的，都可以让他领回家。

陆宁海翻了几下就合上了花名册，对于他而言，孩子就应该是鲜活的，活蹦乱跳的，而不是花名册每个名字下的那一张木讷面孔。他提出在院里转一转，能做一家人，靠的是缘分，眼缘也是其中之一。

老院长欣然陪同，时值午餐时间，按照孤儿院的老传统，每年平安夜院里会为孩子们、教徒和社会上一些好心的捐资者提供圣餐。他们经费有限，菜谱也年年照旧，只有炸鱼和土豆，但是对于孩子们来说这就是无上的美味。几乎所有的孤儿们都簇拥到操场的圣餐派发点前，等着领取自己的那一份，这也给陆宁海提供了一个很好的机会。

“一般来说，我们都建议领养者尽量收养那些年纪比较小的孩子，他们懂的事还不多，对养父母也会比较依赖，比如那个……今年五岁多一点。”院长指着前方不远处的小男孩说道。

陆宁海摇摇头。

“前几个月有人送来了一个女婴，才一岁不到，只是……她有些轻微的兔唇。”院长观察着陆宁海的表情，试探着说道。

陆宁海的确想要个女孩，漂亮的安琪儿，这是他长久以来的梦想。可是院长提到的女婴有明显的面部缺陷，他犹豫了。

“一岁的孩子太小，我工作忙，爱人没有照顾孩子的经验，恐怕不是很合适。”

院长怎么会听不出他委婉的拒绝，正打算耐心地替他继续物色，忽然不远处人头涌动的圣餐派发点传来一阵不大不小的骚动。只听到有一个男孩高声道：“……你跑到这来干什么？”

很快有两个人从人群里挤了出来，一前一后撒腿就跑，后面还有个高个子的白净男孩追了出来，不依不饶地喊着：“就是她，混吃混喝的，别让她跑了。”

他后面还跟着几个年纪大一些的孩子，起哄着一块追赶跑在最前面的两人。

“这帮猴子。”院长脸上有些挂不住，对陆宁海笑着解释，“这都是……”

说话间，追赶的男孩已经招呼了几个同伴先一步跑向孤儿院大门的方向，试图围堵。跑在最前面的是个女孩，她见大门被堵，狡兔似的转身掉头跑向操场的另一端，还不忘拉扯上她身边的小个子男孩。因为跑得急，又要应付身高腿长围上来的追赶者，她左突右晃地，险些撞上和院长同站在操场一侧的陆宁海。

陆宁海侧身避让，才没被撞个正着。

“胡闹，真胡闹！”院长顿足朝那帮孩子喝斥道。

女孩回头朝两个成年人看了一眼，眼光里全是满不在乎的戏谑。跟在她身后略矮些的男孩听到院长的责备却一下慌了神，手里搂着的一包东西掉落在地，几条金黄的炸鱼从纸包边缘散出。女孩见状立即回头，折返几步，俯身想要去捡，可后面带头追赶的白净男孩已扑了上来。

就在这时，陆宁海笑着拦下了追赶的男孩，力道不大，但已然给了那女孩脱身的机会。她迅速冲到孤儿院操场边的围墙旁，借着墙边的一棵桂花树，三下两下地就翻上了墙头，扭身朝追赶的人粲然一笑。

“小偷！她凭什么来这里要吃的？”被陆宁海拦着的男孩不甘心地甩开牵制他的手，大声道：“你拦着我干什么？我是在给大家抓小偷。”

和女孩一伙的小个子男孩见同伴顺利脱身，竟也不跑了，站在墙根下与陆宁海身边的大男孩辩道，“那你也不是我们院里的，还不是一样是小偷，小偷！”他用力地吸鼻子，做了个奇怪的鬼脸。

“我才和她不一样，我们一家都是教徒，给孤儿院捐了钱的。她是什么臭东西？”

高个子男孩扬起下巴，继而又看向身旁的院长嬷嬷，像在寻求认同感一般。

院长摇头不语。

“别的不说，一个男孩追着小女生跑有什么意思。”陆宁海笑着说。

男孩显然不服，但碍于对方是个和自己父母同龄的成年人，院长嬷嬷也在，不敢过分胡闹，只得悻悻地走开，跟着他起哄的孩子们也作鸟兽散。

陆宁海对院长说：“我还以为今天这样的日子圣餐是对所有人开放的，尤其是孩子。”

“一般来说我们的食物是为院里的孩子和教徒备下的。”院长嬷嬷略显尴尬，顿了顿又说道，“刚才说话的孩子说起来也姓傅，是岛上傅家的……”

“我倒想知道跑过去的孩子叫什么名字？”院长这么一说，陆宁海已经明白追在别人后头的那个男孩多半是傅家大房一脉所出，不过他并不关心这个。

“哦，那也是个可怜孩子，他叫苏光照，今年十二岁了。”院长见陆宁海有兴趣，连忙朝围墙下的小男孩招手，“阿照，你快过来。”

十二岁，陆宁海惊讶，他以为这个总在吸鼻子的孩子最多不过八九岁。圣恩孤儿院里的孩子多半姓苏，听说是为了纪念建立孤儿院的一位老神父。

苏光照听见了院长的呼唤，有些不知所措。

“过来啊，傻孩子。”院长急了，怕阿照错过这难得的机缘，忙催促道。

陆宁海礼貌地打断了热心的老院长，更正道：“嬷嬷，我说的是翻墙的女孩。”

“她啊……”院长脸上挂着掩饰不住的惊讶，“但她不是我们院里的孩子呀。”

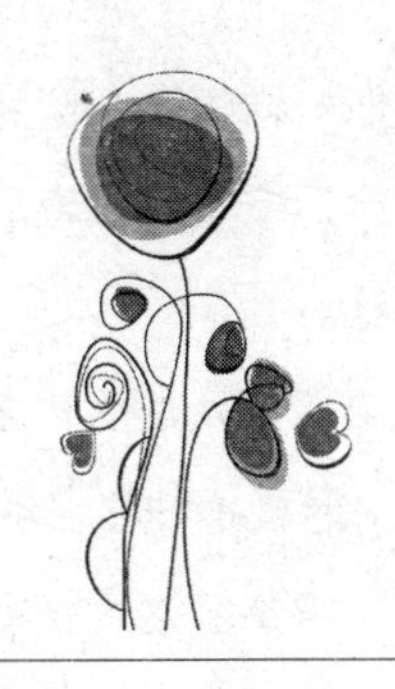

第十二章

遍体凉透

圣诞过后没几天就是新年，不过这些节日对于方灯来说没什么意义，最多是隔壁圣恩孤儿院又有免费的大餐发放。

那天阿照招呼她一块去领圣餐，那孩子找方灯难得有这样的好事，高兴得好像自己是这场盛大宴请的主人，方灯当然也不肯错过。本来一切都很顺利，她和阿照各排了两次队，领到了一大包炸鱼和土豆，眼看两天的菜钱都可以省下来了，谁知半路杀出个傅至时。那讨厌的家伙一见到她，就好像闻到鱼腥的猫，非要举发她没有吃圣餐的资格。方灯不想与他纠缠，没想到他居然还拉了一帮喽啰追上来，要不是孤儿院老修女旁那个陌生人拦了一把，恐怕她要在小王八蛋那里吃了亏。

方灯翻墙脱身，回到住处，回想起傅至时穷追猛打的可恶嘴脸，越想就越觉得生气。当然，再伺机揍他一顿这样的事她不会再干了，傅七会怪她沉不住气，又惹麻烦上身，但如果不这样，难道就没有教训小王八蛋的法子了？

她想起前几天到老杜的店里去买盐，正赶上傅至时买了零食离开。她还是头一

回看到男孩子像他一样嘴馋，仿佛不吃那些乱七八糟的零食就会饿死似的。

老杜正在柜台后拿着几枚奇形怪状的钱币研究，看见方灯不忘炫耀，问她认为这玩意儿值不值钱。

方灯原本不愿废话，然而转念一想，没准这稀奇的钱币和傅至时那家伙有关，这才多看了两眼。老杜神神秘秘地告诉她，傅至时经常到店里买吃的，赊了不少钱，被他追讨得急了，就拿了这两枚古币来换。方灯当下心里明白了几分，她还当傅至时家里宠他上了天，每天给那么多零花钱供他买乱七八糟的东西呢。敢情他已经在老杜这里欠了账，又不敢再问家里要，老杜手里用来抵债的两枚钱币多半是傅至时从大人那里偷出来的。

当时方灯暗暗把这件事记在了心里，好歹算是抓到了傅至时的一个把柄。人不犯我我不犯人，若哪天小王八蛋找她的茬，她也有法子在他背后捅一刀。果真，消停不了几天，傅至时就又把她惹毛了。

捉贼要捉赃，这道理方灯懂得。她放下炸鱼和土豆就去找老杜，问他借那两枚钱币用用，回头就还给他。老杜是个吝啬鬼，原本是不肯的，但架不住方灯巧笑倩兮软语相求，这于他而言可是难得的福利，当即骨头都酥了一半，喜滋滋地把钱币借给了方灯。

方灯拿到了证据暗喜不已，傅至时说她是“小偷”，她倒要让他父母知道，谁才是真正的“三只手”。为使这个计划收获最好的效果，同时也得在傅镜纯夫妇面前具备充分的说服力，方灯还特意去找了傅七，想和他合计合计，顺便把炸鱼拿去给他尝一尝。哪知道傅七的反应让她大为扫兴，他先是拈着那两枚钱币看了一会儿，漫不经心地说那是什么北洋政府时期的铜元，现在市面上流通得不多，傅至时不识货。可方灯才不在乎老杜是不是赚了一笔，她问傅七这钱币是否是他堂兄家里的私藏，傅七却皱着眉反问她，以老杜的为人，怎么会肯把吃到嘴的肥肉假手他人。

方灯想糊弄过去，傅七见她闪躲，脸色沉得更是难看。他不喜欢她用女孩子特有的小伎俩去获取任何利益，哪怕对方实际上从她那里什么都没有得到。方灯见他不肯帮忙，向他索回钱币，心想大不了自己想办法去揭穿傅至时。

傅七非但不赞同她的做法，还劝她不要把傅至时做的事放在心上。方灯被浇了一头冷水，很是不快。明明是傅至时一而再再而三地挑衅，为什么一到了傅七这里，她想要出口恶气就成了错事，明的不行，暗的也不行，来硬的鲁莽，玩阴的又不应该。她就是个睚眦必报的小人，这是她成长的这个弱肉强食的世界教给她最简单有效的法则，只有这样才能让恃强凌弱的人懂得畏惧。她讨厌他做事之前思前想后，说白了就是懦弱。

眼看方灯跳脚，恨声说他向着姓傅的。傅七只是冷冷地告诉方灯，别总以为自己是对的，无论她揍傅至时也好，玩小心机让傅至时父母揍他一顿也罢，除了当时解气，其实什么都没改变，拳头和恶作剧是打不服一个人的。报复的最好办法不是轻举妄动，而是等待时机，当你远远比对方强大得多的时候，就能让他心甘情愿跪下来舔你的脚。

方灯不接受这套说辞，在她看来这都是借口。两人说不到一块不欢而散，方灯拿回了钱币，回去生了通闷气，次日就把东西还给了老杜。接下来一连两天，她都没有理会傅七，傅七也没有找她。

因为元旦的缘故，学校放假了，新年前一天傍晚，方灯拿小碎石去砸傅七的百叶窗，好叫他出来一起去教堂凑热闹。她知道老崔今天去市里采购，估计要晚上才能到家，不知道傅七一个人吃了饭没有。

她手里的小石块在百叶窗上发出清晰的敲击声，过去每到这个时候，他就会佯怒地推开窗让她等一会儿，很快他就会从楼上下来。可这天，方灯手里的几颗小石头都用完了，百叶窗纹丝不动。

方灯开始觉得有些奇怪，傅七这家伙怕冷，冬天最喜欢蜷在家里，今天岛上冷得尤其厉害，他没理由独自出去晃荡。她更注意到，他窗前那盆美人蕉不知怎么不见了，难道他这次真的生她的气了?

她又对着窗口连喊了几声他的名字，没有得到回应才纳闷地回家。左思右想，总觉得奇怪：傅七不是太好说话的人，但也绝对不是个小气鬼，尤其他俩闹别扭，他再不认同她说的话做的事，也不至于如此。现在她都主动去找他了，他没理由故意不搭理啊，更不至于恼她到把美人蕉都扔了的地步。

入夜，阿照来催方灯出发，再晚一些，老教堂人满为患，就挤不进去了。方灯

其实已没有去玩的心思，但又不能一直坐在家里想破脑袋干等。她下楼的时候恰好遇见老崔提着大包小包回来，就连忙让老崔回去看看傅七到底是怎么回事。

老崔也一头雾水，还直说早上出门前小七就跟他说过今晚不用做饭，他多半会和方灯去教堂看唱诗班表演，顺便在外头吃馄饨。方灯心里更觉得不对，这么说起来，傅七压根就没有生她的气，请她吃馄饨更是他见她不高兴时惯做的事。她催促老崔赶紧开门，自己也打算跟上去，唯恐他又病了。走近他窗下时，忽然一个破碎的花盆跃入她的眼帘。

那正是傅镜殊窗台前的美人蕉，此时花盆四分五裂，里面的泥土都撒了出来，看样子竟像是被人从二楼窗口扔下来才砸成了这副模样。正惊疑交加间，老崔也匆匆跑下楼，说小七不在屋里，最奇怪的是钥匙没带，连外套都没有穿出去。

“难道七哥自己跑出去玩了？”阿照和方灯面面相觑。

方灯摇头，不要说傅七不是贪玩的人，他就算有事出去，也断不会那么匆忙，再说那盆美人蕉摔得也实在蹊跷。

老崔也有些沉不住气了，搓着手道：“那孩子究竟是去了哪里？也不说一声……方灯，他真没去找过你？”

“他要是去找我，我还会在这儿吗？”

“不行，我得去找找他。”老崔说着就走。

“我也去。”阿照也跟了上去。

瓜荫洲就那么丁点儿大，两个人分头去找一个人已经足够。方灯怕傅七只是出去转转，过一会儿就会回来，便回了自己住的小阁楼，靠在窗边等，只要他出现在巷口，她一眼就能看见。

方学农又没在家。最近他老是混在外头，不到深夜很少出现在住处，方灯有时随口问他去了哪里，他也让她不要管。平安夜方灯领回来特意给他留的炸鱼和土豆他都没顾上吃，换做往日，早饿死鬼投胎一般用来送了酒。方灯心浮气躁，哪里顾得上去管那酒鬼去了什么地方，胡乱将快要变质的炸鱼和土豆扔进了垃圾桶。

傅镜殊没有如方灯所期待的那样出现在她视线中，反而老崔和阿照先后回到了傅家园。方灯跑下去，果然，他们去遍了傅七可能去的地方，都没有发现他的踪迹。

“该不会出什么事了吧？”方灯心急如焚。

“不能啊，光天化日的，我才离了岛一天，早上他还好好的。”老崔嘴上这么说，脸色却有些发白，犹豫着问，“要不我到派出所去一趟？”

“那也得等人不见了四十八小时后警察才会管。”阿照人小鬼大，“我就觉得七哥那么聪明，能出什么事？他一定是闷了，自己出去逛逛。哎，姐，你怎么走了？”

阿照摸不着头脑地目送方灯走开。

方灯也不知道自己为什么在那里待不下去了，她只想找个地方静一静，有种不祥的预感包裹着她。这事派出所警察一时间还不会管，阿照和老崔都还抱着他只是临时有事不在，很快就会回来的侥幸。可她隐约觉得不是这样，他是那样谨慎自制的一个人，上次淋了雨生病躲在屋子里不肯见人已经是他做得最出格的一件事。方灯甚至有种直觉，傅七窗台下摔碎的美人蕉就是他向她传达的某种暗示，他忽然消失不见，一定没有那么简单。

傅镜殊一夜未归，方灯彻夜难眠。后半夜，方学农回来了，嘴里哼着歌儿。他最近每次回来都是一副酒足饭饱的样子。

方灯撩开间隔的布帘，坐起来问：“去哪混到这时候？”

“有人请老子吃饭。”方学农信口答道。

谁会请他吃饭？而且还是一连几天地招待着，方灯不信他有这样的人缘。这时她注意到，她父亲随手搁在饭桌上的那半瓶酒也和以前不一样，不再是老杜店里那种散装的廉价货。这酒究竟多少钱一瓶她不清楚，但至少不是老酒鬼能够负担的。

“谁那么大方？”

方学农有些不耐烦，“工地上的几个兄弟邀我去喝酒罢了。”

岛上为发展旅游业，最近又新建了一间大酒店，工地上多了不少打工的岛外人，他怎么会那么快和这些人混在了一起？方灯忽然想起，就在两天前，她看到许久不见的崔敏行又出现在岛上，还和方学农走在一起。方灯当时心里虽厌恶，但也只觉得他俩本来就是一丘之貉，混在一起臭味相投，也是正常。也许是她多心，今天傅七的失踪又让她心神不宁，方灯忽然感到好像有哪里不太对劲，一时间却又说不上来。

方学农见女儿眼神直勾勾的，还以为她是在盯着他的酒瓶看，得意地说：“你知道这酒多少钱一瓶吗，说出来怕吓到了你。”

方灯的心确实怦怦跳个不停，但是却并非因为父亲的那瓶酒。她有些知道自己为什么不安了，崔敏行突然出现在岛上，又和她一贯厌恶傅家的混账父亲走得很近，老家伙还莫名地被人好酒好肉地招呼着……这事会不会和傅七有关，难道真有这么巧？方灯越想越觉蹊跷，这事处处透着诡异，那巧合背后藏着的某种可能性让她不敢往深处想。

“酒是崔敏行给你的？”她试探着问。

方学农脱外套的动作忽然慢了下来，他已经熄了灯，却能感觉到他的女儿静静坐在那里冷眼看着他，这种感觉让他警惕，并且很不舒服。

“小孩子家家管那么多干什么？”过了一会儿，他说道，“你怎么会忽然提到他？”

方学农虽不承认，但他的反应让方灯更为狐疑，她怕父亲起了疑心，口风更为掩饰，就换了种语气。

“随口说说罢了，我也只见过他请你喝酒。”她又做出平日里惯常的讥诮口吻，“不过想想也不可能，你要钱没钱，要本事没本事，人家凭什么成天招待你呀，这酒不会是你骗来的吧。”

方学农果然脸上挂不住，他最不喜欢女儿用这种口吻跟他说话，在外面他可以被别人看不起，但是在家里不行。

“你懂什么，死丫头，这样看扁你老子，迟早我要让你们知道，我比你们想得有能耐多了。”

“你能有什么能耐，说出来让我听听？”方灯失笑。

方学农却没有顺着她的话往下讲，胡乱地塞给她几张钞票，“老子的事你少管，喏，这是下个礼拜的菜钱。”

方灯凑近看了看，是比往常要多些。这时，她父亲想起了什么似的，又从口袋里抽出十块钱，“这个你拿去买点书什么的。”

他竟然给她零花钱，这可是少有的事。方灯挤出几分笑容，惊讶地拿着钱问道：“你最近捡钱了，还是赌钱赢了一笔？”

方学农往竹床上一倒，蒙头就要睡过去的样子，嘴里哼哼唧唧地应了句，“你等着吧，别以为你老子我一世窝囊。”

方灯默默把钱收在枕头下面，方学农如雷的鼾声很快响起，她却更加心绪不宁，辗转着，仿佛头下面枕着的是一盆烧红的火炭。

方学农这一觉睡到了第二天下午，期间方灯出去了一趟，得知傅镜殊依然没有消息，老崔依旧在岛上寻找。她回到小阁楼时，方学农正打着呵欠往身上套衣服，人却站在窗边，一个劲地朝着对面张望，见到女儿进屋才转身说道：“我待会儿要出去，岛上的董家老头没了，要我去帮办丧事，今晚就不回来了。”

方灯漫不经心地点了点头。

“你耷拉着脑袋干什么，整天一副丧气样。”方学农把手放在门上，回头看了女儿一眼。他往日倒鲜少在乎女儿高不高兴，心里在想什么。

方灯懊恼地回答：“傅镜殊那家伙一天一夜不见人影，不知道跑哪去了？”

方学农背对着女儿，嘟囔道：“我早说让你留心别被他骗了，小野种都是没根的，没准哪一天他翻脸不认人就自个儿远走高飞了，跟他忘恩负义的老子一样。”

方灯听着方学农下楼的脚步声，等到那声音远了，她立刻扑到他的床边，用力揭开被子，又伸手在他枕头和床单下摸索。最后她在方学农床头后面的墙洞里找到了一个油纸包住的东西。那墙洞也就半块砖的大小，和别的墙壁一样被报纸糊着，又藏在床头的靠板后头，如果不是方灯几乎摸过了每一寸能找的地方，又发现那处的报纸有新糊上的水痕，恐怕很难发现。

她搜索的时候像疯了一般，纸包被拿在手里时却犹豫了，长吁了一口气，才带着几分恐惧将它打开，就仿佛是开启了潘多拉的盒子。

纸包里的东西平淡之极，除了几百块钱，还有一把半旧的木梳子，像是朱颜姑姑以前用的那把，上面还缠着几缕发丝。梳子的下方是一面精致的小镜子，方灯哆嗦着将它翻了过来，这东西太过眼熟，有人曾答应她将它一直带在身上，不用费心去分辨，她也能将背面那两行小字铭记于心——“不离不弃，是谓真如”。

方灯只觉得眼前一黑，跌坐在身畔的竹床上，破床发出古怪的吱呀声，像尖锐的喘息呻吟。她用手紧紧捂住面颊，在整个包裹着她的黑暗中遍体凉透。

第十三章

黑暗与光

方学农在岛上转悠了一圈，拎着他舍不得一下子喝完的半瓶好酒去了岛上的小饭馆，饱餐了一顿出来，半仰起头吐起了烟圈。他没有去什么死了老头子的董家，而是沿着小岛外围的海滩一直朝东走。

瓜荫洲的西边地势平坦，人口密集，各种民居和商业建筑聚集于此，东边则被海滩和几个土坡占据着，过去这里曾有个小型货运港口，随着新渡口的建成，近十多年来已经半成荒废。方灯对这一带远不如父亲方学农熟悉，加之少了曲折小径和重重绿荫的掩护，她不敢跟得很近。

入冬以来，天黑得早，遇上小雨阴寒的天气，小岛更是早早地就被暮色笼罩。方灯一度怀疑自己跟丢了，她前方已没有了父亲的踪迹。过了新建酒店的工地，四下行人渐稀，别说岛上的居民，就是好奇的游人也鲜少逛到这边来。

土坡上散布着零星几栋破败的建筑，多是过去外来人员搭建的棚屋，很久以前就因为岛上的重新规划而被迁了出去，房子却一直没拆，在半坡的树丛中鬼祟地探出房顶。阿照曾说过，岛东边有旧医院的停尸间，还有个打靶场，每逢战争或各种运动，岛上若有人身遭横死，就会葬在打靶场附近。不知道阿照是从哪里听来的，方灯以前只是半信半疑，但凛冽的海风夹着绵绵冷雨钻进她的领口，侵蚀她身上每一寸尚余温暖的角落。每朝前走一步，天色好像就又暗了一分，土坡上的树丛里发出可怕的呜咽，她开始相信阿照所言非虚。但她不能回头，这里越不是寻常人该来的地方，就越藏着她要寻找的真相。

方灯沿着一条被草覆盖了一半的石砌小径走进土坡深处，没多久就看到一栋三层的小楼，门窗都已朽坏，在半明半暗的天色中像一个张着无数巨口的怪兽。原本的正门处歪歪斜斜地挂着个牌匾，她借着仅余的光线细看，那似乎是“瓜荫洲卫生所”几个黑字，看来这就是阿照所说的旧医院了。路边的草丛里有一个未完全熄灭的烟头，她捡起来，正是她父亲平时抽的自制卷烟，这说明她至少没有走错路。方灯本应松口气，但事实上她的心揪得更紧了，就在这时，她似乎隐约听到了人声。

那声音被风带着一时近，一时远，她停下来侧耳分辨了许久，声源似乎就在旧卫生所后头一带，再听得仔细些，依稀是几个男人在闷声交谈，其中有个声音仿佛是她所熟悉的，可想要听清对方说什么却又几乎不可能。

方灯不敢贸然走近，又不肯就此逃开，只得猫腰藏在路边的杂草丛中。声音持续了一会儿，又停了下来，没多久再飘过来时，有人显得激动了不少，原本的交谈变作压抑着的争执。草丛里又湿又冷，她在那里一缩将近半小时，天已经彻底地黑了下来，小岛西边的灯光在远处，像隔了个人间。土坡的顶端和乌压压的天空仿佛连成了一片，她觉得自己也仿佛和路边的荒草烂泥冻作了一体。

那场看不见的争吵愈演愈烈，有人似乎为泄愤砸坏了某种东西，方灯还来不及决定自己是否应该摸近一些，好将对方说话的内容听个清楚，那声音忽然近了，还伴随着沉重的脚步声，正是朝她所在的位置而来。

方灯一惊，赶紧在来人靠近之前躲进了没有门的旧卫生所废楼，蜷在远离窗的墙角。她不确定对方是否听到了她移动时发出的声响，心几乎要跳出胸腔之外，大气也不敢喘，更不敢去揉因为保持一个姿势过久而酸麻不已的双腿。

脚步声更近了，他们已走到了旧卫生所的外头。

“……我早就说过那废物的话信不过，还以为可以捞一笔，谁知道是个赔本生意，真他妈倒霉，呸！”有人重重地吐了口浓痰。

另一个略沙哑的声音接上，“谁知道呀，他开始说得天花乱坠，说那小子多有油水，老子也以为这话不假，你想，他住在……”

庆幸的是，来人只沉浸在自己的抱怨之中，并没有发现有人藏身在几步之外的废楼里。他们的声音和脚步逐渐远去，像是沿方灯来时的路返回。

方灯的耳朵告诉她，刚才经过的应该是两个壮年男人，极其陌生的外地口音，她要找的人并不在里面。她在那个角落里蜷缩着又等待了十余分钟，确认两人已走远且没有折返回来的迹象，才活动了一下仿佛已不属于她的手脚，慢慢站了起来。

她这时才感觉到残破的旧楼里仿佛比草丛中更阴冷，空气中似有一种陈年累月的霉味。周围又变得极其安静，连虫鸣鸟叫声都绝迹了，巨大的恐惧感攫住了她，可她无法再等下去，因为藏在不远处暗黑里的，有比恐惧本身更让她痛苦的东西。

旧卫生所后头十几米开外，是一间小小的砖房，看上去只比渡口的公共厕所宽上一些，而且有两层。这里背离山坡小路，草和灌木丛长得更为猖狂，别说是晚上，就算白天有人经过，不细看也难以发现还有这样一个地方。

愁闷懊恼的男人瘫坐在楼道尽头的破椅子上，背靠着一扇紧闭的门，他喝干了瓶子里最后的一滴酒——酒是好酒，可惜不足以让他醉去。他觉得头更痛了，像有人拿着锥子在扎他的脑袋，每扎一下都有个小人在尖叫“她们都看不起你”。他想发声大喊，但是消沉了近二十年，他已经丧失了这种本能，连怨恨都是无声无息的，俯低的，像草里的蛇。

从他坐着的地方可以将前面所有动静尽收眼底，是个放风的好地方。他原本应该打起十二分精神，这毕竟是他这辈子做过最了不得的一件大事。可是有谁会来？金主当他是个笑话，同伴也视他如狗屎。他挖了个大坑把自己埋了进去——或许这辈子他都在坑底，从来就没有爬上来过。

忽然，他听到人走在草地上发出的声响。他们改变心意了？没有灯光，他点亮了手边的电筒扫了两下，然后，电筒的光圈定格在一张他做梦也没想到会出现在此地的脸上。

那张脸在雪白光照下更像一点血色也无，她用手遮在眼前，神色惊惶却没有闪避。

“你！你怎么跑到这里来了？”他猛然想站起来，酒后脚下虚浮，身子摇晃了一下，手电筒的光也变得极为不稳。

她也像在极力看清他一般，步步走近，最后停在短短的楼道下方。

“他还活着吗？”她的声音是干涩的，像是攀在绝望的边缘。多奇怪啊，他听过这句话，这多像许多年前的另一个女孩，以同样的声调，同样的绝望，对他问出同样的问题，他错乱了。

“你说谁？我问你来这里干什么！”他厉声问道，却发觉自己的声音和手电筒的光一样在颤抖，“你跟着我来的？”

她没有得到想要的答案，开始慢慢朝楼上走。

“你先告诉我，他还活着吗？”她又问了一遍，仿佛周遭的一切都不重要，这是她唯一在乎的。

方学农被激怒了，“他是谁，那短命的小野种就那么重要？早知道老子就该答应做掉他，他死了，什么事都干净了。”

方灯的神色明显一松，至少他还活着，一切还有挽回的余地。

她问她的父亲：“你为什么要这么做？你知道自己在做什么吗？”

“你别过来。”方学农困兽一样在狭窄的楼梯平台上左右踱了两步，“我早该这么做了，姓傅的全是祸害，他们不配过上好日子。想要命就得破财，我要拿到我应得的。”

“以前我以为你只是窝囊，没想到你已经发疯了。”

“你站住，再上来我立刻就去捅死他。”

方灯站在楼道的最后两级阶梯处，与这个处在疯狂边缘的男人一步之遥，她抬脸看着他，用一种哀求的语气。

“爸，你放了他吧。再找不着人，老崔一定会报警的，到时你就回不了头了。”

“他敢！老王八蛋要敢报警，我也不要命了，他等着收尸吧。我叫你别再动了！”

方学农色厉内荏地发出警告，或许是方灯喊的那一声“爸”让他有所动容，他指着前方说：“你回去，这件事和你没关系。”

“怎么可能没有关系？你放了他，我去求他，他会答应我的，到时你还有路可以走。”

“我要他给我路走？现在是他要跪下来求我！丫头，你听我的，别中了他的邪，不要像你姑姑一样，他们不是好人……”

“你难道就是好人？你看看你做的是什么事，朱颜姑姑看到了也会恨死你的！”方灯流泪了。

方学农手电筒的光晃动得更加剧烈，“你们懂什么？我都是为了你们好。我这辈子还有什么指望？是，我窝囊，你们看不起我，可老子活着为了谁？捞了一笔我还能留着买棺材？她在的时候我没让她过上好日子，干完这一票，你就能有笔钱傍身，像个人一样活着，别说我他妈的什么都没为你们做过！”

方灯被这样荒谬的说法逼疯了，哭着喊道：“我要你这种钱？朱颜姑姑死了，骨头都成灰了，你还说为她好，她活着的时候你做了什么，这里面关着的是谁你不知道？他是姑姑的儿子，你的亲外甥！”

“放屁，他不是！”方学农双目圆睁，剧烈地喘息着，“我说过他是野种，野种！”

方灯趁他一时走神，大步扑到门前，却发现门被死死地锁住了。

“你再恨他，他也是姑姑生的。把门打开，放了他。”

方学农的嘴张开又合上，最后咬牙说：“你姑姑生的那个孩子早就死了，里面那个只不过是没人要的小杂种，被丢在孤儿院的外头。要不是怕你姑姑当时就撑不下去，我会把他抱回来？这是我做的最后悔的一件事，早知道即使有孩子在，傅维忍那畜生还是舍得丢下你姑姑一个人走，我就该让小杂种冻死在那个晚上，省得他成了你的冤家！”

方灯像是被这种可怕的说法吓呆了，背死死抵在门上，一时间忘记了寻找将门打开的办法。

“你真的已经疯掉了。”她难以置信地对父亲说。

“我比你们都清醒。你姑姑蠢，你更蠢。以为有钱人家的公子哥儿身上贴了金。傅维忍还算个破败户，里面那个连破败户都不是。来路不明的玩意儿！我是答应了你姑姑这辈子都不提，这才由着他装模作样地住在大房子里，以为自己有个了不起的祖宗，勾得你魂都没了。不过现在没关系了，他那些有钱的亲戚没准都知道了他是个杂种，要不怎么明知道他被绑了，一分钱都不肯拿出来，丢他在这里死也不是，活也不是！”

“你就编吧，编吧……”方灯全身无力，连争辩的声音都变得气若游丝。莫非这就是另外两个外地男人中途离开的原因？

“你不信，老子告诉你，你姑姑的儿子当年还是我亲手埋在后头靶场的垂叶榕下的。朱颜死之前还求我，让我把她的骨灰也撒在那里。我没听她的，她太傻了，姓傅的已经毁了她一辈子，死后我要让她离他们远远的……你也给我离他们远远的，要不然就和你姑姑是一样的下场。”

“我不管这些，你先放了他！”方灯回过神来，试图从父亲身上找到钥匙，被方学农甩开，背再度撞到门上。

“钥匙在哪？你放过他吧。就算他不是姑姑的儿子，好歹是个活生生的人。他没有做过伤害你的事呀。”她不死心，拽着方学农的手不肯放下。

“怎么放？老子还以为能赚上一笔，多少对得起我当初把他抱给你姑姑，让他白过了十几年好日子。哪知道小野种这么不值钱，给老子留下一堆烂摊子。住在傅家园那鬼屋子里的没有好人，他不是傅家的种，也生了一副和傅家人一样的坏肠子，放他走，我也没活路了，还不如鱼死网破，你也可以断了那条心。”方学农咬牙切齿，想要摆脱女儿的纠缠。

“不会的，我说过我会求他……”

“我求他？你不是说我窝囊吗，这辈子我也就干这票大的。我谁都不求，没有钱也算了，大不了大家都死在这里！放手！要不老子打死你！”方灯力气不小，方学农的酒劲发作，一时间竟挣脱不得，手电筒落地，他疯了似的嚷道：“你再不滚，我现在就去弄死他！”

“好，要死大家一起死！”方灯绝望之下举起了被方学农扔在门边的空酒瓶，

“我再说一次，放了他！”

“他是你的谁？”地板上滚动着的手电筒将人的脸映得如鬼魅一般，方学农腾出手来抽了方灯一巴掌，指着她鼻子骂道：“我又是你的谁，啊！小贱胚子，你打啊！老子早就不想活了！”

“把门打开！”方灯退无可退，声音尖厉得自己都不认识了。

方学农红了眼，他逼近一步，满嘴的酒气热腾腾地扑在方灯的脸上，“你敢动手？来啊，你不弄死我，我就弄死他，不要脸的玩……”

方灯手起瓶落，空酒瓶在酒鬼的头上碎裂开来，却只发出沉闷的低响。方学农怔了一下才用手去摸了摸头顶，像是不敢置信一般。手指上触摸到的黏稠液体让他整个人发狂了一般，低吼一声向方灯扑来，方灯用尽全身的力量将他一推，他趔趄着退了一步摔下楼道，好在没有一路翻滚，只是倒在了楼道中间的阶梯上，背靠着墙壁大口大口地喘着粗气，一时间动弹不得。

方灯骤然松手，半截空酒瓶落地，她捡起仍亮着的手电筒，惊魂未定地想要去看方学农头上的伤，被方学农无力的手隔开。他用最不堪入耳的话语诅咒着她，想爬却没办法直起身来。方灯在他的皮带一侧找到了钥匙串，趁他半昏半醒，解下钥匙，哆嗦着轮流朝锁孔插去。

谢天谢地，方学农的钥匙只有寥寥几把，排除家里用的那两把，方灯在自己如雷的心跳中很快听到了锁孔弹开的脆响，赶紧拔锁推门进去，用手电筒在里间一扫。

那是个不到十五平米的狭窄空间，不知道过去是派什么用场，此时四下空空如也，除了地上的一堆稻草、几个空饭盒，还有就是角落里被绑在凳子上的一个人。

方灯看到傅镜殊的那一瞬间眼泪夺眶而出，但她都顾不上去擦，带着朦胧的泪眼以最快的速度冲过去，撕掉他嘴上的胶布，再俯身去解他手上的绳结。

傅镜殊的手被指头粗的麻绳捆绑在椅子的背后，腕部已磨得血肉模糊，方灯使出了吃奶的劲，但那绳结打得异常的紧，身边又没有任何的工具。她一边费力地解绳子，一边不时借着手电筒的光查看门口的动静。终于，一分钟后，绳结被她扯得松动了，而地板上的手电照往门口的光也忽然被遮挡住，方学农捂着头，摇摇晃晃地走了进来。

他嘴里含糊地嘟囔着，“小杂种”、“小贱人”之声不绝于耳。方灯用尽全力将绳套往下一扯，傅镜殊的手再顺势向两旁一挣，上半身总算摆脱了绳索的束缚。方学农见状，更为急切地朝他扑过来，手里拿着方灯扔下的半截碎酒瓶子。

傅镜殊的双脚还被困在绳子和椅腿之间，他侧身闪避，连人带着凳子侧翻在地。方灯及时从后面拦腰抱住了她父亲。

“爸，你别这样，打伤你的人是我，你放过他！”

这时方学农的劲道大得出奇，浓稠的血浆覆盖了他大半张脸。他喉咙里发出古怪的痰音，沙哑地说着什么，混乱间方灯只听见“……她那么死心塌地地爱你，以为孩子能留得住你……你却说她偷人……她到死前都在问我，这一生为什么是这样……谁告诉我……你要下去替她做牛做马……”

看他的样子竟像是分不出眼前的人究竟是谁，方灯哪里困得住这样的一个人，跌跌撞撞被他带着朝傅镜殊靠近。

“你醒醒，他不是傅维忍。我送你去医院，让他走好不好？”

傅镜殊摔倒在地，弓身竭力去解脚上的绳索。方灯在方学农伤害傅镜殊之前闪身挡在了他们两人的中间，试图将魔鬼附体一般的方学农推远。

方学农定定地盯着她看。

“能做的我都为你做了，我没有骗你。孩子死了，我不想你伤心，就给你找了个新的，我知道你想让他留在你和孩子身边……你说要我带你离开瓜荫洲，说要我永远不说出留在傅家园的是个野种……我都尽力为你做了，我就是个没用的废物，只能做到这些……你想着别人，谁想着你？”

“我知道，我知道。”方灯不敢说破，希望借此为身后的人赢得时间。

“朱颜，你到现在还会看不起我吗？”方学农喘着粗气，注意力仍被挡在他身前的方灯吸引着。

傅镜殊总算解开了脚上的麻绳，吃力地站起来。此前他已被绑在这椅子上将近一天一夜，滴水未进，全身动弹不得，手脚都僵得好像不是自己的。方学农听到动静，一下拨开了方灯。

“傅七，你快点走。”

方灯还想去拦方学农，却被方学农掐着脖子按在墙上，脖子边抵着尖锐的破酒瓶。

“你不是朱颜！吃里扒外的小贱胚子，看老子不收拾你。”方学农面目狰狞，握瓶子的手却一直没有施猛力。

傅镜殊哪里肯丢下她走，他抄起地上的破凳子狠狠砸向方学农的后背，试图让他松手。

“你说谎！”他大声对方学农道，“你这个骗子，满嘴胡言乱语！”

饶是他刚脱身后连站都站不稳，这一下力度仍然不轻，方学农闷哼一声，却没有松手。方灯眼看着傅镜殊再度举起了凳子，大声哀求道：“他只是个疯子！你快走吧，他还有同伙！”

傅镜殊犹豫了一下，扔下凳子，徒手想将方学农从方灯身边扯开。方学农死扛着不松手，方灯只觉得脖子上一阵尖锐的剧痛，心知那利如刀锋的破酒瓶轻易就能刺穿自己的脖子。她鼻子边满是血腥味，不知道是方学农的还是她自己的。有一秒她有个荒谬的念头从空白脑海闪过，也许他真是她的亲生父亲，要不这血的味道为什么如此相似。

不知为什么，方灯血流出来的一瞬，她脖子上的破酒瓶力道缓了缓，她借机奋力一推，助她脱身心切的傅镜殊似乎也抓着方学农的手臂一拽，混乱中方学农重重跌倒在地，沉重的肉体和水泥灌浇的地板猛然接触，发出沉闷的扑通声，他就再没有动静了。

“你怎么样？”傅镜殊捡起手电筒去看方灯脖子上的伤。

方灯捂着痛处，血并没有她想象中多，想来并没有伤到动脉。

“还死不了。”她失神地答了一句，扯着傅镜殊的手，惊魂难定地上前去看地上的方学农。

傅镜殊将她推到身后，自己戒备地弯下腰，将肩背朝上的方学农轻轻翻转过来。方灯顿时捂着嘴发出一声哀鸣，傅镜殊也倒抽了口凉气，那个破酒瓶几乎是正正从方学农的下颌喉管处插入，地板上血流如注，方学农抽搐了几下，渐渐地就不再动弹了。

两个年轻人像是被眼前的一幕彻底惊呆了，怔怔站在原地，忘了逃亡，也没有做任何徒劳的呼救。方灯脸上的泪痕早已在冰冷的空气中风干，仿佛忘却了所有，周身唯一能感知到的只有他的手，紧紧地与她交握，好像彼此是对方唯一的倚靠，好像亘古以来他们就一直只有彼此。

“走。”傅镜殊先反应过来，这里不是久留之地，说不准方学农的同伙就会折返回来。

方灯任由他牵引着离开了这噩梦般的小楼，一路沿着土坡的小径和荒凉的海滩狂奔。夜间宁静而安详的瓜荫洲就在前方等着他们。

当方灯和傅镜殊站在第一盏亮起的路灯下，发现这一夜的瓜荫洲张灯结彩，小岛中心的主要街道里行人如织，灯光如昼，人们脸上的笑容和屋檐上挂着的红灯笼一样热闹且喜庆。他们都忘了，今天是元旦，新的一年又开始了。

卖夜宵的小贩向两人投来惊异的目光，他们不约而同回头去看方才拼尽全力逃脱的地方，才发现那地狱般的黑暗和眼前充满俗世气息的热闹温暖相隔并不似想象中遥远，而这一小簇灯火之外，是更无边无际的漆黑的海。

他们逃脱了吗？还是刚刚走进一条陌生而漫长的路？

他们活了过来，那身后被彻底埋葬的又是什么？

他们从哪里来，又能往哪里去？

第十四章

你就是我

下午，方灯坐在傅家园二楼的小花厅里，阳光从菱格的窗户投射进来，照在柚木拼花地板上。那阳光一定很温暖。冬天里的太阳最容易让人懒洋洋的，虽然她正坐在背光的地方。

沙发上除了她，还有傅镜殊和岛上派出所的民警，另有一个陌生人端坐在对面的扶手椅上——说陌生人倒也不十分恰当，如果没有记错，方灯曾经在孤儿院的操场见过这个男人。只是没想到他原来是傅家请的律师。

老崔背着手站在傅镜殊身后不远处，脸上一如既往地没有什么表情。胖胖的警察一边向傅镜殊询问，一边低头在本子上写个不停。姓陆的律师不时会插一句话，老崔就在一旁跟着点头。

方灯已经不记得这是她第几次接受警方的询问了，事情已经过去了一周。她脖子上的伤已经结疤，傅七手腕上的纱布也拆掉了，那里同样留下了丑陋的疤痕。

“……你解开绳子，然后捡起酒瓶砸了他的头，他夺下酒瓶……”

胖警察的这一段话飘入了一直有些走神的方灯耳里，她看了傅七一眼，他朝警察点头，神色如常。

那天他们逃回了安全的地方，老崔很快带着警察赶来了。接下来他们去了派出所、医院、太平间……不同的人出现在身边，问着各种各样的问题。她已经无法细想这中间的整个过程，好像她整个人飘浮在半空，看一场老电影般看着机械如木偶的自己按部就班地被人引导着演既定的情节。

早在这些人出现之前，傅七已经把要紧的事跟她说清楚了。他要她无论在警察还是别的任何人面前，都一口咬定砸伤方学农的人是他，她只是为了救他而出现在那里，并且被方学农所伤。然后他们和起了杀心的方学农发生缠斗，方学农摔倒，误将凶器刺入了他自己的咽喉，并因此而丧命。

“即使他们不肯为我付高额的赎金，但是有现成的律师在，他们不会愿意看着傅家有人扯上不明不白的官司，这件事就会变得简单得多。”傅七说这话时依旧是平静的，但脸色却异常灰败。那时他们才刚刚脱身，而从他那里，方灯看不到一丝侥幸逃脱的庆幸，而是心如死灰的绝望。“当然，我说的是他们还认为我是傅家人的前提下。”

后来据警察说，傅镜殊被绑去的地方是旧卫生所的停尸间。方学农是这个案件的主谋，他还有两个同伙，都是工地上的岛外人。那两人在方灯和傅镜殊脱身后的第二天就被捉拿归案，并且很快招供。他们和方学农是在喝酒赌钱时认识的，听说傅家有钱，而且还有巨富的海外亲戚，于是抱着发一笔横财的念头加入，和方学农一起趁老崔不在入室将傅镜殊劫持，然后装进麻袋里，用工地的车以运送建材为由，拉到了废弃的旧卫生所停尸间，并在事后向老崔及傅家提出了大额的赎金。被拒绝后，三人意见发生分歧，主谋方学农提议灭口，另两人因为畏惧中途退出，后来的事他们再不知情。

方学农当场就死了，不管那两人怎么说，都不会再有人跳出来与他们对质。方灯没有提出质疑，但是她心里知道那两人必然撒了谎。她了解与她相伴十六年的父亲，他是个人渣，一无是处，可他不会有那么大的胆量和决心，更没有谋划整桩绑架案的能力。方学农恨傅家不是一天两天的事，有胆子的话他早就下手了，何必等

到现在。如果说是方灯与他的一场剧烈争吵刺激了他，但为什么他当时也没有发难？要说没有人唆使，并且在后面给他出谋划策，方灯打死也不信。至于勒索失败后，究竟是谁想灭口，谁阻止另一方下手，死人是不会说话的，只能任由活着的人说什么是什么。那两个同伙只承认一时糊涂听从方学农的指使参与了绑架，别的推得干干净净，也再没有交代任何的同伙。假若方灯心里揣测的那个真正的主谋是存在的，那他一定是个比方学农聪明得多的人，这才能在事情败露之后，他却没有受到任何牵连。

事后方灯曾装作无意地问过老崔那几天是否在岛上见过崔敏行，老崔说崔敏行并没有来看过他。反倒是当时在旁的阿照提起，元旦的前一天早上在傅家园附近见过崔叔叔，当时崔叔叔还给了他几块糖。

阿照对崔敏行印象一直很好，还掏出吃剩下的一颗糖给方灯看。方灯相信他说的话，也相信老崔没有骗人，因为她也曾见过崔敏行出现在岛上。他离开傅家园的方式并不光彩，如果上岛不是为了看望他年迈的叔叔，又是为了什么？是谁给方学农买的好烟好酒？谁对傅家园的情况和傅镜殊的作息了若指掌？警察都说东楼的大门并无破损痕迹，憎恨傅家但一辈子没走进过傅家园的方学农去哪弄来的钥匙？

方灯只在傅七面前说起过自己的怀疑，他听了之后沉默了许久，只告诉方灯，被劫持时他在二楼的窗台浇花，事情发生得十分突然，等到他听到声响时不速之客已经上了楼。对方至少有三个人，他没办法脱身，只来得及把那盆美人蕉推倒，但他确实没有亲眼看到崔敏行，也未听到他的声音。方灯的想法不无道理，只是无凭无据，于事无补。崔敏行不傻，如果他真有份，这一次事发，他不会再轻举妄动。

傅家的律师果然如傅镜殊所料很快出现在岛上。听老崔说，傅镜殊失踪的第二天下午，他就收到了被人塞进傅家园的匿名信件。信中称傅镜殊在他们手里，要求老崔和傅镜殊家人在一天内筹集五十万元，以此作为放过傅镜殊的条件，如果到时没有钱，就等着收尸。

老崔当时心急如焚，他不敢擅自做主，赶紧将电话打到马来西亚。郑太太不在，是管家接的电话。他又等了两个小时，马来西亚那边才向他传达出了郑太太的意思，那就是马上报警，不要纵容犯罪。

老崔也没料到对方回复得如此决绝，连一点商量的余地都没有。傅七毕竟是由他带大，他不愿孩子出事，也就不敢贸然报警，但是五十万对于他而言实在不是笔短时间内能够筹到的数额，绝望之下他想起了不久前刚见过的陆宁海律师，希望在这个孤立无援的时候对方能帮到自己。

陆宁海倒是接到电话后就上了岛，他表示自己对傅镜殊印象十分好，很愿意帮忙，然而老崔提出的将信托基金套现的方法他无法办到，只能表示遗憾。对于傅家在这件事上的态度，他不便评价，唯有建议老崔，事到如今，报警或许是唯一的办法。

老崔在陆宁海的陪同下去了派出所，回到傅家园没多久便接到了劫匪打来的电话。对方问他何时交易，老崔苦涩地说自己确实拿不出五十万。电话那头的人暴跳如雷，根本不肯相信，还说他们没有狮子大开口，姓傅的家大业大，怎么可能连这点钱都拿不出，既然这样，他们就要给傅镜殊好看。老崔老泪纵横地求情，无奈对方很快就挂了电话。

陆宁海当时劝老崔不要慌，对方既然打来了电话，说不定这对于警察来说是条追踪的线索，他们刚把这个信息反馈给负责这个案子的民警，就接到消息，说傅镜殊和方灯竟然满身是伤地逃了回来。

这就是傅镜殊从老崔那里得到的所有信息。在说起大马那边对于这次绑架的态度时，老崔的表述自然要委婉得多，但无论他怎么迂回地表达，都绕不过一个事实，那就是对于傅镜殊的安危，他生活在海那边的亲戚们并没有那么在乎。关于这个，傅镜殊了然于心。早就听闻郑太太年轻的时候做事雷厉风行，精明果断不亚于男子，大概这也是她一贯的作风吧，拿得起也放得下，一点都不拖泥带水。既然说过将信托基金交付给傅镜殊之后，两边再无经济上的关联，那她为什么还要为他付五十万的赎金?

陆宁海在医院时也安慰了傅镜殊，说遇到这种情况，向劫匪妥协未必能换来平安，报警是最好的办法，郑太太应该也是这么认为的。傅镜殊听了沉默点头，他也是对着方灯时才苦笑着说过一句：“别说我是不是姓傅，就算是又怎么样，这个身份连五十万都不值。”

方灯不知道说什么好，他这样通透的人，那些虚泛的安慰根本没办法给他任何

帮助。可是想得通是一回事，能不能释然又是另一回事，他已学会放低自己，但说出那句话时，眉眼里尽是落寞。

唯一值得庆幸的是，方学农并未向方灯和傅镜殊之外的人说起过那个“秘密”，至少他的两个同案犯在审讯过程中，只提起了傅家的吝啬，而没有涉及任何关于傅镜殊身世的问题。傅镜殊出院那天，郑太太的女儿，也就是他的“姑姑”代表家里打来过一个慰问电话，让他不要想太多，安心休养，后续法律上的一些问题可以交给陆律师代为处理。

陆宁海是个实干的人，在他的专业领域也确实很值得托付。经他出面，傅镜殊和方灯在逃跑时与方学农发生的缠斗很顺利地被归结为合理合法的自卫，方学农的死亡则是自卫过程中不可预计的后果，与人无关。他们的应对无懈可击，警方除了对方灯没有选择报警而是孤身涉险的行为表示不认可之外并未发现任何问题，今天将是他们对于这个案子的最后一次例行询问，然后就会结案。坏人或一命呜呼，或顺利落网，好人全身而退，很是皆大欢喜。

结案当日下午，方学农被送往岛外火化，方灯去领回了他的骨灰。傅镜殊陪她将骨灰埋进了岛上的乱葬岗。替人收尸治丧是方学农这一生做得最在行的一件事，谁能料到他自己的身后事却如此潦草。

方灯这十六年都在问自己为什么摊上这样一个烂人做父亲。他活着的时候，她常咒他死，也想过如果有一天他死了，自己不但不会有半点伤心，还会为解脱而感到庆幸。但是当她捧着寒酸的一盒骨灰时，却压抑不住地痛哭了一场。他毕竟是养大她的人啊，或许还生了她，他再坏再无耻，他们也相依相伴度过了这么多年。有些东西临到无路可走，才会教人明白，你再厌恶，却始终无法割舍。正是因为这样，她没法眼睁睁看着他因为一时的贪念万劫不复，总盼着能劝他最后收手。而方学农再愚蠢贪婪，也没有忘记赚一笔昧心财之后给她留下点钱傍身。他最后迟迟下不了手，是想起了朱颜，还是因为忘不了方灯是他的骨肉？他们彼此憎恨，彼此背叛，彼此舍命相搏，却都断不了最后那点牵念。只可惜正是这似断难断的犹疑，将他们都送上了不归路。

埋葬了方学农，方灯和傅镜殊趁着夜色找到了靶场的那棵垂叶榕。他们用备好的工具沿着树根深挖。如果说在此之前傅镜殊尚存一丝侥幸，那么当他的花锄触碰到某种实物，用手刨开覆盖的泥，看到黄土中埋着的婴儿骨骼时，他仿佛耗尽了所有气力一般跪倒在榕树下。心中百味杂陈的方灯也慢慢跪坐下来，紧紧抱住了他的头。

“方灯你说可不可笑，你爸爸半辈子满口胡言乱语，唯独这件事他没有骗人。”傅镜殊的声音从方灯的肩颈处传出，分辨不清是哭是笑，“别人叫我小野种的时候，我对自己说，我姓‘傅’。我爸死了，他们不肯认我，也没关系，我还有我自己。但是现在我连‘自己’都没有了，埋在土里这个才是傅镜殊，那么我是谁？”

榕树上栖息的一只鸟儿被声音惊起，呼啦啦振翅远去。它还会找到下一个栖息点，树下的人呢？一旦这个秘密公开，他将何处栖身？方灯弯下腰，用手一捧一捧地将泥土重新覆盖在婴儿的尸骨之上，犹如一点点地将秘密深埋。

傅镜殊也直起腰，怔怔地看着她的举动。

他问他是谁。其实她根本不在乎。在方灯心中，他只是她的小七，与姓氏无关，与血缘无关，与一切无关。

“我爸爸已经化成了灰，没有人知道这树下埋着什么。相信我，你永远都是傅镜殊。”她对身边的人说。

“我是吗？”他轻轻吐出这几个字。

月色苍白，如同在人的脸上撒了一层薄薄的盐霜。方灯很想伸手去触碰这层霜染下他的面颊。

她不可抑制地去想，如果他不是傅镜殊，他们又会怎样？不不不，只要他快乐，她愿意他是任何人。

“你相信我吗，小七？我可能是这个世界上活着的最后一个知道这个秘密的人。你信不信我会替你把这个秘密守到我死的那一天？”

傅镜殊低头，学着她的样子慢慢把土填了回去。

“方灯，如果要说心里话，我会告诉你，别相信任何人，除了自己。”他将手下的土压平，转头对她笑了笑，“可是你就是另一个我自己。”

方学农死后，岛上的街道办事人员也一度来慰问过方灯，她未满十八岁，按规定在父母双亡，没有亲戚可以投靠的情况下，可以暂时入住圣恩孤儿院，直到成年。

傅镜殊曾提出让她搬进傅家园，老崔也默许了。但方灯没有这么做。

那件事没过多久，她就听到傅至时喊她“绑架犯的女儿”，人们津津乐道于这桩岛上大案时，也免不了在她背后指指点点。

方灯自嘲地想，从“酒鬼的女儿”到“绑架犯的女儿”，这算不算是一种升格呢？但是不管前一种还是后一种称谓，当着别人的面，她或许都应该离傅七远一点。没有人乐于看到被绑架的人和绑架犯的女儿混在一起，而且亲密无间。

更为离奇的是，傅家那个姓陆的律师在处理完绑架案的事之后找到了方灯，他说他一直想要个女儿，如果方灯愿意，他可以做她的养父，给她一个新的家。

方灯当时的表情无异于听到了天方夜谭。傅七出事之前，她和这姓陆的人从无交集，他为什么会想要收养她？即使他想女儿想疯了，她已经十六岁，很快就将成年，早就不是最适宜收养的年纪。

方灯靠在渡口的栏杆上，听着渡轮离岸的声音，直言不讳地向律师说出了她的疑惑。

在她看来，陆宁海也不像个轻率的人。这个决定想必对他而言也十分艰难。他回答道：“可能是因为你很像我的妻子，死去的那个妻子。她出车祸的时候怀着孕，我想，如果我有个女儿，长大后就应该是你这个样子。”

方灯歪着脑袋朝他笑，“那你找我，是做你的女儿还是妻子？”

这个问题显然让律师大为尴尬。不久前岛上惊鸿一瞥，他一直记得这小女孩骑在墙头粲然而笑的样子，那笑容仿佛触动了他的某根心弦，以至于后来发现她卷入了傅镜殊的绑架案，他也尽心尽力替他们把事情处理好。当他知道这女孩的父亲在绑架案中死去，她现在已经孤苦无依的时候，收养她就成了他心中最冲动，但是也最坚定的一个念头。

他有一种感觉，方灯和傅镜殊一样，小小年纪，却仿佛活了几辈子的人。

“你不愿跟我走？我有一个和你年纪差不多的儿子，你们会相处得很好。”

方灯把被海风吹乱的头发挂在耳后，摇头道：“我不想离开这个岛。”

律师有些失望，无奈地点了点头。

下一班渡轮来了，方灯以为他这就要走，没想他最后又问了一句。

“是因为这岛上有你舍不得的人？傅家那孩子……你们关系很好。”

方灯一愣，正待否认，却又听到律师说道：“我能够理解你，说起来，他应该是你的表哥。你们都是孤儿，有个亲人在，总觉得有点安慰。”

方灯只是笑笑，没有再说什么。律师上了渡轮，她挥了挥手，送这个曾经想给她一个家的人离开。

半年之后，这个姓陆的律师再度出现在方灯的面前。

这时方灯已经住进了孤儿院。在老杜的阁楼上租的房子早已到期，她没有钱再续房租。虽然傅七说过，有他一口饭就有她的，但是进入孤儿院之后，她可以领到政府的救济。阿照是为此感到最高兴的一个人，他长高了不少，性子也不似从前那般懦弱，有了方灯，孤儿院就有了点家的味道。

从阁楼到孤儿院，其实不过几十米的距离，只可惜她住的大通铺房间没有开向街道的窗口，否则她还可以看到傅七重新放回窗台的美人蕉。

“你现在还是可以考虑跟我走。领养手续我会办得很快。”陆宁海对方灯说。

这真是个固执的人，方灯暗想。

看见她再度摇了摇头，陆宁海却道：“如果你不愿意离开这个岛是因为傅镜殊，那如果我告诉你，他有可能要离开了呢？”

第十五章

你应该走的

陆宁海这次上岛，带来了傅维信的死讯，仿佛他每一次的到来都与一场死亡相关。

事实上，傅镜殊在听到“傅维信”这个名字的最初几秒，甚至一时间想不起他是谁。好在他很快在陆宁海略显沉重的脸色中反应过来，这个同是姓“傅”的人就是郑太太的亲生儿子，傅维忍同父异母的兄弟。说起来，他还应该称对方一声“叔叔”。

但是这个叔叔并未与他谋面就先传来了死讯。

郑太太早年膝下空虚，没有儿女一直是她心中最大的隐痛，直到中年时喜得一对龙凤胎，她把这看做上天对她最大的仁慈。她的一双儿女比傅维忍小十岁，同是傅传声的子女，生长环境却大不相同，尤其龙凤胎中的男孩可以说就是郑太太心尖上的肉，从小捧在手里，恨不得把好的一切都给他。

据说这个傅维信也没有让郑太太失望，算是含着金匙出生的他长得仪表堂堂，高大俊朗，聪明又外向，和苍白阴郁的傅维忍相比，更显得阳光健康。傅传声生前对私生子傅维忍心存内疚，但说到真实父爱，他更多的是交给了长在他身边，性格和他更为相像的小儿子傅维信。这让郑太太大为欣慰，也驱散了不少丈夫私生子给她带来的不快。

傅传声临终前希望妻子能将傅维忍接到马来西亚，与此同时，在他和郑太太百年之后，傅家的一切都将交到傅维信手中，这是他们夫妇达成的共识。

傅维信生在大马，十几岁就被送到欧洲上学，个性喜好都相当西化。他对继承家族祖业一事倒不怎么上心。父亲不在后，家里还有个精明强干的亲妈，尚可以逍遥自在地去做自己想做的事。他生活的重心在于享受生命，享受美人，享受一切让人目眩神迷的刺激。

郑太太对于儿子游戏人生的生活态度一直颇有微词，她希望儿子能收心，多接触一些家族事业，以免日后接手时会手忙脚乱。但傅维信却觉得，异母兄长傅维忍和同胞姐姐傅维敏都比他更适合去做这件事。

说起来，傅维信虽然贪玩不羁，却相当重情重义，和姐姐从小感情极好不说，就连阴郁寡欢、不为他母亲所喜的哥哥傅维忍，他也相处得不错。傅维忍病时，他曾数度赶回来探望，还几次劝说母亲善待大哥留在国内的遗孤。这其实是触到了郑太太的另一个痛处，傅维忍再怎么不讨人喜欢，他还留下了后代，而傅维信年纪不小，却丝毫没有找个女人定下来生儿育女的打算，这多少让观念传统的郑太太焦急不安。即使女儿已嫁人生子，但只有傅维信的孩子才是她的亲孙，名正言顺的傅家三房传人。

不幸的是，郑太太最为恐惧的事成为了现实。就在两个月前，傅维信和友人在南美玩帆船时遭遇意外，被打捞上来即被宣告不治，此时他正好三十六岁，虽有一大票女朋友，却没留下一个孩子。

傅维信的死给了步入晚年的郑太太致命的打击，伤心悲恸之下她一病不起，心脏的老毛病出现了恶化，女儿女婿和娘家那边的人都以为她或许过不了这一关，二房的代表也飞往吉隆坡探望，律师和家族企业的高层围在床头，大家都乱作一团，做好了最坏准备。没想到的是，郑太太最后竟然熬了过来，不久前，她已经能够下床活动。与此同时，作为傅家国内的代理律师陆宁海在她的授意下重新出现在傅家园。

傅镜殊听完了陆宁海的来意，短暂的静默中，只听到他手中花剪在盆栽枝丫上留下的咔嚓声。陆宁海在等待一个回答，在他看来，这个答案是显而易见的。

“一个姓氏就有这么重要吗？”傅镜殊抬头看着律师问道。

陆宁海视线与身边的年轻人相对，他发现自己竟然并不能全然看透对方的心思。和聪明人对话是件既轻松又烦恼的事。轻松是省去了很多无谓的口舌和绕圈子的麻烦，烦恼却来自于面子上的冠冕堂皇被撕下，直中要害有时难免让人尴尬。

陆宁海说：“这要看对谁而言了。”

至少现在他们都知道，一个“傅”姓和傅家正统的血脉对于郑太太来说重过一切。傅维信还在时，她根本不把傅维忍看在眼里，也可以假装遗忘老宅子里还有一个姓傅的孩子存在。因为她的亲生儿子还年轻，将来她会儿孙满堂，等她撒手的那一天，她就可以把辛辛苦苦守住的傅家家业交到儿孙手中，这份祖业将在她和丈夫的至亲血脉中代代传承下去。

是傅维信的英年骤逝摧毁了这一切。老太太从生死边缘熬过来后，接受了儿子已永远离她而去这个残酷的事实，同时，她还必须面对傅家三房香火中断的尴尬处境。傅维信没有留下一子半女，郑太太的女儿女婿已迫不及待。但是女儿再亲，外孙到底是别家的人，等到她一死，傅家三房就等于不存在了，所有的一切都将冠上女婿的姓氏，丈夫和自己一生打拼的心血和荣耀就将付之东流。

当然，郑太太也不是没有别的选择，她在当地有名望但已没落的娘家人野心勃勃，远在台湾的二房也有人蠢蠢欲动，提出可以从二房的众多孙辈里挑出一人过继到死去的傅维信名下，这样好歹还是个姓傅的人。

每当无人时，郑太太只觉得悲从中来，她一生要强，唯独有两件恨事，一是她挚爱的丈夫竟然在婚前就和丫鬟留下个孽子，另外一个遗憾就是儿孙单薄。若是她多一个儿子，若是维信还在，若是维信给她留下一丁点血脉，她何至于到如今的地步。

郑太太年纪大了，尤其最近这一场大病更让她领悟到，再强悍的人也有力不从心的一天，她必须为身后事谋划打算。她想起昏迷时，似乎在生与死之间的朦胧中看到了逝去多年的丈夫傅传声，他的音容笑貌还是年轻时的模样。正是这样的他，让少女时代的郑太太毫不犹疑将身托付，从此相依相伴，呕心沥血为他保住傅家三房的根基。

在她醒过来之后，其实心中已有了答案。女儿女婿她会留给他们应得的那一份，保他们一世无忧。娘家人这几十年已从她这里得到了太多。二房的“好意”她心领却不可能接受，因为二房兄长本来就是领养，徒顶了一个“傅”姓罢了。只有留在傅家园的那个男孩，她再不待见他们父子，再恨他们是自己和丈夫恩爱婚姻里的污痕，事到如今也只能承认，他才是真正的傅家三房血脉，也是她挚爱亡夫留在世上最后的嫡亲骨血。

郑太太决定了的事就不再含糊。趁现在还来得及，那孩子尚未成年，又父母双亡，接他到身边他必然感激涕零。只要她假以时日好好栽培，未尝不是一棵好苗子。况且她听陆宁海提起过，那个孩子和他父亲个性大不相同，聪明沉稳，进退有节，这正是她和现在的傅家所需要的，说不定冥冥之中，上苍早已做好了安排。

“郑太太让我转告你，这些年她也一直很关心你的成长。你在这边的生活经历，也算是对你的一种历练。”陆宁海对傅镜殊说道。

“哦？”傅镜殊修剪花枝的手停了一下。陆宁海苦笑，当着他这样早慧的孩子说这样的违心话，本身就是很可笑的行径，可是职责所在，他不得不为。

“谢谢你，陆律师。”

“不用客气。”陆宁海沉吟片刻，才对着显得专注而忙碌的年轻人说道，“我理解……但事关重大，我等着你的决定。”

傅镜殊默不作声，小指粗的花枝从他剪下断落，可惜了，这根枝丫的叶子是那样繁茂。

“别折腾你的花了。”

傅镜殊回头，方灯坐在墙头朝他笑。陆宁海已经离开了好一阵。

“看来你是改不了爬墙的喜好了。”傅镜殊说。

方灯伸了伸脚，语气轻松，“这有什么，以后说不定再也不能爬啦。”

她跳下来几步走到花架下，拿走了傅镜殊手中的花剪，自己比划了两下，才漫不经心地说道：“你应该走的。”

“你希望我走？”傅镜殊当然不相信这是方灯的真心话。他们都不会忘记，就在这个小院子里，他许诺不会离开，石狐和当时的风都是见证。

“现在和以前不一样了。”方灯笑嘻嘻地说，“以前你是走不了，现在老太婆迫不及待地等着你……再说，你不走，我也要走了。”

“什么？”

“姓陆的大律师说要我做他的养女，跟他到市里一起生活。傅七，你说我们是不是同时中了大彩？”

“陆宁海？”傅镜殊微微皱眉，方灯的这个说法让他很是意外。

方灯用手肘顶了他一下，“怎么，你不信？我就不能走运一次？‘律师的女儿’，是不是比‘酒鬼的女儿’和‘绑架犯的女儿’要好听多了？”

傅镜殊狐疑道：“你答应他了？”

“为什么不呢？”方灯说，“人不都应该让自己过得更好吗？”

她用他再熟悉不过的神态，侧着头看着他笑。傅镜殊却觉得一阵难过。

“你也不是不知道……”

“我知道！”方灯迅速地打断了他，“就是因为我知道，所以我才说你应该走。”

他的顾虑只有方灯最清楚。多年被遗忘在此的怨恨、父亲的前车之鉴、身世的不清不楚……还有她，都是他犹豫的原因。

“你甘心一辈子这样？被丢在这破地方生死听天由命，被傅至时那样的一家人看不起，他说我们是同一窝的老鼠。你知道老鼠过的是什么样的生活，见不得光，人人厌恶，吃别人剩下的垃圾，听到一点动静就屁滚尿流。傅七，我们能不这样吗？你这次走，就是改变命运的最好机会——改变我们两个人的命运。”

“是吗？”傅镜殊闭上眼睛，方灯说的他何尝不清楚，只不过前方太多不可预料的东西，为什么是在他已接受命运安排的时候，又给了这样一个措手不及的转机。

“你好了，我才能好。”方灯抚摸着他前面那盆被剪得不像样的垂丝海棠，摘下了上面一片枯萎的叶子，“你说过的，一盆花长得不好，那只是它的病症，怎么修剪都是没有用的，病灶在它的根里。”

晚饭时分，阿照火急火燎地把方灯拉到一边。

“姐，我听说七哥要去那个什么地方……反正就是国外！”

“你消息倒灵通。”方灯继续吃她的晚饭。

“怎么会这样！”阿照的样子像是要哭出来了，“你能不能劝他不要走。”

方灯看了一眼阿照，他长高了，两条鼻涕也没了，只是脸上稚气未脱。他才十三岁，却总认为自己已经是大人，现在打架远比方灯更狠，瘦是瘦，但骨子里透出股悍劲，但凡与人争执，不把别人打趴下誓不罢休，现在孤儿院和附近一带的同龄孩子反倒都有些怕他。方灯都不知道自己当初教会他的那一套到底是对还是错。他自己不再被别人欺负，还整天想着要来保护方灯，这孩子认死理，在他的世界里，有他自己，有灯姐，有七哥，这就是打不破的铁三角，他们都在，他才有家。

方灯怕阿照犟起来要去留傅镜殊，平白给他添堵，便直接说道：“走就走呗，我让他走的。”

“为什么呀？”阿照怎么也想不通。

“什么为什么？”方灯装糊涂。

“姐，你真傻。你和七哥现在这么好，他走了，说不定就不回来了。”

阿照说完，发现方灯还是默默吃饭，他再去扯她的衣袖，她干脆甩开他，掉头走开。

方灯找了个没人的地方，大口大口地把饭塞到自己嘴里，仿佛这样，每一次的喘息就不会带来更多的难过。连阿照都知道，他走了，不知道什么时候才能回来。留在岛上的他，是她的小七，她还能守着那个秘密，偶尔放纵自己那点小小的奢望。然而当他离开的那一刻起，他就是傅镜殊，光明正大的傅家人，她将被视作他身后不光彩的那点血脉牵连，他卑贱的母家表妹，而他们从此将再无任何可能。

第十六章

蠢蠢欲动

就在大家都以为傅镜殊要离开的时候，陆宁海提出的一个“例行公事”的程序却让这场梦过早地醒了，不管当事人将它视作好梦还是噩梦。

说起来这事还是郑太太的女儿傅维敏先提出的。都说傅镜殊是傅维忍的儿子，但是身在马来西亚的傅家人都听说过傅维忍的前妻行为不端，傅维忍生前也对这个儿子相当冷淡。谁知道这孩子是不是亲生的呢？既然要认傅家的正统血脉，那就更该一开始就弄个明明白白。

傅维忍病重时，曾经因为检查的需要在家庭医生处留下了一份血样，没有及时处理，意外地保留了下来。傅维敏便借此提出，应该用这份血样和傅镜殊做一次亲子鉴定，确定无误才能把他接过来。

郑太太起初倒没想到这一层，傅维忍性子古怪，但长得和傅传声极为相似，傅传声认定他是自己的儿子，郑太太也从未有过怀疑，至于傅维忍的儿子，这个就不好说了。她清楚女儿提出这个要求实际上是对她执意接回傅镜殊一事心中不服，又不敢明着抗议，这才想方设法寻找一切可能的方式来阻拦。但郑太太斟酌了一下，为保险起见，做一次鉴定也无不可，反正真的假不了，既正本清源，又堵了悠悠众口。

这件事依旧被交给他们信任的陆宁海负责。陆宁海为谨慎起见全程亲力亲为。由于市里只有少数几家大医院能够提供此项鉴定，他先是陪同傅镜殊在岛上的卫生所提取了血液样本，然后再亲自把血样送至检验机构。

从医院出来时是正午，白花花的太阳很是刺眼，陆宁海正待走到马路对面去取车，不远处树阴下的一个身影让他惊讶地停下了脚步。

他用手搭在眉眼前，有些疑心是不是自己被晒昏了头以至于出现幻觉，但是他幻觉里的人感觉到他的目光，朝他笑了。

“方灯？”他三步并作两步地走到她的身边，将手上的公文包换了个手，万分意外地说，“我差点以为看错人了。你在这里……这不是巧遇吧，你找我有事？”

方灯背着手，一副娇俏的小女孩模样，“你说要我做你的女儿，如果是你女儿在这里等你，你也会这么惊讶？”

陆宁海心中虽困惑，但一时间也不知道怎么答她。况且，无论她是为什么而来，头一回在岛外看见她，他的心里还是高兴的。

“这里不是说话的地方，要不你跟我去事务所？到时你喝点东西，有话慢慢说。”

方灯很顺从地上了他的车，坐到副驾驶座。她看来很少接触私家车，好奇地左看看，右摸摸，就是系不上安全带。

“我来。”陆宁海只得探身过去，替她将安全带拉过来，手横过小姑娘的身前，她不由自主地往后缩了缩，他也有些不自在，一进一退之间，鼻子却闻到了这个年纪女孩特有的干净的气息，坦荡而美好。

陆宁海收敛心神专心开车，方灯在他身畔一路上很是沉默，他好奇地瞥了她一眼，她明明眼睛注视着正前方，却好似耳朵旁也长着眼睛一般。

“你看我干什么？”她笑着问。

”啊？哦！没什么。”陆宁海也笑了，双手将方向盘握得更紧，他明明没有别的念头，只是想知道她在干什么，被她这么一问，反而平添了几分心虚。

到了律师事务所，陆宁海把方灯往自己的办公室领。经过外面的办公区，正好

遇上他的合伙人老张往外走。老张看见他身后跟着个小姑娘，便打趣道："哟，宁海，哪儿找来的洛丽塔？"

老张是陆宁海的大学同窗，比他还年长一岁，但平日里就是没个正经，尤其是那一张嘴，开起玩笑来也不分场合。

"别理他，他就知道瞎说！"老张想必有事在身，戏谑了几句就匆匆而去，陆宁海怕方灯多想，就解释了一句。

方灯好像压根就没听到老张在说什么，也不知道神游去了哪里，讶然地回了句："什么？"

"没什么。"陆宁海笑自己多心，或许她根本就不知道洛丽塔是什么。

他把方灯安置在他私人办公室的沙发上，给她拿了瓶饮料，小姑娘应该都喜欢这些甜的东西，然后他才窝进自己办公桌后的座椅里，好整以暇地开口道："说吧，找我有事？"

方灯不答，却在办公室里晃悠了一圈，最后站到他办公桌的另一头，拿起他放在上面的相框仔细端详。

"这是你前妻还是现任老婆？"

"你怎么知道我结了两次婚？"陆宁海记得自己并未在她面前说起再婚的事。

方灯很自然地说道："你说我像你以前的妻子，有'以前'的，就有'现在'的。我和她长得一点都不像，她又那么年轻，我猜她是你的现任。"

"你猜对了。"陆宁海点头。

"这个是你儿子？你儿子长得比你帅。"方灯继续拉着家常，"为什么这里没有你'以前'妻子的照片呢？"

陆宁海没想到他们会说到这个话题，有些不自在地说："人已经不在了，留着照片有什么用？"

"我常听人讲，你越思念一个人，就越害怕看到她的影子。是这样吗？"

过去陆宁海还觉得，方灯和傅镜殊小小年纪就像活了几辈子的人。生活的经历确实会使一部分孩子早熟些，像他的儿子，几乎同样的年纪却显得单纯得多。传说中有一种幽魂在转生之前拒喝孟婆汤，所以他们来生就会带着前世的记忆，年幼的躯体里住着上辈子的老灵魂。现在看起来，她简直就像这样的小妖孽，但妖孽往往又有着极其诱人的躯壳，方灯的嘴唇就长得很美，从花瓣一样的唇里吐出的不管是什么话语，都显得没那么紧要了。

方灯仿佛没发现他短暂的失神，小心地将相框放回原处，随口问道："你今天去医院是因为傅七的事吗？"

"没错。"陆宁海一点也不惊讶于她为什么会知道。她和她的表哥关系那么亲厚，关心也是理所当然的。

"那结果出来了吗？"方灯又问。

陆宁海毕竟是个年长她近三十岁的成年人，投身律师这一行也十几年了，见惯世情，平日里也以精明著称，他再对这小姑娘有特殊的好感，也觉察出这才是她今天来的目的，他把背往后一靠，回答也显得谨慎了许多。

"这个需要时间。等结果出来，我会及时通知他和郑太太那边。"

"如果鉴定结果出错呢？"

"这是个十分科学的鉴定，我想出错的可能性很小。"

"我是说，如果鉴定结果显示傅七不是他爸爸的亲儿子……我只是说如果，那会怎样？"

陆宁海微微眯了眼睛，双手在胸前交握，"你为什么会这么想？"

"什么都有可能，不是吗？"方灯慢悠悠地说。在陆宁海看来，这时的方灯像极了傅家的那个孩子。

"我只能说，假如那种可能真的出现，对大家而言都是一件很遗憾的事。"

方灯点头，仿佛对他的回答表示认可，正当陆宁海等着从她下一步的问题中寻找出更多的端倪时，她忽然又变了话题。

"陆叔叔，你说要我做你的女儿，是认真的吗？"

她这一声"陆叔叔"喊得极其温软，陆宁海前一分钟还心存戒备，这一刻心却化了不少。

他郑重许诺，"这是当然，我不会开这样的玩笑。"

"那天我问你为什么在那么多孤儿里选择了我，你还记不记得？"

陆宁海当然记得，她的回答一度让他尴尬万分。

“我……”

“你再给我一个答案好吗？”她绞着手，矛盾且不安。

她这样年纪的孩子对待被收养一事抱有谨慎的态度也完全是可以理解的，陆宁海明白她已经动摇了，只是需要自己给她一个更坚定的信念，让她相信这是一个正确的选择。但是他要如何回答，人和人之间的感觉只可意会不可言传。

“你是个很可爱的女孩。”陆宁海艰难地寻找合适字眼。从一开始他就感觉到了，自己的沉稳和世故在这个小姑娘面前不太顶用，总是不由自主就被她牵着鼻子往前走，这让他万般困惑，最要命的是，他还不厌恶这种困惑，并不那么急于摆脱。

“像你以前的妻子一样可爱吗？”

“不不，其实也不是很像。”陆宁海本能地回避这个敏感的话题。

方灯笑得天真无邪，“那我像谁……不行，你必须说一个。”

“嗯……这个难倒我了。你有没有听说过安格尔的一幅著名的油画，叫做《泉》……我是说，你的脸长得……”

傅镜殊学西洋油画多年，方灯在他身边也难免耳濡目染。

“可是她是光着身子的呀。”

陆宁海大窘，也不知道自己是怎么了，为什么在她面前就不知道怎么说话了，他明明不是那个意思。为怕方灯误会，把他想得太过龌龊，他面红耳赤地想要解释：“我不是这个意思……”

“你又觉得我不像了？”说完这句话，方灯直起腰，做了一个陆宁海打死也想不到的举动。她慢慢地解开了自己胸前的纽扣，一颗，又一颗，“这样是不是更像了呢！”

陆宁海被惊呆了，愣了几秒厉声呵斥道：“你在做什么！”

她仿佛没有听见他的话，细细的纽扣被她灵活的指尖逐一解开，从他那里已隐约可见衣下透出的春光。

陆宁海猛然站起来，身后的椅子被剧烈的动作推得和墙壁发出了撞击，他脑子里只有一个念头，快阻止她的疯狂。然而两人之间隔了一张宽大的办公桌，等他冲到她的身旁，她身前的纽扣已尽数被打开。

方灯在他伸手过来替她掩衣之前，轻轻将上衣朝后一褪，这下她的上半身除了贴身胸衣再无任何遮掩。陆宁海伸过来的手触到了她手臂光裸的肌肤，触电一般回缩，哪里还敢轻举妄动。

他扭过头去试图将之前那一幕从脑海里抹去，但少女半裸的身姿和光洁的肌肤仿佛在他心里施用最残酷的烙刑。

“你把我当什么了！”陆宁海义正词严地怒斥道。

“你想把你当什么，就是什么。”方灯轻声说，“只要你帮帮他。”

“我不懂你说什么，把衣服穿上再说！”

“你为什么不敢看我？”方灯上前一步，看着陆宁海狼狈地退后一步，“你把我当做女儿，不是应该心无邪念吗，那还怕什么呢？”

“你到底想怎么样！”陆宁海退到了办公桌的边缘。

方灯“噗嗤”一笑，“你这话不是被凌辱的妇女说的吗？你不看着我，怎么知道我想怎么样？”她见陆宁海绷着脸，依旧扭头拒绝看她，便又绕到他的另一侧，一字一句道，“你怕，才是心中有鬼！”

陆宁海终于将头转了过来，沉声道：“我给你三秒钟把衣服穿好，小小年纪怎么就不自爱？”

方灯低头笑笑，将手放到肩上，她不但没有扶起褪至手肘的外衣，反而将胸衣的肩带缓缓往下捋。

“方灯，穿好衣服！”

“陆叔叔，我求你帮帮他，帮帮他……”她嘴里只余下这句话，身上仅存的那点束缚每向下一寸，她就重复一遍，仿佛魔咒。

陆宁海倒吸一口凉气，胸口剧烈地起伏，训斥的话到了喉边却生生梗在那里，如同一口浓腻腥甜的痰，咳不出来，胸更闷了，心竟是痒的。近在咫尺这一幕，滚烫又旖旎，罪恶却无比诱惑。他开始明白，不是他言语惹的祸，无论他说什么，她都会引着他朝这一步走来，他早就应该警醒，却放纵自己迟钝，这是心惹的祸。祸根早就种下了，他自己竟比她更后知后觉。

方灯看着陆宁海憋红的脸和极力掩饰的狼狈样子，像在看一出荒诞剧，虽然她也在剧中，可毕竟演到这一步，她的心可以略略放下了。只要她没有看错，事情就有出现转机的可能。

别人都笑她是“酒鬼的女儿”，反倒忘了她还有一个更有趣的身份——“娼妓的侄女”。她跟在朱颜姑姑身边长大，见得最多的就是男人眼里的渴求和欲望，不管他是衣冠楚楚，还是寒酸落魄，只要他心中的贪婪蠢蠢欲动，那眼神都如出一辙。从某种程度上说，这个姓陆的大律师和小商店里的老杜没什么区别。

“女儿。”方灯在心里笑了，不过她忍住了笑，也忍住了低头时冲到眼眶边缘的泪。

第十七章

请你原谅我

方灯黄昏时回到傅家园，老崔正在手忙脚乱地张罗着行李，看还有什么能让小七带走的，他是由衷地高兴，见了方灯，也顾不上招呼。

傅镜殊却在房间里有条不紊地把打包好的行李重新放归原处。方灯进去的时候没有敲门，她坐到他的床边，合上他往外掏空了一半的箱子。

“你做什么？”他站在书架前讶然转身。

方灯嗔道：“这句话应该是我问你。”

他继续把书插回书架，一本一本摞得整整齐齐。

“别理那些破书了。”方灯扯了扯他衣服的下摆。

傅镜殊没有理会，背对着她说：“书里的很多东西还是有道理的，只是我以前太自作聪明，还以为自己什么都明白了。”

“你对自己太苛刻，很多事不是因为一个人聪明或者傻就能够左右的，傻的人反而会有傻福。”

“我有没有和你说过，佛经中有这样一段话：人生在世如身处荆棘之中，心不动，人不动，不动则不伤。如心动则人妄动，伤其身，痛其骨，于是体会到世间诸般痛苦。”他终于放弃了去整理那一堆书，回过头，睫毛覆盖着眼帘，也藏起了情绪，“老崔还在忙，我都不想这么早提醒他，他已经很多年没有那么高兴了。”

“那就不要说。”

“不过他紧张的是他的小七，如果他知道我连小七都不是，说不定也不会失望了。”傅镜殊坐到方灯的对面，“怎么阿照说今天一整天都没看到你？”

“我有点事要做，阿照来找你了？”

“他希望我不要走，等得到了消息，他一定会很高兴。有一个人高兴也算是件好事。”

方灯用手指一下下地划着他整洁的床单。

“要是我说，事情没到那一步，还有挽回的机会呢？”

“挽回？”傅镜殊摇了摇头，“只要你爸爸说的不是谎话，那就不可能挽回。”

方灯说：“那……要是另一个人愿意为你说谎呢。我下午去找了陆宁海。”

“你去找他？他怎么会肯？”傅镜殊疑惑地看着方灯，她不说话，依旧在他的床单上划出一道道指痕。他的脸渐渐变色，从不解到犹疑，然后是强烈的难以置信。

“方灯，你找他干什么？”他的脸色铁青，“别告诉我，是我想的那样。”

他站起来，靠近一些就闻到了她身上散发出来的淡淡花露水味，头发也湿漉漉的，她刚洗过澡，就在她从岛外回来不久。

“说话！为什么不回答？”

“我做了什么根本不重要，重要的是结果！他会帮我！”方灯斩钉截铁地说。

这更进一步证实了傅镜殊心底最害怕的那个猜测，“这当然很重要，你到底做了什么？”

方灯从未听到他用这种语气和自己说话，再愤怒的时候也没有。她只能用更强悍的语气去守住心里最后一点尊严。

“要我把细节描述给你听吗？你真的想听？”

方灯只觉得脸一凉，他把书桌边那一杯冷茶全泼在她的脸上，茶水和茶叶渣子顺着她的面庞和湿漉漉的头发往下流淌，这样也好，他就不会以为她哭了。

“我最恨的就是你这样轻贱自己！”他好看的一张脸如今全是扭曲的痛楚，“为什么不和我商量，啊！你凭什么擅自替我做决定，凭什么！”

“凭我是这个世界上最在乎你的人！”方灯的声音也近乎咆哮，“泼茶有什么意思，有种你朝我脸上吐口水啊。你看不起我，我愿意这么贱吗？傅七，傅七！你说，还有别的办法吗？如果你有，我跪下来向你道歉。如果没有，你怎么办！”

方灯满脸都是水，流泪的是傅镜殊。她认识他这么久，对来自大马的亲情彻底失望时他没哭，傅维忍死时他没哭，得知他有可能连姓“傅”都不是的时候他也没有哭，可这个时候他放纵自己的眼泪，在方灯面前哭得像个孩子。

“我宁可一辈子被人当做野种！”

“可是我不愿意，我不愿意你被人看不起，就像我一样。”方灯指着自己说，随后她压低了声音，“你以为你不去大马就没事了？鉴定结果一出来，你连傅家园都回不了，你想和我一样住在孤儿院吗？你还没尝过那种滋味！”

“难道你以为你吃得了的苦，我就不行？”

“我总以为你比我聪明，怎么现在变得这么傻？”方灯抹了一把脸，“我们不一样。我前面只有一条路，而且我习惯在这条路上走到黑。就算没有遇见你，难道我待在我爸那种人身边，或者从孤儿院走出去，就能成为飞出鸡窝的凤凰？你有好得多的选择，我愿用我的明天和你换，这太值了！”

“值不值不是你说了算！如果你是我，你会心安理得？”

“那你说，把你换成我，你会不会拼出一切替我争取，让我快乐？”

傅镜殊阖上眼睛流泪，极其艰难地才说出几个字，“可我怎么会快乐？”

方灯上前几步，慢慢把额头贴在他的胸前。

“你就想，当我为你去做一件事的时候，我是快乐的。这样你就不会那么难过了。”

傅镜殊咬紧牙道：“方灯，你怎么就学不会多爱自己一点，你不爱你自己，谁来爱你？”

方灯在他怀里抬起头来，怔怔地问：“你呢？”

“我？我给过你什么？又能给你什么？人人都只有一颗心，自顾尚且不暇，只有你那么傻。没有一个人值得你这样去做……”

“总有人是比较傻的。”方灯挤出一丁点笑容，“要不小狐狸怎么会把心掏给石狐呢？小七，我……”

傅镜殊伸手触碰她披散下来的长发，心中一恸，喃喃道：“我知道，我知道，其实我一直都是明白的。”

他低头用苍白的唇去吻方灯湿漉漉的头发、眉眼，然后他们都尝到了眼泪咸涩的滋味。

方灯紧紧抱着傅镜殊，感觉他尚在身边的心跳。一时间也分辨不出周身是冰凉的，还是火热的，此刻供他们依偎的是地狱，还是天堂。

他说她是另一个自己，没错，他们本来就该是一体的，虽然方灯知道，她是他身上背光的那个角落，虽然她也知道，他做这些，更多的是出于怜悯——她已经掏空了心，他愿意去温暖剩余的那个空荡荡的躯壳。可是对于她而言，一切依然是那么好。当小狐狸把心放进石狐胸膛时，想必是和她一样快乐的吧。

朦胧中，她听到他的声音在耳边。

“方灯，对不起……”

领养手续果然办得如陆宁海所说的一样顺利。方灯离开瓜荫洲那天也下着雨，一如她上岛的时候。她没什么行李，一只手就可以应付，可她的“养父”执意为她提着那个小小的箱子。

上一班渡轮刚走，下一班还没来。陆宁海见方灯话很少，以为她对这个生活过的地方心存眷恋，便安慰道：“以后你有时间还是可以经常回来看看的。”

方灯朝他笑了笑。他不会懂，人都走了，瓜荫洲对于她而言只是座孤岛，她想自己以后都很少再回来了吧。

阿照生她的气了，从知道她要走那天起他就像只受伤且愤怒的小狼，他恨她和傅镜殊一样先后抛下他离去，今天明知道她要走，故意不肯来送，这时想必是躲在被子里掉眼泪。他不来也好，来了方灯也会笑他哭鼻子太傻，他已经不是流着鼻涕的小可怜，即使他认定的“哥哥姐姐”都不在身边，也能够好好地保护自己。

还是傅七明白，他知道她最不喜欢相送的场面。先走的那一个反倒没有那么难过，说服自己先放手，就可以假装没有失去。

听说昨天晚上郑太太亲自打来电话问起他的生活起居，聊了挺长一段时间，想来他离开的日子也不远了。老崔恨不得把整个傅家园打包进行李让他带走，各种手续都需要办理，他还有很多事情要忙，幸运的是，这种离别的场景她用不着去亲眼目睹。

“渡轮快到了。”陆宁海提醒她。

方灯还是忍不住回头看了一眼这座小岛，发现渡口边的樟树下站着个眼熟的背影，竟然是傅至时。他手里捧着个篮球，满身大汗，与方灯视线相对时，他朝地上吐了口唾沫，脸上浮现出熟悉的鄙夷神色。

渡轮靠岸，陆宁海拎着箱子上了船，方灯紧跟其后，听到傅至时大声嚷嚷：“老鼠换了个窝还是老鼠，臭老鼠！”

他的声音里竟有几分气急败坏的味道。

傅至时将方灯视作眼中钉，她终于从他地盘上消失，他不应该是欢欣雀跃的吗？

方灯扶着渡轮上的栏杆，冷眼看着傅至时的母亲从一旁的美发店里走了出来，沉着脸训斥儿子。

傅七要回到大马傅家的消息已经传开，今时已不同往日。前两天老崔生日，傅镜纯夫妻竟提着水果上门探望，“顺道”恭喜他们的堂弟。方灯自问见多了人情百态，见此情景尚且还有大开眼界之感，她佩服傅七居然能面不改色地和他们寒暄。她记起陆宁海无意中曾对她提起，傅维信死后没多久，傅镜纯夫妇也向郑太太表达过慰问，甚至为了“让老人家的心得到一点安慰”，他们愿意将亲生儿子送到郑太太身边承欢膝下，还说大房和三房才是真正的傅家血亲，他们的儿子，也应该对郑太太尽孝，小人之心昭然若揭。

郑太太是怎么打发他们的，方灯不得而知。但想到假如傅七的身份之秘曝光，还真说不准傅至时那小王八蛋会不会成为郑太太绝望之下的另一种备选，即使有万分之一的可能都足以让方灯恶心。为了这个，方灯也更坚信自己做得没有错。每当她为自己多找到一条理由都是一件值得庆幸的事，因为只有这样，她才能不回头地朝她选择的那条路走下去。

陆宁海的车停在海的那一边，他先带方灯去一个不错的饭馆吃了点东西，然后才将她领回住的地方。

这其实是方灯和陆宁海第三次单独相处，上一回他带给了她想要的结果，而她也正式答应跟他走。和头一次坐上他车的感觉不同，这一次车里的空间仿佛忽然变小了许多，逼仄得让人仿佛无处藏身。陆宁海把冷气开到最大，但衬衣的后背还是湿了一大片。

他并不是风月场上的老手，确切地说，在过去的四十几年里，他大多数时候是个中规中矩的好人。也许是长久以来的道德感和潜伏在心底的欲望同时煎熬着他，到了这个时候，他反而显得有些局促，甚至不太敢正视坐在他几寸开外的方灯，就好比一个初次作案的小偷不敢在夜深无人时翻看他觊觎已久的赃物。

他换了好几个电台，又去问方灯想听些什么。

方灯说："都关了吧，有什么可听的？还不如我们聊天。你还没跟我好好说过你的儿子，他比我大一个月？"

"嗯。"

"他和你现在的妻子相处得好吗？"

"……还算不错吧。他和他死去的亲妈感情很深，但是和继母也没什么冲突。陆一……他是个很懂事很纯良的孩子。"

任何人在说起自己心爱的孩子时脸上都会变得温和许多。父亲的感觉，这是方灯很少感受到的，虽然她有过父亲，但是方学农从未给过她温情，当然，在陆宁海的身上，她也从未找到过这种东西。什么"养女"，他居然以为有人会相信，真是一场笑话。

"陆一，你儿子的名字很特别。"

"我给他起了一个简单的名字，就是希望他能过得简单点。"

"我也想过得简单。"方灯笑眯眯地说，"那你现任的妻子又是个什么样的人？我用叫她'妈妈'吗？"

陆宁海也听出了她话里的戏谑，他专注着前方的路况，认真回答道："是这样，我的打算是你可以先不用和我妻子住到一起，给大家一段适应的时间会更好。学校我已经替你联系好了，你就住在我市郊的那套小房子，里面很干净，什么都有，离你的新学校也很近，生活方面你不用操心……”

“我从来没有为这个操心过。”方灯嘴角上扬。这就对了，难怪她看他的车驶上了环城高速，他明明说过他们一家都住在市区。大家都把遮羞布挑开了，该做的他也已经为她做到，他才不会傻到让她和他的家人住在一起。把她往郊区的小房子里一藏，任何事情做起来都方便得多。

“我想你的妻子是需要适应，你大概没告诉她，她刚添的女儿年纪已经有我那么大了吧。”

“这不是你需要操心的问题。”这个话题显然让陆宁海抗拒且不安，他的声音也显出了烦躁。

方灯笑笑，没有再说话，反倒是陆宁海为自己刚才的情绪失控感到歉疚。他说不清为什么，每当他靠近方灯时，都有一种莫名的躁动，这个小女孩身上仿佛有股特别气息，不是风尘味，而是骨子里透出来的魅惑，她明明是满不在乎的，也不需要刻意卖弄风情，但是一颦一笑蚀人心骨。他不知道这种特质对别的男人而言意味着什么，在他这里就成了致命的毒药，明知道这是不对的，他为她做的，即将要做的，都无异于悬崖上跳舞，但是他无法抗拒。

那天在办公室，他的防线已然崩溃，但毕竟迫于场合所限不敢妄动，现在她就在身边，那种罪恶又美好的感觉又填充满他的脑海，想到就在不久之后，甚至在今后的日子里，这个女孩将属于他，陆宁海的车速就不由自主地变得更快。

“你别怕，我不是生你的气。你要知道，这整件事对于我来说并不容易，我都想不到我会这么做，就等于拿我的职业生涯在赌，和疯了没有区别。我心里很有压力，你能理解吗？”陆宁海放柔了声音对方灯说。

方灯倒是很善解人意，声音听起来也极其诚恳，“我很感激，真的。”

她沉默了一会儿又道：“我能再看一下傅镜殊的鉴定结果吗？”

“现在？不如等到回……”

“我想现在看。”方灯的声音轻柔，态度却坚决。

陆宁海犹豫片刻，只得示意她自己去拿他的公文包，“我答应过的事绝对不会骗你。”

“我知道。”

他已经提前打电话对马来西亚那边告知了鉴定结果，事实上等于已经成全了傅镜殊。郑太太那边本来也不是真的怀疑，只不过走个过场让大家都无话可说，至于书面鉴定结果陆宁海会很快邮递过去。

“鉴定结果在我公文包的第一层。”陆宁海说。

方灯很快在他所说的地方找到想要的东西。她看不懂上面一长串的数字和字母组合，却看得懂最后的鉴定结论。明知道它是假的，可是当她把它拿在手里，一遍遍看着白纸黑字的结论，那种不确定的感觉才被冲淡些。

“这份结果是你想办法找鉴定人员出具的，他们不会事后忽然……”

“这个你放心，我自然有办法把事情处理好，我也不想给自己惹麻烦。怎么，你不相信我？”

“当然不是！那……他们有没有给过你那份真正的鉴定结果？”方灯眼尖，她已经看到陆宁海的公文包内侧还有个和她手上这份结果相似的文件袋，这让她多了一个心眼。

陆宁海说：“我已经把它毁掉了。”他转头，发现方灯的手已经将另一个文件袋拿出了一半，脸上顿时变色，语气也加重了。

“把我的包放好，你不应该乱翻的。”

“别生气嘛，我只是想看看这是什么。”方灯嗔道，手却没有停下来。

眼看她就要将文件袋打开，陆宁海更为着急，顾不上正在开车，腾出一只手想将文件袋塞回包里，方灯却比他更快地将文件袋抽走，扭转身子迅速将里面的东西取出来。

“别胡闹，我让你放回去，你听见没有！”

“紧张什么，又不是见不得人的东西。”

“我再说一遍……”

“啊，小心！”

陆宁海听到方灯一声惊呼，才想起去看前方。

车子已经远离市区，环城高速上车并不多，然而天色全黑之前的这一段黄昏正是司机视线最为不佳的时刻，他只看到车前不远处有一只像是流浪狗的动物慢悠悠经过，眼看就要撞上，心里一惊，慌忙地想要闪避过去，无奈车速过快，方向盘猛然打偏，车子失控并急速撞上了一侧的隔离墩，他想补救已然来不及，车上的两人只感到剧烈的一震，然后周遭都陷入了黑色的沉寂。

“滴答，滴答……”

不知过了多久，方灯醒了过来。天旋地转之中，她发现自己倒悬在车厢里，眼睛是睁开了，但所能看到的有限东西都是血红的，模糊不清。她试着动了动手，其中一只居然还能动弹，于是伸手在脸上一抹，手心全是热烫黏稠的液体，她耳边听到的正是自己头上倒流下的血打在车内的声音。

身上犹如零件被拆散了似的，每一寸都疼痛难忍，但方灯还是吃力地摸索到了安全带的环扣，身前的束缚被松开，她用尽全身气力打开车门爬了出来。

方灯扶着路旁的隔离墩试图站起来，手蹭在水泥上，留下了鲜红的指印。过了十几秒，她才有余力去看刚才逃脱的地方，陆宁海的车已经整个底朝天，大概就是在不久前的碰撞后，车子发生了侧翻，她的一侧主要是撞击带来的伤，而驾驶座那一面却变形得更为严重。

方灯的胳膊有一只软绵绵地无力耷拉在身侧，头和胸口也疼得让人喘不过气来，但脚并无大恙。她想起陆宁海应该还在车里，踌跚上前几步，发现他被卡在驾驶座和方向盘之间，头耷拉着，身体被变形的车体挤压得蜷缩成一团。

他伤得远比她更重。方灯慌乱地看向四周，并没有别的车辆驶过，这里前不着村后不着店的，想求助也无门。她试着徒手将陆宁海那一侧的车门打开，或是将他从车窗中拖出来，然而这根本不可能，驾驶座这边的车体已严重扭曲，陆宁海像是完全丧失了意识，她害怕自己的拉拽会使得他残破的躯体伤得更加严重。

只是几个简单的动作，方灯又感觉到了强烈的眩晕。她头上的豁口不小，血流得止不住一般，恐怕再这样下去她自己也要支撑不住了。就在这时，散落在陆宁海身畔的文件袋和纸张唤起了方灯残存的心智，她记起了那是什么。

方灯回到自己爬出来的那个缺口，探身进去，先将陆宁海伪造的那份鉴定结果拿在手中，然后又去翻那个直接导致了这场灾祸的文件袋，她知道那里面一定有很

重要，而且是他不想让她看到的东西。

因为车子侧翻的角度，出事前曾被她拿在手里的文件袋掉落在方向盘附近，被陆宁海的胸口压住了一半，方灯使力将文件袋抽出时，依然陷入昏迷的陆宁海竟然动了动。脸也略微抬起半寸，方灯从他几乎不可辨认的脸上只看到一张嘴，噗噗地冒着血泡，这惨状吓得她也几近昏厥。

她飞快地撤离，靠在路基上，将文件袋夹在下巴和胸口之间，再用完好的那只手抽出文件袋里的东西。果然，那是另一份鉴定报告，被鉴定人同是傅镜殊，鉴定结果却截然不同。这就是陆宁海口口声声称自己已经毁掉的那份真实的报告，她猜得没错，这老狐狸果真还留了一手。

陆宁海的脸又转动了一下，像是在看着方灯，嘴徒劳地张合着，像是濒死的鱼。方灯看出来了，他仿佛想对她说什么，嘴巴里除了血水，却吐不出一个完整的字眼，只依稀听到“……救……救……”

只可惜她根本救不了他，也顾不上那么多，这份多出来的鉴定报告让她脑子里一片空白。方灯再度抹了一把遮挡视线的血迹，她强打起来的精神也在一点点地消耗，这样下去她会死吗，她不知道。这时的方灯只清楚一件事，没有人是善茬，哪怕是看上去被欲望冲昏了头脑的陆宁海，他也没有忘记给自己留下后路，更留下了挟制方灯和傅镜殊的证据，如果她不把手头上这个心腹大患处理干净，即使她死了，此前她和傅七所吃过的苦，所作的努力也变得毫无意义。

她再度搜寻陆宁海的公文包，既然他有了防备的心眼，那么保留的必然不止另一份鉴定报告。陆宁海依然卡在车子里，方灯不敢也不想去看他，却感觉他的眼睛在死死盯着她。每做一个动作她都要停下来喘息几秒，就在她以为自己没办法再继续的时候，她的手在公文包最内侧摸到了两个玻璃小试管。就是这个了，他藏得还真好！

方灯当着陆宁海的面砸碎了血样，用力抛进高速路旁的丛林里，再手口并用地将那份真实的鉴定结果撕碎，找不到可以丢弃的地方，索性塞进嘴里，合着血一块咽了下去。

她做完这一切才觉得透支了自己，精疲力尽到跌坐在马路上再也无力爬起，只能伏在隔离墩上，费力地呼吸，最后渐渐地失去了知觉。

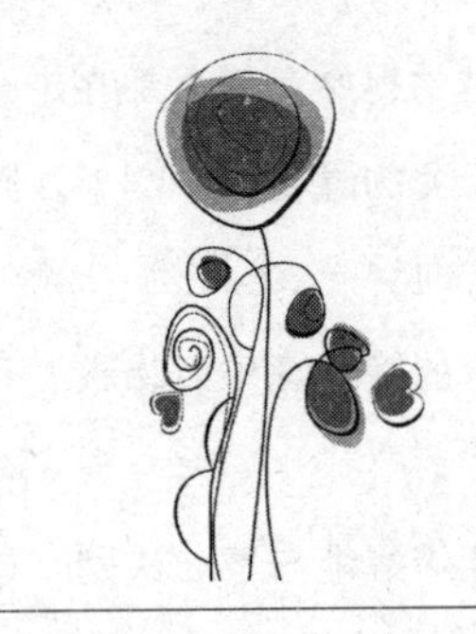

第十八章

睁眼闭眼间

方灯在医院住了十几天，她前额被缝了八针，伴有轻微的脑震荡，有两根肋骨断裂，险些伤及内脏，左手也骨折了……尽管她这一回伤得不轻，但总算是大难不死，捡回了一条小命。陆宁海就没有这么幸运了，他在ICU里待了半个月，最后医生还是回天无术，宣告不治。

傅镜殊离开国内的那天，方灯去参加了陆宁海的葬礼。她其实不恨陆宁海，甚至因为他的死而在心中添了几分阴霾，他毕竟是想过要给她一个“家”的人，不管是出于何种不可见人的目的，但他并没有真正伤害到她，反而枉送了性命。

陆宁海并不是瓜荫洲的常客，方灯记得她第一次见他，傅维忍死了；第二次，他为她和傅七提供法律帮助，方学农一命呜呼；第三次，他带去傅维信的死讯，给了傅七一次命运的转机；最后一次，他会想到一念之差会将自己送至死神手中吗?

然而，在内心深处方灯也不想否认，当得知陆宁海死去的那一霎，她也有种解脱了的释然。

方灯越来越觉得她和傅七都在走一条凶险无比的小路，这一路上只有他俩，他们披荆斩棘，身旁的障碍逐个倒下，脚下越来越平坦，但这条路却越走越黑，再也找不到回头的方向。

她为每一次的绝处逢生而感激上苍，同时，也感到深深的恐惧。

方灯并没能清醒地与傅七诀别，昏迷在病床上时，她似乎感觉到他的存在，他的额头贴在她的手背，有着熟悉的冰凉触觉。迷迷糊糊中，她有过短暂的苏醒，她对着在混沌中一刻也没离开过她脑海的那张面孔，吃力地说："你放心！"

别人也许听不懂她说什么，但他一定会懂。傅七只是将手掩在方灯的嘴角，示意她不要费神说话。他还告诉她，自己会提前三天赶赴上海转机，那里有郑太太的新代理人等着他。

离开的时候，傅七没有说再见，他只是附在半昏半醒的方灯耳边，低声说了句："你也放心。"

方灯听见他开门的声音，嘴角动了动，什么也没说出来，也不必说，想再看一眼他的背影，却睁不开眼睛，只有一行眼泪沿着面颊悄然流淌，濡湿了白色的枕套。

葬礼上，一个中年人站在灵堂前沉痛地宣读着悼文，到场的亲友中有人发出了低沉的呜咽。方灯见过这个发言的人，他叫老张，是陆宁海的同事。她坐在殡仪厅的最角落，听陆宁海的同事总结他的一生。在他们嘴里，他是那么善良、成功，而且正直，他是个好丈夫、好父亲、好朋友，一生无愧于心，这样的人英年早逝怎能不教人扼腕。方灯也和其他人一样默默垂首，虽然，他们所说的这个陆宁海她并不认识。

陆宁海的遗孀不过三十出头，依然年轻而美丽，她在老张不远处哀哀地哭着，只是她的心里是否真有如此伤悲呢?

方灯和陆宁海的遗孀也有过一面之缘，那是在市里的警局，她出院后最后一次配合警方的调查，车祸是场悲剧，有人因此而死去，但它也仅仅是个意外。那个女人在看到丈夫临终前收养的"小女孩"时，脸上果然流露出极其的惊讶与……憎恶。

她焦急地询问在场的警察，这个所谓的养女是否有继承她丈夫遗产的权利，当方灯明确表示自己什么都不要之后，那个悲痛的妻子很快就放过，并且无视了“养女”的存在。

陆宁海的遗像高悬在灵堂正中央，仿佛无声地凝视着方灯，那张端正忠厚的脸在方灯眼里像是活着一般，一时满是压抑的占有欲，一时却满脸是血地用眼神哀求她救救自己。她再也坐不下去了，悄然起身离开了殡仪厅。

对殡仪馆方灯并不陌生，上一次她就是在这里领回了方学农的骨灰，虽然她的死鬼父亲没资格举行像样的追悼会，也压根没有人为他哭泣送行，但是人烧成了灰，不都是一样的吗?

殡仪馆面积不小，除了生人聚集得比较多的殡仪厅一带，还有片开阔的小树林，就在火化炉和员工宿舍之间。方灯不急着回到瓜荫洲的孤儿院，心中又堵得慌，打算到那里透透气。另外，她上次来过，记得在小树林的一端有个洗手间，在那里她应该不会和陆家悲痛的亲友打上照面了吧。

小树林的环境可以说是相当不错，蜿蜒的卵石小径盘旋在成荫的绿树间，不时可以听到鸟儿婉转的低唱，竟然还有褪了色的木头长椅偶然点缀在树下，空气也很是清新。只可惜因为它存在的特殊位置，方灯两次来都感觉到这里的异常冷清。不知道保留这个小树林的人的初衷是什么，或许在见惯了生死的殡仪馆员工看来，死亡和惬意的清净本来就是一回事。

傅七现在会在哪里?他上飞机了吗?几个小时的飞行后，异国他乡等待他的又将是怎样的际遇?方灯想着自己的心事，漫无目的地在林子里转了一圈，发现敢于在这里瞎逛的人还不止她一个，几十米开外的灌木林里就有个穿着蓝色格子衬衣的人，在周围的几条小路上绕来绕去。

那人仿佛也发现了方灯，停下来看了她好一会儿。方灯一度以为他有话要说，可是对方却始终没有出声，又继续在那一带徘徊。换了个胆小的家伙，说不定还以为那是光天化日下的一个游魂，可方灯并不怕他，也没心思多管闲事。灵堂里带出来的郁气已在葱郁的林间小路上消散了不少，她该回去了。

方灯去了趟洗手间，等她从里面出来，再度经过灌木丛一带，发现那个怪人还

在那里兜圈子，而且看起来，他的脚步比刚才更匆忙，全不像是在散步，脸上似乎也有烦恼之色。这该不会是个精神病人吧，方灯心里纳闷，又多看了两眼。他再度望向她，那是很年轻的一张脸孔，年纪应该和她差不多，头发短短的，看起来很干净，也并不难看。方灯的脚步慢了下来，她忽然想起这张脸自己应该是见过的。

她心念一动，三下两下拐到了那人的附近，停在十几步开外，疑惑地问："喂，你在那里干什么？"

对方见她主动走了过来，眼里似有几分欣喜闪过，脸上却看不出端倪，他瞄了方灯一眼，反问道："你又在这里干什么？"

"我？我散步呐，千万别说你也一样。"

"为什么我就不能也在这里散步，这里不是你家的吧。"

方灯心里"呸"了一口，这要是她家的后花园，坐享整个殡仪馆，她都成什么人了。她不客气地说"有你这么散步的吗，我看你就像只在这里瞎转的没头苍蝇……你掉东西了？"

他没有说话，眼睛看着别处，"你走吧，我也要走了。"

"你想跟着我走……哦，你该不会在这迷路了吧。"

"谁说的！"男孩大声反驳，可是发红的耳根和悻悻的神情成功出卖了他。方灯这才意识到自己有可能猜对了。我靠！她在心里暗自惊叹，这片林子有好几条交错的小路不假，但也绝对没到迷宫的地步，是有多路痴的家伙才能在这样的地方迷失方向。

"这不明摆着嘛！迷路了你不会问人？"

"我哪知道你刚才是去厕所。"

他答得牛头不对马嘴，方灯消化了几秒，才算是明白了过来。想必这家伙刚才看见林子里多了个人，想问路来着，但是见她是个女孩子，拉不下脸来求助，就打算跟在她后面走出小树林，没想到一直跟到了女厕所，怕人以为他是变态，只得又在原地瞎转悠。

"你是来参加葬礼的吗？"方灯问。

他点点头，既然都被戳穿了，也就老实了不少，"我没想到这些小路和两边的树看上去都是差不多的，走来走去又回到原来的地方，简直太奇怪了。”

方灯这下已经知道他是谁了。陆宁海看上去还是挺精明的，他总夸他儿子，可没说过他儿子智力不太健全啊，况且这人看上去也不像个傻瓜，难道真有人的方向感能差到如此地步?

方灯从小就是天不管地不收的，从几岁的时候起，只要她走过的地方，哪怕下一回再把她扔一角落，她照样能分毫不差地找回去。如果对面的人不是傻子，也没遇上鬼打墙，她只能叹为观止地说：天地之大无奇不有。

“我看最奇怪的人是你吧。”方灯翻了个白眼，朝他招了招手，“走吧，还愣着干吗，跟我来。”

他的脸色还是有些别扭，显然方灯无声的讥笑让他很下不了台，但又实在有求于人，索性闭嘴，闷闷地走在她后头几步，两人一前一后地出了小树林。

几分钟之后，殡仪厅已在望。男孩嘀咕了一句：“怪了，也没有多远呀。”

方灯干笑两声，“是没多远，不过要是你老在那个地方兜圈子，就算脚程绕地球两圈，你还是走不出来。”

大概是对她心存感谢，明知她有心嘲笑，男孩也没再反驳，只是挠了挠头，嘴角现出个羞涩的酒窝。

他继承了他父亲面容特征方面的所有优点，也许还有来自他母亲的，但不管怎么说，从某个角度上看，他还是和躺在灵堂里的那个人颇为相似。方灯不愿多看这张让她勾起不愉快回忆的脸，匆匆说：“你自己过去吧，我要走了。”

他们已经走到小树林的边缘，男孩远远地望着殡仪厅的方向，迟疑了一会儿。方灯走了好几步，没听见他跟在后头的脚步声，一回头，发现他垂着头坐在路旁的长椅上。

“又怎么了？”方灯不耐烦地说。

“你走吧，谢谢你。”他瓮声回道，依然没有抬起头。

方灯踢开一片落在她脚尖的树叶，用怀疑的口吻说：“这段路你不会再迷路了吧。”

“我有那么傻吗？”他被她短暂地逗笑了，但远处的哀乐很快又让黯然占据了

他的眼，“迷路也好，错过了仪式，我就不用再去想，他已经不在了。”

“里面……是你亲人的追悼会？”方灯明知故问。

“嗯。”对方并不认识她，只当她是好心，轻轻地点了点头。

方灯发现自己嗓音干涩，“你送不送他，他都一样不会回来了。”

“以前我爸也和我说过一样的话。那时我妈刚走，我大声地哭，谁也没办法把我哄去她的丧礼现场。大人们都觉得我是她唯一的儿子，应该去看她最后一眼，但是我怕，怕看到的那个人再也不是我妈了。好像我不去做这件事，就可以假装她没离开。”

“可以吗？”

“当然不可能。”他苦笑，“人死了就是死了，哪有什么音容宛在。”

方灯想一走了之的，她没兴趣参与另一个人的伤感回忆，这辈子她见过的孤儿倒比正常人家的孩子多得多，谁没有一笔血泪史。眼前这个“新晋成员”好歹还衣食无忧，他父亲是个成功人士，而且还很爱他，即使没了父母，剩余的家人应该也可以把他安顿得很好。但是陆宁海死前的惨状一再地和这张脸重叠，她怎么都挪不动脚。说起来，他沦为孤儿也有一部分是拜她所赐。

“你知道就好，说不定，他……我是说你刚离开的那个亲人很希望能和你道个别。”这话是出自真心，她不会忘记最后那场谈话里，陆宁海说起儿子时的温情和骄傲。

“我妈是因为车祸死的，现在又轮到了我爸。你说世界上这么多人每天在马路上来来去去安然无恙，为什么我的家人就不行，为什么我们家就这么倒霉！”男孩抱着脑袋无比沮丧。

方灯坐到他的身边，“如果我说我从来没见过我妈，也不知道她是什么人，我爸是个烂酒鬼，后来横死在了我的面前，你会不会觉得世界公平一点？”

男孩果然被她的话震住了，慢慢抬起头来问道：“真的？那你一定很难过。”

“算是……当然！”

要是换做身边的人是傅七，从她开口说第一个字，或者从她欲走还留坐在他身边那时起，他就能从每一个细微的表情分辨出哪一句话是真，哪一句是假，并且对她出现的原因和意图产生怀疑。但他不是傅七。单纯的孩子，他生在一个幸福的家庭，父母在时一定将他保护得极好。

“那你怎么办？”男孩扭头看着身边年纪相仿的女孩，自哀自怜的心理被另一种感同身受的怜悯所取代。

方灯不答，拍了拍他的腿，“你跟我一样闭上眼睛。”

男孩依言听从。

“你看到了什么？”方灯问。

他有些不解，“一片黑，什么都没看见。”

“那你再睁开眼睛。”

他仍旧乖乖听从，睁开眼茫然地打量周遭。

“现在你又看到了什么？”方灯再问。

他看到了身后一样的小树林，一样没有云的天空，一样飘荡着哀乐的殡仪厅……还有一样凭空出现的她。

“没看到什么，都和闭上眼睛之前一样。”他诚实地回答道。

方灯再度拍了拍他的大腿，说：“那就对了。你闭上眼睛时，周围的东西都没有消失，该发生的事还是会发生，你还是那么惨，我也照样不怎么走运。它们不会因为你伤心害怕而发生任何改变。我的办法就是爱咋咋地，但是我会睁着眼睛去看，否则有一天我可能会因为错过了最后一眼而后悔。”

男孩听完怔了一会儿，仿佛没听过这样的说法，过了好久才低声说了句：“你说得对。”

方灯对这个结果相当满意，她见惯了人精，说服他这样的单纯孩子简直不费吹灰之力。开解了他，她似乎也好过了一些。

“既然我说得对，你还傻坐在这干什么，快回去吧，仪式要结束了。”她拍拍屁股想走。

男孩这时才想起一个关键的问题，“哎，你也是来参加葬礼的吗？”

方灯并不想让他知道自己是谁，便随口胡诌道：“是啊，我是来参加我大姨妈的葬礼的。”

“也是在今天吗，你大姨妈是怎么去世的？”他追根问底，似乎不想她那么快就离开。

方灯敷衍道：“失血过多死的。”

“怎么会失血？追悼会也在前面的殡仪厅？”

“没错，我有事得走了。”方灯见好就收，一根筋的人真可怕。

“等等。”男孩着急地站起来想要叫住她，“我叫陆一，你呢？”

方灯当然不会据实以告，然而看到他局促而真诚的表情，她一时间又不能就这么走了。

她想起此刻每一分钟都离她更远一些的那个人，他说，她就是另一个他。方灯多渴望自己真的能够变成他，住在他的身体里，就再不会别离。

她对陆一说：“我叫傅镜如。”

第十九章

另一张脸

对面的商厦挂满了彩灯，穿着冬衣的男男女女呵着白气匆匆而过，脸上挂着都市人年末才有的焦虑和喜悦，布艺店也打出了年末促销的大灯箱，又是一个新年即将到来。

方灯送走了最后一位顾客，对正在柜台前盘点的雇员说：“今天你早点回去吧，每年到这个时候都让你值班，不知道的还以为我太苛刻。”

“反正回去也没什么事。”低头看账目的女子说。

“你的侄女呢，不用陪她？”

“寄宿学校有元旦游园活动，小孩子都喜欢热闹。”

“你也不该让日子太冷清。”方灯喟叹道，顺手接过了对方手里的东西，“下班了！明天店里干脆放假一天，该干吗就干吗去。青春就算不值钱，也该浪费到有意思一些的地方。”

那个和方灯年纪相仿的女子笑了笑，无可无不可地去换下身上的制服。方灯想

起六年前，自己的布艺店刚开起来没多久，就来了这样一个应聘者，年纪轻轻，话不惊人，一手缝纫技术却相当漂亮娴熟。当时店里正是用人的时候，方灯问她需要多少薪水才肯留下来，对方没有对她说出任何的数字，而是静默了一会儿，冒出句："我坐过牢，是有案底的人，如果你愿意雇用我，那么只要满足最基本的生活所需，多少钱都行。"

方灯当时有些惊讶，她很难把一个看上去文秀内向、弱不禁风的年轻女人和囚犯画上等号。对方既然说出了这样的话，想必之前在许多地方求职时碰过壁。这也正常，但凡正经开门做生意的人，谁不愿意雇用那些身世清白的?

但是短暂的犹豫之后，方灯留下了她。或许是因为在简单问起过往时，她从这个女人的眼里看到了一种熟悉的东西。她也有过和大多数人不一样的青春，并不输给对方少年时的惨烈和疯狂，对于黑与白对与错自有自己的判断，而且她相信自己看人的眼光。

就这样，这个叫做谢桔年的女人留在了方灯的布艺店里，一晃六年。有时候方灯觉得桔年比自己更像这个店的主人，比自己更尽心尽力。她当初开这样一个店，不过是找一个寄托之所，如果没有桔年的尽心竭力，未必会有如今的好生意。每逢节假，别的员工都放假了，也只有桔年和她一起守在店里。

关了店门，方灯回到住处已将近九点。她现在住的地方也有个小小的阁楼，虽然环境与多年前岛上的住所不可同日而语，但她选择在这里栖身很重要的一个原因是这里有一扇朝海的窗，站在窗前，她可以遥遥看见远处的瓜荫洲。尤其是夜晚，她几乎可以凭想象分辨出，哪里是渡口，哪里是大教堂，哪里是孤儿院，哪里是傅家园……前三者的灯光或许是真实存在的，唯独傅家园仅止于想象，那里的灯光已经许多年没有再亮起了。

方灯放下钥匙走上位于阁楼的主卧，在楼梯中段她已看到了上面透出来的一缕光。果然，窗前的美人蕉湿漉漉的，刚被人浇过水，她用手指去接叶片上滴落的水珠，回过头，傅镜殊站在洗手间的门口，手里拿着浇花用的喷壶。

"你呀，天生就没有养花的细胞，我以为美人蕉已经算很好养活了。"他站在方灯的身边，又朝叶子上喷了些液体，然后用手摘去两片微微卷曲的叶子，"你看这里，这种断断续续的黄色条纹就是花叶病的前兆，再不把它摘了，整盆花都要枯死。”

他低头在她身畔轻声细语，无比贴切自然，仿佛他们早上刚刚在家门口分别，结束了一天的工作，又一起照拂家里的盆栽。

方灯说：“你忘了这花是你种的，总要有点小毛小病，你才会一直惦记它。”

她不知道这盆花是否真的惦记着主人。后天就是元旦，也就是说，他们已经整整一年没见了。

傅七刚离开时，每年回来陪她过新年是他能做出的唯一承诺。他们都忘不了十三年前瓜荫洲上那个黑暗无边的新旧更替之夜，他们亡命般逃出困住了他一天一夜的废弃太平间，重回到热闹的集市，贪婪而急迫地想要将那点温暖的光收归在心里。就是在那个新年，有人死去了，有的人像重新活过来一样，而唯一牢靠的是他们在彼此身边。

每一年，至少在这段时间，他们是在一起的。这也是这么多年之后，他依然能为她做到的。

傅镜殊刚去马来西亚的时候过得并不那么好。虽说名义上是回到了三房的长辈身边，但是郑太太绝非慈祥的老祖母。她接受这个“孙子”，是理智的选择，而实际上他们之前做了十七年的“陌生人”，大家亲如一家地相处谈何容易。

傅镜殊也很清楚这一点，他所能做的，就是把每一件事都做到尽善尽美，他不断地让自己变得更优秀，努力向郑太太证明自己，想尽办法让老人家开心。然而，他做得太好，郑太太也会难过，她会想到自己死去的儿子傅维信，想到如今替代他的是一个没有血缘关系的“孙子”，当然，还会想到这个所谓的“孙子”是自己丈夫和小春姑娘的后人。他的行为若一时不顺老人家的心思，那就成了再正常不过的事，毕竟不是从小在身边教养长大的，而且还是掺杂了两代不三不四的血统，这样一来什么都说得通了。

老人家是重体面的人，很多话她自然不会当面挑破来说，即使心中不喜，面上也是淡淡的，但家里其他人眼睛都雪亮着。吉隆坡的傅家大屋里，除了郑太太和搬回来住的女儿女婿一大家子，还有她娘家的两个弟弟以及七八个工人。对于一个外

来者，他们的冷热亲疏全在大家长的一念之间。

傅镜殊的“姑姑”傅维敏是个直性子，心思都写在脸上，她一开始就不太赞同母亲接回这个外面长大的孩子，所以她不太喜欢傅镜殊，这个谁都知道，这倒还算明刀明枪。她的丈夫却精明许多，面上笑嘻嘻的，背后常有些阴损的主意，一不留神就要给人使绊子。那两个“舅公”呢，一个早年做生意亏损了，不得不全家老少依傍姐姐为生，行事全看郑太太脸色，因此对傅镜殊也不冷不热；另一个终身未婚，整日玩耍赌钱，是个老混混，谁给他钱花谁就是大爷，没能力给他好处的小毛孩他自然也不放在眼里。那些工人多半是当地土著，面子上虽不敢刻薄，但背地里说什么的都有，也没谁真心把他当成正经的主人。

傅镜殊身处这样的环境中，才深深体会到一辈子最大梦想就是认祖归宗的父亲为何在目标实现后更加郁郁寡欢，最后落得郁闷而终的下场。如果说被冷落在傅家园，是一个人行走在荒野里，那么回到这些“亲人”身边，就好比闯入了陌生的领土，在那里每时每刻都有人在提醒着，你是异类，你不属于这里。

但是傅镜殊到底和他父亲傅维忍不同。对待郑太太他自当尽心，而其余的人若冷眼相待，他便一笑了之，从头到尾不卑不亢，进退有度，对谁他都客气周全，更重要的是不给他们任何抓住把柄的机会。时间长了，他们在他身上占不到什么便宜，又没什么办法，也就逐渐听之任之，即使不可能亲如一家，至少大体上相安无事。

郑太太身体大不如前，但心里比谁都清明，暗地里观察他的一言一行，心里虽觉得怎么都隔了一层，却不得不承认自己当初做了一个明智的决定，喜不喜欢这个“孙子”是另一回事，可这确实是个聪明的孩子，比起他的父母，倒更有祖父遗风。

在马来西亚待了两年后，傅镜殊听从郑太太的安排下去了英国，入读傅维信的母校。二十三岁，他如祖母所愿拿到学位，也没有立刻回到大马，而是去了香港，在投行又干了两年，直到二十五岁才重新被召回郑太太身边，正式接触家族的生意。

也是在试着打理家里的事务时，傅镜殊才更深入了解到傅家如今的状况。打从迁居马来西亚至今，傅家依然是当地颇有名望的华商之一，但这多少是沾了过去的光——他们在此盘桓多年，根基深厚，颇有名望，可是论财富已难以与后来新崛起的富豪们相提并论。现在傅家的主要产业大部分集中在物业和不动产，另有“富年集团”旗下的几个大的加工厂和种植园，此外就是当地几个大公司的零散股份，说大富之家不为过，然而曾经的显赫风光已一去不复返了。

郑太太自丈夫去世后一直独力支撑，她年纪大了，身边始终没有十分得力的人，老人家精力有限，投资目光也偏向保守，守业已属不易，谈何创业。之前协助她的是大弟和女婿，傅镜殊成年后，她偶尔会听取他的一些看法，但也只当参考。直到傅镜殊正式回到她身边，这一状况才出现了明显的改观。

刚接手不久，傅镜殊就有过几个大的动作，当时他提出自己的主张，姑姑姑丈和舅公无不明着质疑，一举一动都顶着极大的压力。郑太太任他们争执不休，直至拉锯战上演一段时间后才说出“让年轻人试一试，失败了就当买个教训”这样的话。其实傅镜殊心里很清楚，若是他那时当真失手了，就绝不是“买了个教训”这么简单，傅家将再没有他的立足之地。

幸而事后证明他当初几个决定都为傅家带来了不小的收益，之后他又说服了郑太太尝试改变投资模式，和大马另一财阀合作成功拿下了洛杉矶一家知名制药集团E.G，紧接着又将目光瞄准中国的国内市场，作为先行项目的E.G国内中国分公司运行情况非常理想，借此站稳脚跟之后，他才又逐渐将投资领域扩大至金融和地产，用几年的时间重新盘活了老态龙钟的“富年”集团。

也正因为他交出的答卷无懈可击，郑太太近两三年才对他更为放心倚重，从慎之又慎地考量转变为逐渐放权，将大部分事务都交由他主导，每当遇到阻力时，也会适时帮他一把。傅家企业的高层们也渐渐认可了这个年轻且更有野心的管理者，他的两个舅公很快就识时务地倒向了他的这一边，姑姑和姑父虽还是常常和他唱反调，但已起不到什么干扰作用。实际上近年来，他已是傅家的主事者，早就一扫年少时的郁郁不得志，所到之处风光无限。

也正是因为这样，傅镜殊能留给自己的时间也越来越少。过去除了在英国那几年之外，每当有空的时候他都会抓住机会回来看看方灯。这两年分身乏术，但是无论如何，新年将至的时候他必定会赶回来陪她，今年也不例外。在傅镜殊心里，方灯才是他真正的家人，他总觉得，在她身边时，他才是最自由最真实的那个自己，而更让他无法割舍的是，他太清楚他欠方灯良多。

他没办法带方灯走，这是傅镜殊许多年来的一件憾事。郑太太对于他身上和母家相关的一切都极为厌弃，将此视作他身上的污点和血统里卑劣的那部分基因，但凡他出了什么小纰漏，或是做了什么不那么顺她心意的事，她就会将原因归结在这个方面。所以，傅镜殊可以在毕业之后将老崔接到身边，却根本没办法在郑太太面前提起方灯的事。当然，方灯也从未说过要跟他走。

陆宁海死后，方灯和陆家的领养协议不了了之，她回到了圣恩孤儿院，在那里又生活了两年。那时傅七一再嘱咐老崔多照顾她，她身边又有阿照陪伴，日子并不比以往更艰难。十八岁，她考进市里的卫校，学了三年护理。由于该校是中国国内和东盟三国合资办学，在实习期她被顺理成章安排到马来西亚槟城的一家大医院，在那工作了半年后正式毕业，成为当地一位知名华商的私人看护，一做又是三年。

那是方灯和傅镜殊后来都绝口不提的三年。倒是傅维敏不知从哪听过一些传闻，当着全家的面在吃饭的时候笑着说过：原来不要脸也是会遗传的，有些人骨子里就流着下贱的血，要不怎么姑姑是婊子，侄女也跟着学。

傅维敏并不认识方灯，这样的指桑骂槐自然是冲着傅家饭桌上的另一人而来。傅镜殊当时低头喝汤，没有发作，暗地里险些将筷子捏断，他以为自己什么都能吞下去，但轮到这件事上面，还是差点沉不住气当场撕破脸。这也是他一直垂首用餐的原因，他怕自己忍不到郑太太百年之后再来算这笔账。

他终究是按捺住了，隐忍已是他生存下去并立足于此的最坚硬盔甲，虽然盔甲朝着血肉那一面也长着刺，每动一下都是血肉模糊。

三年后，方灯的雇主放下了架子和初出茅庐的傅家新任接班人合作，在收购E.G时打了一场漂亮的仗，双方都获益良多，此后合作不断，令郑太太刮目相看。这可以说是傅镜殊正式入主傅家的一个开始。而方灯也在不久之后回到了国内，再也没有踏足马来西亚。

后来，傅镜殊问方灯想要什么，他说从此以后无论她想要过怎么样的生活，他都将为她做到。方灯只提出让他再给她种一盆美人蕉，过去那盆在他走后已逐渐枯死。

她把新的美人蕉放在新居的窗口，开了家布艺店，过上了她从未得到过的平淡日子。这样的日子和她的曾经相比平滑如丝绒，迅速地在指尖滑过，很快又是六年。

方灯住处的墙上有一幅画，那是傅镜殊十八岁那年打算送给郑太太的生日礼物。上面原本画的是一尊观音，手持净瓶杨柳，眼里无尽慈悲。他不擅长国画，但郑太太画得一手好丹青，待字闺中时还曾拜在名师门下，晚年独爱清代任伯年的观音图。为了临摹出最好的效果，傅镜殊费了不少的气力，祖母大寿当日，他送上自己的这幅作品，郑太太展开看了一眼，便淡淡放到一边。

第二天，傅镜殊发现自己的那幅临摹之作被挂在了起居室的墙壁上，与之并排的是任伯年的真迹。郑太太经过时看到了，脸上也流露出一丝惊诧，傅维敏夫妇则和两个舅舅相视而笑，傅镜殊当时就知道他们是刻意让自己难堪。而郑太太驻足，对着两幅画端详了片刻，漫不经心地说了句："形似神不似。"

傅维敏在旁当场大声笑了，"画虎不成反类犬。"

连当时在旁擦桌子的工人都听懂了，捂着嘴笑，眼里全是嘲讽。

傅镜殊没有笑，也没有怒。他默默将画从墙上取下，自己小心放好。那一年的元旦，他将画随身带回了国内。当方灯问起那边的亲人对他好不好时，他笑笑不语，只找出画笔在观音像上添添改改，那观音就多了一张脸，朱颜绿眼，手持血刃。

他告诉方灯，这就是诸经中所说的罗刹娑，极恶之神，形容妖异，啖人血肉。

方灯阻止了傅镜殊在画完后将它撕毁的举动，这幅画于是挂在她的房间一直未取下。他不在时，她时常独自看着画里的半佛半鬼，是否每个人心中都藏着这样的两面？她和傅七一起走过那么多年，他的风光得意她鲜少得见，而他最不堪为人所知的情绪却只展现在她面前。方灯觉得，自己就是傅七心里藏着的另一张脸。

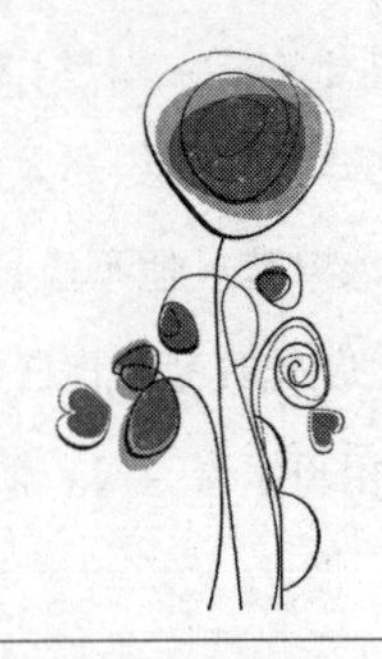

第二十章

走狗与毒蛇

“你在怪我这一次太久没有回来？”傅镜殊见方灯低头看花许久不语，转身向她问道。

方灯摇摇头，“我只是看了一天的店有点累了。”

她走去洗手间洗了把脸。

方灯没有说违心的话，她并不曾怨恨傅七长久地不在身边。当一个男人越成功，他能分出来的时间就只会越少。她知道他们的关系不会因为距离而改变，正如傅七其实很清楚无论他做了什么，唯独方灯不会真的去怪他，无论他什么时候回来，唯独她会一直等着他。

只不过她已是个快要三十岁的女人，再也不是当年那个小女孩，会为了他每一次的归来和离去而泪湿双眼。最初的分别或许是不得已而为之，但这些年她渐渐已习惯了一个人平静简单地生活，过去她从不敢想，而如今看来这正是她想要的。她甚至不会感到孤独，无论现在如日中天的傅镜殊身处何处，那个废亭边临摹、花架下微笑的傅七始终都住在她的心底。

方灯已适应了离别。打从她为他在陆宁海面前解下第一颗纽扣，执意成全他远走高飞那一刻起她就该了解，她会是他心中无可取代的那个人，但却永远成不了可以在阳光下与他携手并肩的另一半。如果要怪，她只能去怪当初的自己。当然，女人都是一样的，想通是一回事，断不断得了那点奢望的火苗又是另一回事，嘴里说天下无不散的宴席，心里却盼着他别走。

方灯透过洗手台的镜子看见傅镜殊依然在细心照拂那盆美人蕉，像他这样一个人怎么会不知道，她最大的奢望不过是平淡相守，每天一起等着花开。寻常夫妻朝夕共处相看相厌一地鸡毛，她没有这个福气。

第二天，方灯起得很晚。傅镜殊一早就出去了，他这次回来还带着公事。他们说好了晚上要一起去市中心最热闹的广场等待新年钟声响起。到了黄昏，方灯才接到他的电话，问她能不能去他办事的地点等他一会儿。

方灯是无所谓。傅镜殊派了人过来接她，车子在楼下等着，她下楼才发现充当司机的竟然是傅至时。

傅至时殷勤地下来为方灯开车门，嘴里称呼她“表姑”。方灯不是第一回听到这个称谓了，他现在对傅镜殊一口一个“七叔”叫得亲热无比。按常理，她是傅七的“表妹”，傅至时叫她一声“表姑”倒也不算乱了伦常，只不过平白让人有些恶心罢了。

前几年，傅镜殊将投资方向转回国内，成立 E.G 制药中国分公司时，将执行总裁一职交到了傅至时手里，方灯一度大跌眼镜。她想不通，就算他大人不记小人过，早已将儿时的恩怨丢开，也犯不着把一个肥差拱手相让吧。不过后来看到傅至时惊喜交加、感恩戴德的样子，方灯总算明白了，这才算是印证了傅七当年说过的话——报复欺负凌辱过你的人最好的法子不是痛打他一顿，也不是以牙还牙，当你远比他强大的时候，就可以让他心甘情愿跪下来舔你的脚。现在的傅至时无异于傅七面前的一条狗！

方灯坐在后排，一路上傅至时试过寻找话题与她寒暄，见她兴味索然，就识趣地把嘴闭上了。方灯自问没有傅七的“恶趣味”，明明厌恶一个人，还要故意将他

弄到眼前差遣，她只想离这张脸远一些。但傅至时在有意无意地透过后视镜看着她，被她发觉，又飞快地将视线移开。对比之下，方灯冷眼打量坐在前面的人时则显得毫无顾忌。

时光流逝，每个人都在改变，连傅至时都一样。他胖了不少，个子倒是挺高的，脸上如果没有挂着虚伪的谄媚笑容，整个人看上去还算人模人样。听说现在 E.G 制药发展势头甚猛，不但短短几年在内地扎稳脚跟，就连本土知名的老药企久安堂也频频传出将被 E.G 收购的传闻，那么想必傅至时在他人面前也算得上春风得意、众星拱月的人物。

方灯还知道傅至时前两年结婚了，娶了他自己的一个下属，农村里奋斗出来的小家女。那女人对傅太太的身份极为看重，自然也将他捧得很高，处处逢迎，不敢有半点违逆。换句话说，如今的傅至时在他七叔的“关照”下也算过得十分滋润，偶尔在一两个人面前卑躬屈膝又算得了什么呢，即使那些人曾经是他看不起的“一窝老鼠”。

“七叔对表姑你真的没话说。他自己忙成那样了，还担心你因为等他误了晚饭。这不，特意让我来接一趟。”傅至时专心开了一阵车，又找了个话茬。

前几次方灯都没发现他这么有谈兴，便静等他到底想说什么。

果然不出所料，傅至时笑了笑，话锋一转，闲话家常一般说道：“说起来七叔比我还大一岁，也该是身边有个人照顾的时候了。前段日子听我爸妈提起，大马那边的三太奶奶也对七叔的终身大事很是着急，不过以他的人品才貌，怎么也得找个门当户对的才说得过去。表姑你是七叔最亲的人了，你说什么样的女人能和他匹配？”

方灯冷冷道：“这个就是他自己的事了。别说是我，就算是他亲爹亲妈也未必管得了，你何必这么上心。”

傅至时并不在意方灯的冷淡，又继续往下说道：“有件事不知道表姑你听说没有，七叔这次回来并不是一个人……”

“你想说司徒玦？”

傅至时大概也没想到方灯早就知道这个人，并且还能平静无比地一语道破，这多少让他接下来的话难以为继，但是他顿了顿，还是决定说下去。

“既然表姑也听说过司徒玦，应该也很清楚司徒玦是久安堂董事长的女儿。她跟在七叔身边也不是一天两天了。当然，我不是说七叔看上一个女人有什么不对，不过男人嘛，有些逢场作戏的东西不必太过在意，表姑你说是吗？”

“你到底想说什么。”方灯没耐心看他绕着圈子说话，还自以为能把人绕进去的嘴脸。

“表姑真是爽快人……”

“够了，我不是你的表姑，少跟我来这套。”

话说到这份上，傅至时只能挑破了说：“E.G 一直有收购久安堂的计划，这对公司来说有百利而无一害，如果七叔不同意是因为……”

“你对公司的利益那么上心，这话怎么不留着在你七叔面前说呢。”

“这个，这个毕竟牵涉到七叔的私事，我们做小辈的不好插嘴，表姑你就不一样了，你是他身边最说得上话的人……”

方灯不无讥讽地笑了起来，“你知道你七叔做事一向有他的方式，我要在他那能说上话，今天 E.G 的事就未必轮得到你操心。既然这样，他又为什么不能因为一个司徒玦放弃收购久安堂呢？”

傅至时在她这碰了个不软不硬的钉子，有些下不了台，想打个圆场，又怕方灯更不给面子，只得讪笑着不再说话了。

方灯何尝听不出来，傅至时如果不是被逼急了，断不会试着从她这里下工夫。他也是聪明人，想必以为一个女人天生对另一个女人的敌意会令她对司徒玦的存在感到不快，不管她是傅镜殊的“表妹”还是别的什么人。可以说，差一点他就成功了，即使不能使方灯出面干涉傅七的公事，至少也能让她心里不舒服。

只可惜傅至时不知道，方灯对于傅镜殊身边的女人并没有那么在乎。只要郑太太还在一天，只要他还姓傅，横竖他是不可能娶她的，而他作为傅家挑大梁的后人，迟早会结婚生子，无论她害不害怕，这一天都会到来。既然这样，他和谁在一起还有这么重要吗?

方灯更清楚的是，傅镜殊在感情上有一种近乎洁癖的自守，女人和所谓的爱情并不是他最渴望的东西。以她对他的了解，如果有一天他真的和另一个女人步入婚姻殿堂，那更可能是出于利益而不是爱情。

司徒玦不是傅镜殊的那个人。半年前方灯见过她，也听阿照提起过。那时阿照问：“姐，你有没有发现她长得和你有点像，只不过她比你黑。”

其实方灯一点也没觉得司徒玦和自己长得像。她这种从小养尊处优、单纯耿直的人本来就不是傅七会喜欢的类型，方灯只是奇怪为什么傅七也说她们乍一眼看过去有点神似呢？为了这个，他甚至答应了二房一个堂姐的要求伸手去帮助一个没有关系的人。更荒谬的是，司徒玦在美国落难的时候，傅七提出她若要结束黑户的身份，可以嫁给被他安顿在洛杉矶养老的老崔，而司徒玦竟然也答应了。一个女人如果不是绝望到走投无路断然不会如此，而她留在傅镜殊身边也绝不是傅至时说的那样。

方灯根本不关心 E.G 和久安堂的事，她对傅镜殊的公事也从不过问，反倒是傅镜殊，或许是知道阿照嘴快的缘故，他怕她多心，有意无意地对她提起过司徒玦的一些事。正是这样，方灯才知道司徒玦在她父亲的养子死后希望能接手久安堂，并寄希望于傅镜殊的扶持。傅七一时没做出决定，也难怪傅至时在这个关口急了眼。

到了傅镜殊指定的酒店，方灯下车，没有再理会傅至时。阿照已经在门口等着她，一见面就眉开眼笑的。阿照长大了，和小时候那个可怜虫判若两人，他站直了像杆标枪，笑起来好像太阳亮了。从在孤儿院开始他就一直跟在方灯身边生活，方灯在马来西亚那三年，他就到处混着，随便打点零工。方灯便对傅镜殊提出，她可以不跟他走，但如果可以的话，希望他能把阿照带在身边。阿照单纯冲动，稍不留意就容易闯祸，不过他本性纯良，又最肯听方灯和傅镜殊的话，有傅镜殊在，他多少能学点东西，而傅镜殊身边也多个可以信赖的人。

就这样，阿照这些年都在帮傅镜殊做事，他把傅镜殊和方灯当做亲哥和亲姐，但凡他们的安排，没有他不照做的。但是哥哥和姐姐又不一样，相对于方灯的随性，傅镜殊心思深沉，喜怒不形于色，阿照敬他的同时又有些怕他，所以他在内心深处，待在姐姐的身边更自在一些。平时只要七哥没给他什么事做，他就会溜回来看方灯，有不少与傅镜殊有关的事情都是阿照告诉方灯的。对于这些，傅镜殊睁一只眼闭一只眼，或许他也愿意在自己分身乏术的时候，还有阿照能往来于他和方灯之间。

“姐，你没吃晚饭吧，七哥说你一闲在家里吃饭肯定就没个定时，他还说用不了多久就能把事情处理好，让你边吃边等他一会儿。”

“都这个时候了他还有什么事？”方灯随口问道。

阿照说：“听说是七哥想拿下一块地，管这事的人把他约在这面谈，好像七哥很看重这件事。”

“事情进展得还顺利吗？”方灯听说傅七把这件事看得很重要，就多问了一句。

阿照耸耸肩，“说是有竞争对手，也有点来头，所以正式拍卖前管事的人就把两边的负责人都约了过来。我猜七哥亲自出面，应该没有什么搞不定的。”

“你啊，我让你平时多学……”

两人边走边轻声交谈，经过一个宴客厅门口时，正好门被人从里面用力打开，一个三十多岁的女人匆匆走了出来，身后跟着两个西装革履的随从。

接着出现在门口的竟然是傅镜殊。

“向总既然有事要忙，我们改日再聚。”他好整以暇，一副悠然送客的姿态。

方灯驻足观望，那个被傅七称作“向总”的女人身形瘦削，长发在后脑挽了个简洁的发髻，看上去很是干练利落，说不上漂亮，不过眉眼弯弯，笑起来颇有几分味道。只是她这时的笑容显得有些勉强，而且别有深意。

“那是当然，傅先生这么有心关照，日后有机会一定得好好聚聚，也让我来尽尽地主之谊。”

傅镜殊含笑，表情谦卑，“随时恭候。”

那女人点了点头，离开的时候步履匆忙，她经过方灯身边，忽然又回头看了一眼。

“你到了。”傅镜殊看向方灯，神情轻松了许多，“午饭都没吃，我没说错吧。所以我叫你过来好盯着你。你在隔壁等我一会儿，吃的东西我已经点了，有事让阿照叫我。”

方灯问：“事情还没谈完？”

“哪里，国土资源局的董局长还没到。”

“那刚才走的是……和你争那块地皮的人？”

“嗯。”

方灯不禁有些纳闷，“既然这样她为什么现在就走了？”她说到这里，心里又

明白了几分，“你做了什么？”

傅镜殊笑道：“也没什么，只不过好心提醒她一件事，她在医院做复健的家人身体可能会出现一点小意外。”

“难怪。”方灯这下明白了，她想起刚才的那个女人的眼神，不知道为什么有种如芒在背的感觉，她有些忧虑，“那块地就这么要紧？”

“向远那个女人是厉害角色，对非常之人行非常之事。你忘了我说过，打蛇要打七寸。”傅镜殊说这话时依然是一贯的神色柔和，不紧不慢，仿佛还是昨晚和她谈论美人蕉时的温存自若。

方灯心中有些异样，还没想好要说什么，有人从酒店大门口的方向走了过来，站到傅镜殊身后耳语了几句。傅镜殊听罢，默默点了点头。

如果说傅至时的出现只是让方灯感到恶心的话，那这时站在傅镜殊身边的人则是彻底地让她脑子炸开了一般。方灯也不管那人还在，当即变了脸色，径直对傅镜殊问道：“他怎么会在这里？！”

傅镜殊身后那人见到方灯没有半点惊奇，脸上堆满方灯熟悉的笑容，微微弯腰打了个招呼，“方小姐好，我们很久没见面了。”

“傅七，我再问你一次，他到底为什么会在这里？！”

傅镜殊转身看了那人一眼，他当即会意，很快地从方灯视线范围内走开。

“你看，你急什么。”傅镜殊笑着朝方灯摇头，然后将面色铁青的她带到一边说话，“我就是不想看到你这样，才一直没跟你说起他的事。”

方灯甩开他试图握她的手，厉声道：“你不记得他是谁，还是脑子坏了？你以前差点没死在他手里！”

“方灯，绑架那件事我们根本就没有证据。”傅镜殊轻声道。

“就是没有证据才让他逍遥到今天！你心里很清楚是怎么回事，他就是个人渣，你怎么会和他有接触……别告诉我，他现在替你做事！”

傅镜殊没有说话，就当做默认了。

方灯恨恨地回头，阿照也缩着脑袋溜得远远的，看来崔敏行在他身边也不是一天两天的事了，只有她被蒙在鼓里。

方灯只觉得浑身的血往脑子里涌，崔敏行手脚不干净也就罢了，她坚信假如没有他在背后挑唆，她爸爸方学农绝不会鬼迷心窍地绑架傅七，落得横死的下场。她满腹的话到了嘴边，却不知从何说起，徒劳地红了眼眶。

“为什么你会这样……”她的小七，虽然心中自有他的坚持，也会为了自己在乎的人和事用尽手段，可他从来就不是坏人。他怎么能和崔敏行这样的人并肩密语?

方灯现在这个样子远比她的愤怒更令傅镜殊感觉棘手。他的手安抚地放在她的肩膀上，再度被她扫开。

“你听我说方灯，我知道他是个什么样的人。但有时明枪易躲暗箭难防，偏偏他这种人放在身边反而是最安全的。他不就是图个‘利’字吗，我给他想要的，他就会老老实实为我所用。他那点心思，还不敢在我面前怎么样，何况有些事只有这种人做起来才得心应手。”傅镜殊无奈地对方灯说道。

方灯不能接受这样的说辞，“你竞争对手家人的小意外也是拜他所赐吧？”

“他知道该做到什么程度，我不会让他太出格。这只是生意场上的一点小伎俩，和别的尔虞我诈没有分别。你以为向远是什么良善之辈，我不这样，她也会……”

“够了！”方灯不想再听，她用有些模糊的双眼看着眼前的人，他们真的太久没见了，她还以为有些东西是不会变的，可他真的还是傅家园里的那个小七吗?

“你就不能当做没看见他？”久违的挫败感让傅镜殊嘴唇紧抿，“总之我绝不会让他伤害到你。方灯，我已经忍耐得太久了，我不能再让你挡在前面为我去做那些事。别人看到一块草地，就想着怎么去践踏它。我会让这些人知道，既平又软的草里面还藏着蛇。崔敏行就是我养的一条蛇！”

方灯冷冷道：“傅至时算一条狗，崔敏行是你养的毒蛇。傅七，我对你而言是什么？”

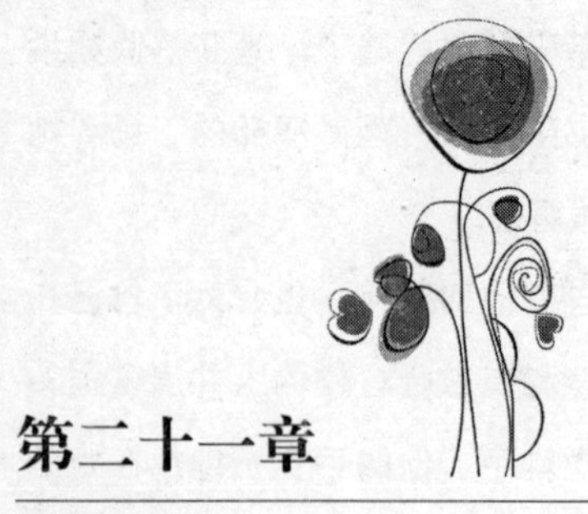

第二十一章

如果没有你

方灯没有再听傅镜殊的解释，掉头离开酒店。傅镜殊想追，这边手下人过来说董局长的车已经到了。他脱不了身，只得让阿照去送她。

方灯让阿照把车开到了市中心一带将她放下，临走前阿照似乎想劝，被她堵了回去。

“你最好闭嘴！”她寒着脸道。

阿照怕她生气不敢多话，依她所言将车开走。

方灯一个人漫步在充满了节日气息的中心广场，吃过了晚饭的人们三三两两走上街头，准备一起迎接新年的到来。

一年又一年，他完全属于她的也只有这几天。方灯能感觉到，傅七努力地想对她好一点，她也不愿与他争吵，但她很难接受他说竞争对手的家人出了点“小小意外”时的轻描淡写，更不能接受崔敏行的出现。方灯从不认为自己是个好人，然而她也从未主动去伤害任何人，她一直以为傅七和她是一样的。

是她太固执了吗？好像连阿照都没觉得傅七把崔敏行留在身边有何不妥，每个人都在大步往前走，只有她滞留在过去，无法释怀？

方灯走累了，找了张空的长椅坐了下来。不远处的音乐喷泉开动，灯光璀璨，水柱冲天，引来无数人围观。她在人群的外头，听到那边的歌声飘入耳朵。

“……如果没有遇见你，我将会是在哪里。日子过得怎么样，人生是否要珍惜？也许认识某一人，过着平凡的日子，不知道会不会，也有爱情甜如蜜……”

耳熟能详的一首老歌，却让方灯出了好一会儿神。如果十六岁那年她没有回到瓜荫洲，从未遇见过傅镜殊，她的生活会是什么样子？有没有可能会有一个平凡的男人出现，带给她柴米油盐相伴相守的琐碎人生，而她的记忆里没有傅七，没有那些甜蜜和不堪，就这样庸庸碌碌到老，也是无憾的一生吧！

可惜没有人能给她答案，现在的她也不可能再将傅七从生活中抹去。不知道坐了多久，夜越深，寒气仿佛越重，方灯的脚尖冻得没有了知觉。身边有人坐了下来，这已经不是今晚第一个试图搭讪的人。

她木着脸看过去，没想到是傅七。他和她一样背靠在长椅上，凝神听着广场上的歌声。

“你怎么找过来的？”

阿照一定告诉了傅七她在这一带，但市中心的范围不小，她自己都不确定走到了哪里。

傅镜殊笑着说：“这有什么难的，你一定会在最热闹的地方。”

喧闹的人群和热烈的灯光能让人有种安全和充实感，尤其是这样的夜里。

“起来和我走一走，你的脸色都冻得发白了。”傅镜殊拉着她站了起来，两人沿着广场旁的滨江道漫步。他们的另一边就是倒映着七彩灯光的海，瓜荫洲在更远的地方，隐隐可见灯火，但更多是被黑暗所覆盖。

方灯想起自己独自看过的一场电影，里面有这样一句话：延绵不绝的城市什么都有，就是没有尽头。

逃离了瓜荫洲，但她的彼端会在哪里？

“你心里想什么，我能理解。”傅镜殊停下来，把手放在冰凉的金属扶栏上说

道，“但如果我能顺利拿下那块地，对公司未来的运营来说将有一个全新的方向，我能名正言顺地留在你身边的时间也会更多。”

“是吗，莫非你养着崔敏行，也是为了我？”方灯笑道。

傅镜殊哪里会听不出她话里浓浓的讥讽，但也没有半点恼意，平静地说：“这么说也没有错。你别这样看着我。他能帮我做不少事，这是事实。方灯，别看我现在什么都有，其实我就好比沿着别人垂下来的绳子爬到了悬崖上峰，只要我一天没有登顶，一切都是假的。上面的人一松手，什么都结束了。”

方灯说：“这不是你自己选的？与其这样，还不如一直缩在谷底，最起码不用担惊受怕。”

“我也在想，要是当初我不走，就让陆宁海把我的真实身份公开，现在我们会不会更快乐一点。”

“这么说起来，还是我错了。”方灯漠然道，“可惜找不到一种法器可以把人打回原形。”

“我不是这个意思。不过有一点你快要说对了。”

“什么？”方灯有些疑惑。

“外面已经有人知道我的身世。”傅镜殊面朝她微微一笑，“不知道打回原形会是什么滋味。”

方灯彻底震惊了，别的情绪都抛到了脑后。

“这怎么可能！”

她父亲和陆宁海都已经死了，就连傅七一直放心不下的那个负责鉴定的化验室工作人员也退休了，两年前因为癌症死去，没有任何迹象表明他对十几年前的那次鉴定留有心眼或是保存证据。陆宁海没有撒谎，他把事情处理得很干净。现如今知道这个秘密的人，除了方灯，就是傅镜殊自己，而风声绝不可能是从他们两人之中泄露出去的。

“我爸还在的时候没有向别的人说起过你的身世，他答应过朱颜姑姑会守口如瓶，这个我相信他，要不是那天我们快把他逼疯了，他会把这件事烂在肚子里。参与绑架的同伙应该是不知情的呀。”

“和你爸无关。”傅镜殊把手放在她紧握栏杆的手背上，两人的手一样冰凉，“是陆宁海留下了证据。”

“不会的！我明明已经毁掉了那份鉴定结果，还有那两份血样！”方灯斩钉截铁地说，车祸昏迷前发生的事她记得很清楚。

“我知道你为我做的，所以我才能安然无恙到了今天。这不怪你，除了随身携带的鉴定结果和血样，陆宁海那个老狐狸还保留了一份资料。”

“什么资料？他放在哪里？”

傅镜殊摇头，“说实话我也没彻底搞清楚，只知道他一定留了一手，而且东西就在他的遗物里。”

方灯惊疑道：“这个你又是怎么知道的？”

“如果我没猜错，陆宁海死后，他的遗孀继承了他大部分遗物。那女人好赌，这些年陆宁海留给她的财产早就败得差不多了，前一阵她输了一大笔钱，被债主逼到绝路，能抵债的都拿了出来，还是不行。偏偏她不久前无意看到有关我回国拿地的一篇报道，她觉得这是条好料，死马当做活马医地抖了出来，希望能用这个信息换几个钱。”

“她的债主……”

“堵住她的只是几个小喽啰，他们不认识我，也不肯相信那女人的话，把她打得半死，回去后告诉了他们的老板。”

“他们的老板要挟你？”

“不，他们的老板就是崔敏行。”

“他用这个来向你示好，所以你才把他留在身边？”方灯半信半疑，“这说不过去，以崔敏行的为人，让他抓到了你的把柄，他没理由不狠狠敲你一笔，不把你榨干他绝对不会罢休。”

傅镜殊说：“不是他不想，而是没有证据，陆宁海的遗孀也没有。崔敏行精得很，没有确凿的证据，只凭一个疯女人的话谁会信他？何况我倒了，对他没什么好处，他野心大得很，做个赌场老板，开一两家桑拿店对于他来说远远不够，用这个来换取我的信任，留在我身边对他好处只会更大。”

“陆宁海的老婆没理由胡说八道，难道是陆宁海生前在她面前透露过消息？”

“要是这样就好了。问题在于陆宁海没有对家里人提过这件事，是那个女人亲眼从他留下的遗物中看到了一份资料，只不过那是十年前的事了，当时我还是个无名小卒，她看过也没放心上。后来她改嫁，陆宁海的儿子把家里大部分值钱的东西都给了她，只留下他父亲生前的遗物，其中就包括了那份‘无关紧要’的资料。”

“陆宁海的儿子……”方灯喃喃道。

傅镜殊深深看了她一眼，“没错，陆宁海的儿子陆一，你应该比我更清楚。”

“既然你知道东西在哪里，大可以通过崔敏行去要啊，他这样的人一定会有办法。”方灯尖锐地说。

“没那么容易，陆宁海的儿子和他继母不一样，他的生活很简单，崔敏行反而无处下手。况且按那个女人的说法，他拿到他父亲的遗物后最有可能是封存保留了下来当做纪念，也就是说陆一很可能还没有看过他继母说的东西，也不知道他把这些东西放在哪里，贸然动手反而打草惊蛇。再说，我怎么可能让这份资料真正落到崔敏行手里，那就等于送羊入虎口，我还没那么傻。”

方灯听罢沉默良久，仿佛在细细咀嚼他的这番话。她想她是懂了，心中原本对他的担忧渐渐被无尽的悲哀取代。

“你是想让我去帮你把东西搞到手。”她自言自语般道。

方灯对于陆一的了解的确要比傅镜殊所知的更深。陆宁海的葬礼过后没多久，她就在孤儿院遇见了陆一。他说他想看一眼父亲曾经想要收养的女孩是什么样的。他父亲死后，继母不可能接过这个累赘，那女孩刚触到希望就破灭了，一定十分可怜。他没想到修女嬷嬷指给他看的竟会是她。

方灯还记得陆一对她说的第一句话就是：“原来你不叫傅镜如，那我猜你的大姨妈也没有死。”

他当时的表情与其说是惊讶，不如说是意外惊喜。

“我一直在找你。”他红着脸说。

他当然找不到她，世界上本来就没有一个叫傅镜如的人，那天的殡仪馆其实只有一场葬礼。

方灯满怀戒备地回答："你找我干什么，为你爸爸的死找我算账？"

"不是，不是……"他一急起来就不知道说什么好。其实方灯知道他的用意，她只是想让他快点离开。

陆一走之前给方灯留下了他的双肩包，方灯回到宿舍打开来看，包里有很多小零食，以及一个粉红色衣服的洋娃娃。她笑了起来，这个傻瓜，他一定还以为他爸爸收养的是个不懂事的小女孩。笑过了之后，她又把洋娃娃翻来覆去地拿在手里看，这不是她喜欢的东西，然而从小到大，这是她收到的第一个玩具，尽管看起来有些滑稽。

从那以后，方灯的生活总在有意无意地和陆一产生交集。每隔一两个月，她在孤儿院就会收到市里寄过来的东西，有时是几本参考书，有时是小零食，偶尔还有些亲手做的小玩意儿，这些东西大多落到了阿照手里。这种情况一直延续到她读卫校之后，也不知道他是从哪个嬷嬷那里打听到她的消息。

方灯去马来西亚那几年，陆一才彻底失去了和她的联络。回来后，阿照交给她一大叠东西，有信，有明信片，都是陆一寄到孤儿院和卫校，最后辗转到了阿照手里。方灯让阿照把这些东西通通都烧了，以后再收到也可以直接当成废纸处理。

后来再见陆一已经是两年前的事，方灯从布艺店下班，刚发动车没多久就剐蹭到一个行人，两边交涉的时候，恰逢陆一从附近的大厦走了出来。然后他们才知道这些年他上班的地点距离她的布艺店不过一站公车的距离，但两人居然从未碰过面。

这次重逢带给陆一的喜悦不言而喻，可他虽一直孜孜不倦地寻找着方灯，等到她终于重新出现在他生活里，他却又不好意思离得太近。方灯只会"偶尔"在回家的路上和"恰好"经过那里的他遇见，也会在她最喜欢光顾的餐厅发现他的影踪。最有意思的是，半年前她走进住处所在的大楼电梯，发现他"那么巧"搬到了同一个单元。

方灯对陆一的心思了然于心，但她把陆一看做自己生活之外的另一种人，并不想与他产生过多的牵连。大多数时候她选择对他视而不见，最多面对面时客气地打个招呼。陆一也不像别的追求者那样纠缠，就像个淡淡的影子，让人感觉不到，却

又似乎无所不在。

这些阿照或多或少地有所了解，所以傅镜殊知道也不奇怪。

“你说啊，你是想让我去接近陆一，从他那拿到你想要的东西是吗？！”这一次，方灯抬高了声音质问道。

傅镜殊说：“你知道我不会强迫你做任何事，我说过你可以过任何你想要的生活。”

方灯笑了，模样却与哭泣无异。

“你能不能回答我一个问题？”她看着傅镜殊的眼睛。曾经在梦里，她从他的眼中看到雨后的澄碧天空，现在她什么都看不清，就好比你在明镜中看见万物，却唯独看不清镜子本身。

有一阵海风掠过，傅镜殊给她拢了拢大衣的领子。

“傅七，你爱过我吗？”方灯说。

想必他也没料到她会在这种情景之下问出这样一个问题，竟愣了一下。方灯抬头，静静等待他的回答。

傅镜殊说：“你觉得我们之间的关系能用一两个字说得清楚？方灯，对于我而言没有人比你更重要……”

“别说这些！我只要你告诉我，爱或者不爱。”方灯面色如水，口气却决绝，“不要说我对你有多重要，也别说我就是另一个你，我只想知道最最肤浅的一件事——你有没有爱过我？像任何一个男人爱一个女人，想付出，想占有，为她做傻事，为她睡不着觉。你为什么不说话？我只想要一个最简单的回答。”

傅镜殊迟疑了，脸上流露出方灯都鲜少见到的茫然。

“我不知道。”他最后选择了最诚实的回答。

“你真傻，偏偏在这件事上你这么傻。”方灯笑着泪湿眼眶，“你为什么不骗我呢，你只要说一个‘爱’字，我什么都信，什么都会为你做的。”

傅镜殊说：“我不会骗你。如果我还会对这世界上一个人说真话，那就只有你了，方灯。要是我在你面前都是假的，我自己都不知道我还能算什么东西。”

他不知道，这也许是真心话。但方灯心中却早就有了答案。

他不爱她。爱是与生俱来的本能，就像吃饭和睡觉。可以在岁月里浇灌成长的或许是亲情，或许是感恩和怜悯，或许是任何一样复杂的存在，唯独不是最最本真的男女之情，可后者才是她最为渴望的啊。

她轻声道："我宁可你骗我。"

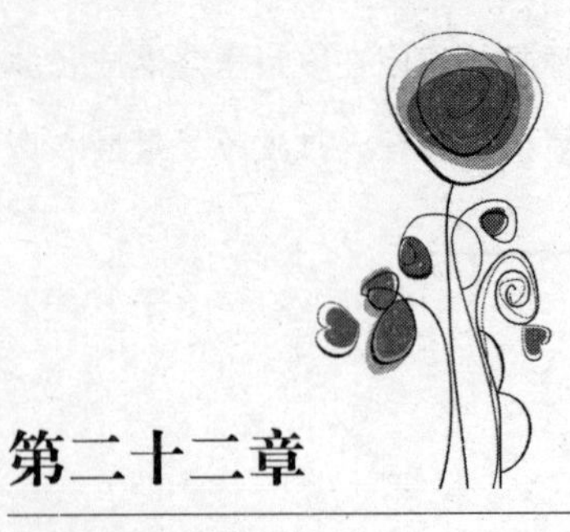

第二十二章

热水投冰块

元旦一过，傅镜殊就赶回了马来西亚。阿照被留下来处理一些收尾的琐事，顺便多陪方灯几天。

布艺店在阿照看来是女人才喜欢的地方，他待不住。尤其到了晚上，原来本在国内混时认识的朋友都纷纷招呼他出去。方灯知道他少年心性，天生又爱玩，也很少管他去了哪里。

这天半夜，阿照在当地有名的一个夜场又喝高了。他豪爽地买单，坚决不要人送，同行的朋友们尽兴而散。

刚坐上车，阿照胃里忽然一阵翻滚。这车是傅镜殊不久前才送给方灯的，他图新鲜开了出来，不敢吐在里面，赶紧冲下去找了个角落大吐特吐。

胃都快吐空了，他才觉得舒服了一点，扶着墙打算缓几口气就走。这时一小群人从刚才的场子里走了出来，被簇拥在中间的是个高个子，即使阿照吐得眼冒金星也能一眼将他认出来——傅至时这家伙也跑这来了，果真不是冤家不聚头。

阿照从没忘记小时候傅至时恃强凌弱欺负自己的种种事迹，也记得他在七哥落魄的时候的嘴脸，即使后来两人井水不犯河水，遇上依旧没有什么好脸色。

傅镜殊后来重用傅至时，阿照没话说，谁让人家命好也姓傅呢，而且七哥的决定他只能信服。然而傅至时上位之后自以为了不起，并不怎么将阿照放在眼里，在他看来，孤儿出身的阿照就是个不折不扣的小混混，哪怕现在为傅镜殊跑腿，也还是不入流的角色。当着傅镜殊的面，傅至时倒不会怎么样，只不过背着人时，他眼里依然会流露出对阿照的轻视。

阿照是个烈性脾气，最恨两面三刀之人，因此对傅至时更为厌恶。两人私底下起口角冲突已不是一两回的事了，只不过碍于傅镜殊，都不敢把事情闹大。

傅至时身边是一个妙龄女孩，身材曼妙，衣着火辣，包臀裙下一双长腿煞是引人遐想。

“我送你回家，要不你送我回家也行？”傅至时正笑着对女孩说道。

女孩还没来得及说话，墙角处的阿照先听不下去了，借着酒意吊儿郎当地插嘴道：“回家？回哪个家，你老婆不介意玩双飞？”

傅至时闻声望去，看清说话的人是谁之后，不由得带了几分恼意。

“苏光照，这有你什么事？”

“本来你泡妞是不关我的事，不过身为你的长辈……”

“胡说八道！你算什么东西！”傅至时身边美女相伴，又有随从，脸上顿时挂不住，大声呵斥道。

阿照抹了抹嘴角上前几步，笑着说：“难道我说错了？我七哥是你叔叔，那我怎么说也算是你叔字辈的。做长辈的提醒你一句，逢场作戏也要小心后院起火，这都是为了你好。”

傅至时冷笑，“你还真把自己当回事，真以为一人得道鸡犬升天了？别说是你，就算是方灯也没什么了不起，不过靠着色相……”

“你说什么！有本事朝我来，别扯上我姐！”本来阿照只是打算奚落对方几句，扫扫他的兴也就行了，但是他竟然扯上方灯，嘴里还不干不净，这让阿照火冒三丈，摇摇晃晃地又朝傅至时逼近了几步，手险些没戳到他脸上。

傅至时也喝了不少，他避开阿照的手，退了退，嘴里却半点没有相让的意思。

“被我说中丑事不高兴了？方灯好歹和傅镜殊是一根绳上的蚂蚱，你算什么，小瘪三。”

“我最看不惯你这种小人，当着我七哥的面像条狗一样点头哈腰……”

“我怎么了？有种上我的好七叔那告我一状。我告诉你，我姓傅，打断骨头连着筋，我才是他家里的人。他现在给我的都是我应得的，别以为我不知道他靠着这个在老太太面前挣面子，老太太夸他重情义不忘本，他还得感谢我！闹到他那里，他就会为你撑腰？只可惜你没有方灯那张脸，帮不了他……”

傅至时仗着酒意的一番话还没说完，脸上冷不丁就挨了阿照一拳，他捂着脸趔趄了一下，顿时火冒三丈。

“干什么呀你们！”一旁的女孩子看不下去了，想上来劝一劝。

愤怒的阿照两下将女孩推到一边，高举着拳头打算继续朝傅至时脸上身上招呼。

“王八蛋，我让你嘴贱！”

论单打独斗，现在傅至时根本不是阿照的对手，但他人多势众，冷笑着退了几步，身边的人很快就将阿照推搡到墙角，几个人打成一团。

阿照打架时有一股豁出去命都不要，也要和对方拼到底的狠劲，从不肯喊痛讨饶，也绝不会手下留情，但对方一共有五个人，到底寡不敌众，很快吃亏落了下风。幸而他身手敏捷，找了个空隙闪进一旁的巷子里，那些人还以为他落荒而逃，哪知他一个电话打到了崔敏行处。阿照幼时就与崔敏行交好，如今都在给傅镜殊办事，来往得更是频繁。崔敏行本就是道上混的，人也在附近，听说阿照吃亏，二话不说就近叫了一拨人赶了过来。傅至时手下那几个人还在四处追赶阿照想给他个教训，人还没找到便与崔敏行那边赶来救场的人撞上了，巷子里又是一场恶战。

傅至时平时毕竟是做正经生意的，跟在身边的也只是几个亲近的下属，仗着酒劲几个围殴阿照一人尚可，遇上崔敏行手下那帮狠角色就只有被打得屁滚尿流的份儿。胜负很快见了分晓，阿照擦着嘴角的血，看着脚边横七竖八躺着的人心里一阵快意，这时却忽然听到了越来越近的警笛声。

崔敏行手下一个带头的见情况不妙，立刻示意阿照离开，把这里交给他们善后。阿照也不含糊，道过谢赶紧绕到前头，趁警车还没停稳溜上自己的车。

“喂，警察叔叔，这里有一个……”旁边传来女孩清亮的声音，阿照一看，傅至时想泡的那个辣妹竟然还没被吓跑，指着他的车高声想把警察引来。

阿照不想把祸闯到警局，让姐姐生气，也令七哥费神，情急之下飞身下车，冲到女孩身旁，趁她来不及尖叫就捂住她的嘴，把她往副驾驶位置上一塞，然后落锁迅速将车驶离是非之地。

“是你报的警？”阿照开了好一段路，确定后面没有警察追上来，松了口气，这才发觉身边的女孩上车后除了猛拉推几下车门，倒没有摆出和他拼命的架势，只是斜着眼打量着他。

“是又怎么样，你们这些坏人都应该让警察抓起来。”女孩没好气地说。

“你胆子还挺大。”

“你敢拿我怎么样？”女孩从鼻子里哼出一声。

阿照冷着脸吓唬道：“你就不怕我把你拉到没人的地方先奸后杀，不对……先杀后奸！”

“你敢，小瘪三！”女孩学傅至时的口吻嗤笑道，转而环顾他的车，“你这车还不错，偷来的吧？”

阿照单手握拳在她面前虚晃了几下，见她依然面不改色，气馁道：“算了，就算我是小瘪三也不打女人。你和傅至时那王八蛋什么关系？”

“谁？”

“就是刚才泡你的那个凯子。怎么，你不认识他？”

“我怎么会认识他，他在洗手间门口遇到我，就缠着说要送我回家，我还没说‘不’呢，就半路杀出你这个小瘪三。”

“你才小瘪三！”阿照嘟囔道，“你不认识他管那闲事干什么？”

女孩理了理头发，笑着说道：“在我看来你们都不是好人，报警就是要把你们统统抓进去教育教育。”

“哟，还挺有正义感，你在哪个场子上班？报警是妈妈桑教你的？”

“什么场子，你什么意思，你看我像吗？”女孩杏眼圆睁，转身朝阿照怒道。

阿照瞥了她一眼，“像啊，怎么不像？就是胸小了点……别动手啊，你动作太

大，裙底下都走光了。”

他找了个安全的地方把车停下来。

“走吧，这里好打车。”

女孩纹丝不动地坐在那，“你要向我道歉，为你刚才的话。”

阿照不以为然地笑起来，“门都没有。你还赖上了是吧。也行，不花钱的话我也不介意……”

他作势要凑上去，只见女孩右手一抬，他眼睛顷刻间火辣辣的，像要瞎掉一样。

“我操！”阿照大叫一声捂着眼骂道，“你搞什么鬼！”

“防狼水！”女孩淡定道，“谁让你想占我便宜。”

“我他妈才不想占你便宜，是你霸占我的车，你想吃我豆腐还差不多。”阿照闭着眼腾身去后排找水，手里忽然被塞进一块湿漉漉的东西，“这又是什么，防狼布？”

女孩的声音像是在忍住笑，她说道：“湿巾，你擦擦吧，这水不算很厉害，否则你早进医院了。”

阿照也管不了那么多，拿起湿巾就擦拭着疼痛不已的眼睛，过了好一会儿眼睛才睁开一条缝，艰难地打量依旧坐在副驾驶的女孩，纳闷道：“你他妈到底是谁？！”

“别说脏话，小瘪三。”女孩嘴角带笑，“你问我是谁，你想泡我？”

阿照把擦过的湿巾扔到一边，“泡你？见鬼了，除非我眼睛瞎了！你以为人人都像傅至时一样没眼光。”

女孩说：“你眼睛本来就快瞎了，我有什么不好吗？”

阿照眼睛疼得厉害，无心和她啰嗦，“走走走，再不走我真的不客气了。”

“你本来也没客气。”

“信不信我把你办了。”阿照想要摆出面露凶光的样子，无奈眼睛着实不给面子。

视线朦胧中，他似乎看到女孩笑了一下，“费那工夫干什么，我把你办了还差不多。”

他还没反应过来，嘴唇就印上了温软的东西，还带着淡淡的果香味。阿照打过无数场架，却没遭遇过一次这样的场景，整个人都蒙了，等到她抽离，只知道捂着嘴吞吞吐吐，“你……你……”

女孩笑得开心，“小瘪三，你还蛮可爱的，这是你的第一次？别哭啊，你还掉眼泪了？”

“那是你的防狼水！”阿照气急地吼道，模糊中找到她的脸，双手捧着，不甘示弱地亲了回去。过了一会儿，他才气喘吁吁，示威一般扬起下巴，“只有男人才能占女人便宜。怎么样？”

“味道真不怎么样。”女孩皱眉咂了咂嘴。

“废话，我刚吐过。”阿照终于觉得扳回了一城。

女孩说：“还有血腥味。你被打得不轻吧。”

说到这个，阿照直起了腰，“他们几个对我一个算什么好汉，不过我也没让他们占便宜，后来四对五，我还是赢了！要不是傅至时那家伙溜得快，我非揍得他满地找牙。”

阿照说起他“赢了”时，眯成一条缝的眼睛里都仿佛绽放出光彩，这光彩可比他看到辣妹时要生动得多了。

“赢不赢就这么重要？”女孩有点不理解，当然，还有小小的不服气。

“说了你也不懂。”阿照靠在椅背上，眼睛逐渐能睁开了，他看着在一旁补口红的女孩，问道：“你到底从哪冒出来的，一个人跑到那种地方玩，存心喂狼来的？”

女孩收起小镜子，回答说：“告诉你吧，我是自己来旅行的，网上攻略说那个夜场是这里晚上最好玩的地方，我就和路上认识的一个洋妞一块来凑凑热闹，谁知道她半路就被人领走了。”

“你从哪来？还旅行呢，我们这地方有什么可看的？”

“我是台湾人。”

“难怪。”

“什么？”

“难怪你口音特别嗲，听起来就不像本地的。”

“我还打算明天到瓜荫洲去的，据说那里有很多特别漂亮的老房子。”

“瓜荫洲？”听到这个地名，阿照来了精神，“你还知道瓜荫洲？那你听说过

傅家园吗？”

女孩也眼睛发亮，“当然，都说傅家园是瓜荫洲上最有代表性的老宅子，我当然想去的，可惜说是不对外开放。”

“嗨，你早说啊，我就是瓜荫洲土生土长的。我……”阿照本来想说，我七哥就是傅家园的主人，后来一想，难怪傅至时说自己仗着七哥狐假虎威，傅家园是七哥的，又不是他的，有什么好说。于是就改了口，“我小时候就住在傅家园……的对面。”

“你该不会骗我吧？”女孩高兴地抓住了阿照的胳膊。

“我用得着骗你吗？你别赖上我就谢天谢地了。”阿照神气十足地说。

女孩笑眯眯的，“你住在傅家园的对面，那你家一定也很有来头啰？”

“是有来头，大大的来头，我住的房子归上帝管！”阿照笑得露出一口白牙，“吓到了吧，傅家园对面是过去教会的孤儿院，我是个孤儿。”

“这样啊。”女孩口吻中似有一些同情。

“不过傅家园我还是熟悉得很，你感兴趣，包在我身上，我可以想办法带你进去。遇上我你是走大运了，瓜荫洲没人比我更熟。”

女孩飞快地在阿照脸上亲了一口，“一言为定，我们什么时候去？对了，我还不知道你叫什么，我叫贾明子。”

“‘假名字’！”阿照笑了，“这是什么名字？”

“是明子，明白的明。”女孩也不生气，爽朗地说，“你就叫我明子好了，我的朋友都这么叫。你呢，你叫什么？不告诉我的话，我就叫你小瘪三。”

“谁是小瘪三？我叫苏光照，别人都叫我阿照。”

“阿照，我们什么时候去瓜荫洲？我特别特别想看看传说中的傅家园是什么样的。”

阿照说：“现在肯定不行……”

“谁让你现在去了，大晚上的你不怕我还怕呢。这两天我都有空，你给我打电话！”明子拔出口红，刷刷地在阿照的白T恤下摆写了一排数字，“一定要找我啊。”

阿照点了点头，两人聊完这个话题，忽然静了下来。阿照的心忽然跳得有些厉害，对于接下来的事他没什么经验。这车方灯明早要用，他也说好了要给姐姐带宵夜回去。他有些为难。

明子却在这个时候推开了车门，“好了，我也困了，要回酒店好好睡一觉，就在这拜拜吧。阿照，我等你电话，不许爽约啊。”

她想下车才发现高跟鞋在阿照强拉她上车时掉了一只，于是半要半抢地把阿照脚上的板鞋穿走了。

阿照目送明子打车离开，一下子还没彻底反应过来，直到手机在口袋里嗡嗡响起才如梦初醒。

电话是方灯打来的，她那头问他什么时候回来，还说傅镜殊来过电话，说急着要点资料，让阿照明天就赶回马来西亚给他送过去。

阿照想起了和贾明子的约定，他这一回马来西亚，就不是一两天能回来的，到时她还会留在这里吗？但是七哥的事肯定比较重要，这是毫无疑问的。他低头去看自己T恤的下摆，发现有几个数字已经被自己的手蹭得模糊了。

看不清就看不清吧，阿照转念一想，又满不在乎了起来。反正是稀里糊涂认识的，酒醒后说不定都不记得了，就这么稀里糊涂算了吧。

阿照回到方灯的住处，在路上买了她喜欢的鸡粥。方灯见他大冷天的鞋也不穿，眼睛红红的，嘴角还肿了一大块，就问他是不是又在外头闯祸了。阿照怕方灯担心，连连搪塞说没事。换了往常，方灯未必肯轻易放过，但不知道为什么，她这一阵子总是心事重重，见他回避，竟也没有过多追问。阿照暗自庆幸。

只有傅镜殊不在的时候，阿照才会偶尔住在方灯这边。他搬张椅子坐到方灯对面，看着她一口一口地喝粥。以前方灯读卫校，阿照就在附近打工，他们的日子过得很简单，有时晚上就在学校边的粥店解决一顿饭，方灯喜欢那家粥店的味道，阿照喜欢的则是和姐姐在一起相依相伴的时光，当然，还有七哥。他常想，如果他们能一直像小时候那样朝夕相处该有多好。

“姐，我听七哥说，等那块地批下来，他说不定就可以经常回来多住一段时间。”阿照的声音里有单纯的喜悦。

而方灯依旧喝粥，仿佛没听见一般。

阿照想了想又说道：“有时我真盼着姓郑的老太婆早点死了才好。”

方灯吃了一惊，放下勺子责备道：“你提这个干什么？千万别在你七哥面前乱说话。”

阿照不太服气，“我不信七哥从来没有那么想过，老太婆一把年纪了，还抓着那么多东西不肯放手。也不想想，这些年要不是有七哥在，他们傅家早沦落成东南亚的小财主了。她活着一天，七哥就要束手束脚的，大家都跟着受气。不过要我看，她也没几年好活了，等她腿一蹬，什么都是七哥说了算，你就可以一起到马来西亚，或者干脆把公司搬回来，我们就又能和从前一样了，免得七哥老惦记着你，你也……”

“你真以为郑太太死了，我们就能和从前一样？”方灯淡淡地说。

阿照不明白姐姐的意思，她的脸上有一种他很少见到的疲惫感。

“当然，为什么不行。”

“想要和从前一样，其实一点也不难，只要他愿意放下手头上已经得到的东西，什么不都和以前一样了吗，问题是他做得到？你又愿意以那样的方式和他一起回到原点吗？”

阿照轻轻拍了下桌子，“凭什么呀，我们好不容易才有了今天。我算是明白了，人只有有权有钱，才能不用去看别人脸色，不受傅至时那种小人的气。这不是你以前告诉我的？”

方灯悠悠然地想，她是说过这样的话吗？如果是，那时她自以为聪明，其实什么都不懂。人很难有真正自由的一天，如傅七所说，越往上爬，就越依赖手里的那根绳子，当他到了一定的高处，就再也没有松开手的勇气了。

“姐，你会帮七哥那个忙吗？”阿照忽然问道。

方灯一怔，“什么忙，谁跟你说的？”不会是傅七，他既然把决定权交到她的手里，就绝不会在阿照面前多说一句。

果然，阿照迟疑了一会儿说道：“是崔敏行说的，但他没跟我说具体是什么事，只说这事很重要。我说他想多了，要是七哥有事，你怎么可能不帮？”

方灯没了胃口，推开面前的粥。

“假如这件事是我不喜欢做的呢，阿照，那样你还觉得我应该去做吗？”

阿照没有想到方灯会这么说，闷声想了会儿，才道：“换做我，我会替七哥去做的，无论什么事。我今天有的一切都是他给的，我也信他做的事都是为了我们好。”

方灯没有再说话，就这么看了阿照一会儿，才垂下眼帘。连他都觉得她应该为了傅七无条件地去做任何事，甚至不去问是什么事，也不在乎她心里怎么想。就算直心肠如阿照，大概也能猜到她能帮傅七的是什么忙。方灯还记得九年前，阿照刚知道她去马来西亚做那个老头子的“私人护理”时，哭得稀里哗啦就像个孩子。现在呢，他也和傅七一样，挂在同一根绳子上，眼里只有高处的风光。他们当初拼尽一切往上爬，只是为了不被人踩在脚底下，爬着爬着，已顾不上理会自己脚下又踩着什么。

人们会想到，有一天他们会变成自己当初最讨厌的样子吗？就像冰块投进热水里，曾经有的都被周遭消融，它还在那里，却再也找不到了。

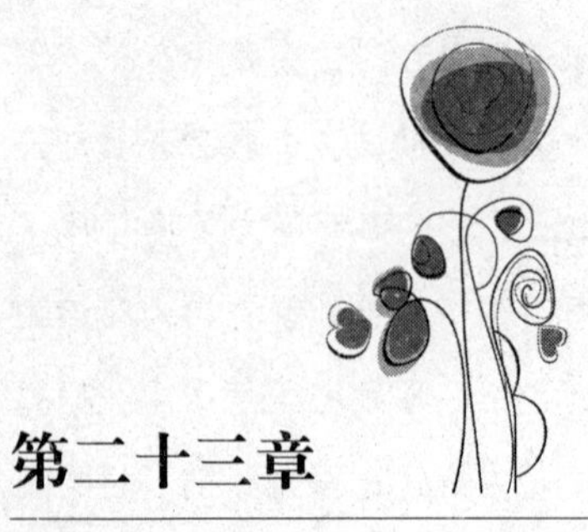

第二十三章

都可以先生

方灯从原材料商的工厂回到店里已经是下午，推开玻璃门，正赶上谢桔年往外走。

“你这是上哪去？”方灯随口问道。

桔年举了举手上的东西，“给客户送货。这几天订单多，安装师傅都忙不过来。”

方灯环顾店里，只有两个店员在招呼客人，她有些担心桔年一走剩下的人手不够，便道：“送货的地方远不远，客人不是特别着急的话可以等师傅有空再说。”

桔年抿嘴笑了，“说近也不近，那地方你最熟悉，可惜你也不会顺便跑这一趟。”她见方灯挑眉，赶紧补充了一句，“这是‘都可以先生’的东西。”

方灯一听就明白了。桔年嘴里的“都可以先生”指的就是陆一。

从两年前重逢偶遇那时起，大概每隔几个月，陆一就会到店里买点东西。方灯身边从不乏追求者，借购物为由想和她套近乎的也不是没有，但陆一比较特别。他到店里不会缠着店员问方灯在不在，有时正好撞上她在店里，他反而没那么自在，红着脸打个招呼，视方灯心情好坏或多或少地寒暄几句，然后随便买点东西就走。明眼人都能看出他为什么来，可他似乎从没有非分之想，也从未提出要把她约出去。以他买东西的频率，大概家里能换的都换上了方灯店里的货品，老店员多少都对他有几分眼熟，向他推荐的款式只要不是太离谱，他都照单全收，恰好没有那个颜色，换一个，他也无所谓，有没有折扣，更不是他考虑的问题，所以桔年就给他起了个代称叫“都可以先生”。

上个星期“都可以先生”到店时，方灯是在的。平时两人遇上，多半是他不太好意思，但是那一回，方灯却刻意找了个理由避进了更衣室。陆一看到了店门口熟悉的车，却没有看到想见的人，既有些失望，又松了口气，最后还是在桔年的建议下预订了一套新的窗帘。

桔年去给陆一量过窗户尺寸，知道他就住在方灯家那栋大厦，但她提起“都可以先生”，不过是开个玩笑，以她对老板娘的了解，方灯多半会当做没听见一样。她把窗帘放在电动车的后头，正打算出发，却听到方灯叫住了她。

“你别跑了，这窗帘下班我会顺便送过去。”

桔年有些诧异，也不好多问。倒是店里的另两个小姑娘听见了，趁方灯去更衣室放包，叽叽喳喳地凑在一起议论。

“你说老板娘不会被‘都可以先生’打动了吧？”

“‘都可以先生’多好啊，我超喜欢看他笑起来嘴角的销魂小梨涡，像……李大仁。”

“李大仁是谁？你喜欢那是你的事，老板娘能跟你一样吗……”

“嘘！”

方灯走了出来，好像什么都没听见，她经过柜台，手肘触到了被桔年打包好的成品窗帘，那一刻竟让她有一种想避开的念头，就像前几天在店里她避进了更衣室一样。

她本可以不这么做的，把窗帘交给桔年，或是随便哪一个雇员，继续和从前一样将陆一视作不存在。傅七也亲口说，她可以过她想要的生活。

但这也正是傅七最残忍之处，从他向方灯开口时起，他们都明白她其实只有一

种选择。如果她能不管他的死活，对他最大的恐惧视而不见，如果她可以不在乎他的致命把柄落在他人手中，旁边还有人虎视眈眈，那她就不是方灯。他丢给她一枚两面都是同样图案的硬币，再声称把抛掷的权利交到她手里。因为他知道，到如今她想要的生活依然无非是去爱他，她希望他过得好好的，为此，她什么都会为他去做的。这已成为方灯的一种本能。

方灯晚上回到住处，正回忆着陆一住在几楼，没想到进电梯时正好与刚下班的陆一遇上。

“你回来了，真巧。”他好像在尽量让自己语气显得随意些，但发红的耳根又一次出卖了他。

方灯说：“是啊，正好，这是你在我店里订的窗帘。”

陆一忙接过，这时电梯停在十六楼，他家所在的楼层到了。

“谢谢啊，那我先走了，再……再见。”他有些失落地走出电梯，一回头发现刚说过再见的方灯也尾随他走了出来。

方灯说：“谢什么，顾客就是上帝，应该我谢你才对。”见他有些搞不清状况，她又笑着道，“难道以前我们的师傅送货时不负责安装？”

“哦，当然！”陆一忙不迭地掏钥匙开门，兴许在他的心里从来都没有设想过方灯有天会出现在他的家里。他把门推开一条缝，又红着脸回头看了她一眼，“你能不能等我一分钟，就一分钟！”

方灯忍着笑点头。他飞快进屋，果然，还不到一分钟，他就重新站在门口。

“不好意思啊，你请进吧。”

方灯走了进去，不怀好意地问：“你确定把该收的东西都收拾好了吗？”

陆一连忙解释，“不是你想的那样，你先坐。”

“你以为我想的是哪样？”方灯被他带到沙发旁，随意打量了一下四周，坐了下来。他家的格局和她住的地方是一样的，只不过一个是十六楼，一个是顶楼。相比之下，这里比楼上的陈设要简单得多，有一种单身且生活习惯良好的年轻男人特有的简单和整洁。

“你想喝点什么？”陆一问。

“随便吧，不用太费心。”方灯还在不由自主地环视周遭，闲话家常一般问，“你搬到这里之前都住在什么地方？”

“我爸去世后，我在亲戚家待了几年，大学以后一直住校，后来在公司附近租了几年的房子，想着该找个地方定下来，才买了这里，没想到这么巧……”

方灯当然不会去质疑他所谓的“巧合”。

“那么，你过得怎么样？我是说你爸爸走了之后，你妈妈也不在了，继母应该没有和你一起生活吧，那段日子一定不太好过。”她小心地问起。

陆一从厨房走了出来，神色并不似她想的那般沉重。他说：“其实还好，亲戚们对我都很不错。作为孤儿来说，我算是幸运的。”

他把手上端着的东西放到方灯面前，一共有三个杯子，一杯咖啡，一杯热茶，还有一杯像是白开水。

“都是给我的？”方灯忍俊不禁，“你当我是水牛？”

陆一也笑了，“我不确定你想喝什么，家里只有这三种，你随意吧。”

“你这人真有意思，我都要怀疑你是卖饮料的。对了，你究竟是做什么的？”方灯才发现这几年他好像时常出现在她生活里，但她对他知之甚少，过去也从未想过去了解。

“我啊？我没什么特长，唯一能说得过去的就是还算会读书，在学校待的时间比别人要长一些，前几年我的导师出来创业，把我也带了出来，后来一直在他的公司里帮忙。哦，我是学微电子的。”

“微电子？那你是IT人士了？”

“IT人士？不成ET就不错了，充其量就是高级点的技术民工。你喝一点吧，水凉了不好。”聊了几句，陆一本来已经放松了不少，还知道开自己玩笑了。他想端一杯递给方灯，正逢方灯伸手过去拿咖啡，两人指尖不经意相触，他又有如触电般一缩，险些将水打翻，脸颊又开始发热了。

方灯很少接触到像陆一这样认真又有些羞涩的男人，说起来他的条件应该算是上佳，长得挺好，学识、谈吐都很不错。她住的这栋大厦地段尚可，勉强也算靠海，价格不便宜，他能够把房子买在这里，工作和收入也不会差到哪里去。虽然父

母双亡，但想要找个好女人过日子想来不是难事。只不过看他住的地方，不是书、CD，就是各种电脑电玩，平时上下班时间也非常规律，言谈间一点也没有滑头，见到心仪的女孩子就知道脸红，一看便知平时生活环境太过单纯，与外界打交道也少，快三十岁的人了，心理还和一个大孩子差不多。

方灯喝了半杯咖啡，发现陆一已经三下两下把她带来的窗帘安装妥当。

“你把我的活都干了，那我干什么呀！”方灯失笑。

“你坐着吧，没事。”陆一拍着肩膀上的灰尘。

方灯却站了起来，“既然窗帘都装好了，我也该回去了，谢谢你的咖啡和茶……还有水。”

陆一没想到自己的勤劳会导致这样的结果，恨不得将窗帘重新扯下来。他有些懊恼，但又没有办法，方灯已经走到门口，他只好跟了过去。

“别送了，没几步路，改天见。”

“改天……哎，等等！”

方灯被他忽然叫住，面带疑惑地回头，“怎么了？”

“假如你没事的话，也可以多坐一会儿的。”陆一有些紧张，想来这样的挽留方式已让他鼓足了勇气。这些年来，他能感觉到方灯的冷淡，他不想惹她生厌，没法靠得太近，但又舍不得离得太远。这一次是她主动出现在他生活里，过去他想都不敢想，唯恐这样的机会一错过，就再也不可能重来了。

方灯似笑非笑地盯着他看，“你有别的事？”

“没有……哦，对了，有点事，你能不能帮我试试我新买的kinect？”

方灯见他说得诚恳又急切，便随他回到了屋内。

“你等等，很快就好。”

陆一迅速从书房翻出他要找的东西，手忙脚乱地把设备安装好。方灯这才知道他郑重邀请自己留下来“测试”的Kinect原来是一套能捕捉人身体动态的体感游戏装置。

他选择的游戏叫《夺宝奇兵》，电视剧屏幕上出现了两个小人。

“你站在这，稍微挪过来一点……举起左手……跳起来……对，就是这样……

另外一个人是我，我们触碰那个就可以得分……”

方灯没有反对，照他所说的按部就班进入游戏，随着体感摄像头的捕捉，和屏幕上的小人一起这里晃晃，那里动动，一时挥手，一时抬脚，绕过各种障碍去寻找游戏里的宝藏。

“你学得很快，我应该挑个难度大一点的。”陆一说。

方灯边动边笑，“这有什么难，小孩子都可以玩。”

她仿佛专心致志地投入到游戏中，不一会儿，游戏里出现了红色警示。方灯好奇地回头，发现陆一不知道什么时候停了下来，站在她身后一步之外看着她，嘴角带笑。

屏幕提示两个玩家之间的留置空间不足。

方灯笑着挪了挪，继续跟上游戏的节奏。

“我赢了！”她欢呼了一声，停下来大口喘着气。说是游戏，真正动起来还挺累人的，初春时分，夜里原本凉得很，她这一通下来身上竟然都是汗。

“年纪大了，禁不起这样的折腾了。你说楼下的人会不会找我们算账？”方灯呼了口气，回头去找水喝，愣在一旁的陆一如梦初醒般拿下她的杯子，“我去给你换杯热的。”

方灯摇着头，脸红扑扑的，“不用了，我回去洗个澡就好。”

“你要回去了？还有别的游戏……”他早就玩过《夺宝奇兵》，印象中似乎没有那么快结束呀。

“什么？”方灯停在门口，手里挽着外套，回头打量了他一眼。

陆一挠了挠头，“还有《功夫熊猫》和……”

方灯笑得弯下了腰，“我不是说这个。陆一，老实说，你没有女朋友吧？”

“啊？”陆一哪里想到她会问出这样的问题，有些窘迫地摇了摇头，心里涌起一阵异常的期待。她为什么想了解这个？

“你有女朋友？”方灯见他不答，诧异地问道。

“没有。我没有女朋友！”陆一用赌咒发誓一般坚定的口吻回答道。

方灯这才又笑了，“这就对了，你想知道为什么吗？”

陆一摇头，满脑子都是她灿烂的笑。

“看在认识这么多年的份上我就告诉你吧。以后再有机会把女孩子带到家里，不要再邀请别人玩这样傻不拉几的游戏了，否则你会打一辈子的光棍！”

看陆一的样子，恨不得地上有个洞能让他钻进去，哪里还好意思再挽留。方灯走出去按电梯，他送出来，涨红的脸显然还没缓过劲。她摇头笑道：“还有啊，别再去店里买东西，多几个像你这样的顾客，我怕赚得太多要提早退休。”

陆一喃喃地说：“没事啊，我还挺喜欢你店里的东西的。”

方灯面露惊讶，“是吗，我还以为你喜欢的是我。”

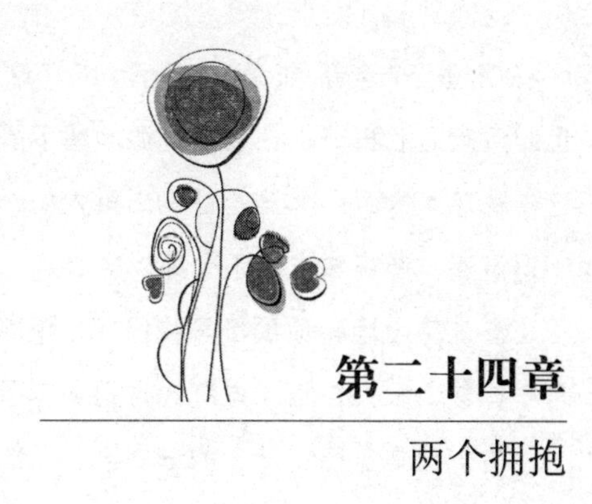

第二十四章

两个拥抱

方灯下决心很难，但俘虏陆一这样的男人对于她来说着实太过容易。她都用不着费心把网织得紧密，猎物已迫不及待地跳了进去。陆一虽然从未明确表白心迹，遇上方灯调侃，还会闹个大红脸，但不出两个月，他已主动把自家的钥匙交给了方灯，美其名曰：远亲不如近邻。

方灯受陆一邀请又去过他家几次，kinect 他不玩了，但新换的花样也没好到哪里去，有时他会给她做顿饭，有时是叫她一块看影碟，最有创意的一次，他请她在阳台打乒乓球。方灯对他家的格局和陈设了然于心，趁他上班，自己开门进去搜寻过一次，没有找到想要的东西，倒是在他书房抽屉里发现一个盒子，里面装着的全是照片。照片上的人都是她，有孤儿院时期的，也有的是在卫校门口，还有一部分是在布艺店和她住处附近。方灯心想，看不出来陆一还挺闷骚的，颇有做狗仔队的潜质，想必这也是她第一次造访他家时，他在那一分钟内仓促藏起来的东西吧。

五月份，傅镜殊再度回到国内，他顺利拍下了那块地，不久之后，这城市的新

区将崛起一个全新的 shopping mall，这也是傅家名下的“富年”集团经过大半个世纪沉寂之后再一次在它的起源地留下醒目印迹，这不仅对于“富年”来说影响深远，在郑太太眼里，这也是意义重大的一件事。她督促孙子务必亲力亲为，把事情干得漂亮，傅镜殊当然不会掉以轻心。

参加完土地转让项目签约仪式，距离动工还有一段时间，傅镜殊这次并未像往常一样匆匆来去，陪伴方灯的时间从容了许多。

方灯已将自己和陆一的进展告诉了他。

“你确定崔敏行的消息来源没有问题？说不定陆一的继母根本就是胡说八道，东西可能不在陆一手里。”方灯对傅镜殊说。

傅镜殊却不敢心存侥幸，“那个女人虽说不靠谱，可是我不信她能信口捏造出这件事。问题只是在于陆一会把东西放在什么地方。”

方灯说：“我不可能一而再地像个小偷一样把他家里翻个遍，这样你还不如直接雇一个扒手。而且关于他爸爸遗物的事，我探过他好几次口风，找不到任何有用的线索。”

傅镜殊听她的语气有些焦躁，叹了口气，“方灯，我知道这件事让你……”

“别说这个！我只想知道该怎么做。”

“你这边实在没有进展，我会再想其他办法……”

方灯听到他这样说一点也轻松不起来，虽然她内心深处已不愿再和陆一纠缠下去，陆一是无辜的，她不希望他付出太多到头来竹篮打水一场空，但是傅七已动用到她，想必已到万般无奈的地步，他还能有什么办法，难道是冒险去把这件事交给崔敏行。以崔敏行的阴损，还指不定使出什么手段。

“你要是有别的办法，当初何必找我？”方灯坐在梳妆台前，打散了头发有一下没一下地梳理，“陆一那边，你再给我一点时间。”

她发梢有个结，梳了几下还没解开，就有些烦了，拽着梳齿用力地刮。傅镜殊在旁看不下去，拿下了她的梳子，“好好的头发你跟它过意不去。”

他用手帮她去解那个结，方灯从镜子里看着他，面无表情地问：“你拍下了那块地，老太婆心里高兴得很吧。她应该高兴自己押对了宝，投资在你身上还是不亏的。”

傅镜殊不说话，方灯转头去看他，被他把脸别了回去，“你别动，刚才我差不多都解开了。”

他低着头，全副心思仿佛都在她发梢的那个结上，但方灯却觉得他心里有事。别人都只道他心思深沉不好揣测，可她太清楚他的一些小习惯。但凡心里乱的时候，他面上看不出什么，手里却停不下来，而且特别专注于某些细枝末节的东西，过去修剪他的盆栽时就是如此，现在摆弄她的头发也一样。

“你是不是有话要对我说？”她把玩着手里的梳子，“哎呀别解了，用剪刀不就得了！”

“说了叫你别动，扯到头皮可别喊痛！”傅镜殊的手指还在她的发梢忙碌，搞不明白几缕头发怎么会缠得那样紧。

方灯懒洋洋地拖长了声音，“说吧……”

“我可能要结婚了。”

方灯猛然回头，头皮果然被扯得生疼，一刹那她脸上流露出痛的表情，而发梢的结在这个时候被解开了。

傅镜殊放下了手，人却依然站在她的身后。

方灯把头发胡乱地扎起来，“结婚？老太婆给你安排的？什么时候？对方长什么样？这不是很好嘛，人迟早都要结婚的……”

傅镜殊打断了她一长串没有停顿的话，“方灯，你先听我说！这已经不是老太太给我物色的第一个了，而且这次她态度很坚决。我也想过了，我不能就这么跟她杠着。那女孩是台湾人，家里是不错，她爸爸事业做得很大，还是个老别墅发烧友，不知怎么看上了傅家老房子。他先找的二房，你知道二房人多得很，世界各地都有，他花了四年多的时间逐个找到拥有傅家园继承权的二房后人，说服他们签字。一共十九个产权关系人，分散在宝岛台湾、美国、澳洲、南非、新加坡，居然都签了转让协议。这个我自问都不一定做得到。然后，他才找到了我们老太太那。老太太是肯定不愿意卖的，房子在她眼里是傅家的根，她手里握着大房和三房的那部分产权，我也不知道他们是怎么谈的，只知道对方那家人有个二十四岁的独生女儿，两边家长都觉得我们很合适。”

“当然合适。老太婆做梦都想重新把傅家园整个要回来，有人替她把最难的活给干了，有什么理由不一拍即合。你们两家要是联姻，傅家园不都是你们的了，又赶上门当户对，简直是再合适不过了。姜还是老的辣，老太婆比你有眼光。”方灯语速依旧很快。

“最重要的是，如果傅家园产权完整，就可以正式重建。这是我祖父的遗愿，老太太等这一天等得太久了。这桩心愿一了，她也没什么牵挂，她名下的股权会正式转让给我……”

“到时候，你终于是傅家名正言顺的主人了，这真好，是好事呀！”方灯嫣然一笑。

傅镜殊喉头发紧，“别这样，方灯，我看着你这样心里更不好过。”

“我怎么啦？”方灯回头笑着把手放在他的手背，“我们等了这么多年，不就为了这个吗？为什么要难受呢？你不娶她娶谁？难道是我？我们是亲人啊，亲人！”

傅镜殊什么都不说了，长吁了口气，索性把喋喋不休的方灯抱在怀里。

方灯没有抗拒，也不迎合，木然地靠在他身上，还在说个没完，声音是热烈的。

“你结婚后，傅家是你的了，你也有了自己的小家。用不着我再帮你什么，我也没能力再帮你什么。重建傅家园，真好，二十四岁，真好！傅七，我为你高兴，你怎么不高兴呢？”

“嘘！”傅镜殊不让她再说下去，双手环抱得更紧。可拥抱再紧，他们也不可能真正成为一体，“方灯，你也还年轻，往后的日子还长，我会……”

“我不用你做什么。”方灯把手心贴在他的胸口，再慢慢推开，将自己抽离，“我也不怕老。”

年轻有什么用，青春对于大多数女人本身来说是没有意义的。男人爱青春，女人才怕老。方灯才不怕，横竖他不爱她，做个年老色衰的家人有什么关系？她恨不得早早就过了这一生，幸运的话，下一世就不记得他了。

不知是因为不愿与陆一撞上，还是别的缘故，这一次回来傅镜殊没有常住在方灯那里。白天他还有忙不完的工作和应酬，晚上就住在酒店。

周末方灯没去店里，在床上睡了个昏天暗地。朦胧中听见有人按门铃，她用被子捂着头，过了一会儿手机又响了起来。是陆一，他说在车库里看到了方灯的车，问她出了什么事，怎么在家也不开门。

有一瞬，方灯想隔着门大吼着让他滚，但她还是爬了起来。陆一神清气爽地站在门口和她打招呼。披着睡袍脚趿拖鞋的方灯让艰难克服了脸红症状的陆一又有些不好意思，他略带局促地问她愿不愿意和自己去吃个饭。

方灯倚在门框上给了自己半分钟，让整个人清醒过来，进屋稍稍梳洗打扮，然后随他出了门。

她以为陆一终于开窍要把她带到外面来一场烛光晚餐，没想到他指挥着她的车东拐西拐进了个老式的单位小区，然后熟门熟路地把她领上了没有电梯的八楼，方灯气还没喘平，门开了，老老少少的一大家子热乎地围了上来。

陆一进屋给她介绍，那些人里有他的大姑、姑丈、表姐、表姐夫、外甥女，还有姑丈的老母亲，简而言之就是他大姑全家人。对于方灯，他则对亲戚们简单介绍说是个“朋友”。

连他五岁的小外甥女都贼笑了一声，大家无不是一副心领神会的样子，方灯都来不及做出反应，就被好几个人包围在了沙发的正中间。

电视机的声音开得很大，一个高亢的女声在唱：“今天是个好日子，心想的事儿都能成……”叫佳佳的小女孩抱着美羊羊玩偶满屋子跑，一会儿又蹲在方灯脚边，好奇地睁大眼睛问：“姐姐，你是不是我舅舅的女朋友？我舅舅长得老帅老帅啦！”

她的妈妈不厌其烦地纠正着女儿应该叫方灯做“阿姨”，还责备说小孩子不要乱讲话，自己却坐在方灯身边一个劲儿地问方灯是怎么认识陆一的，做什么工作的？表姐夫在旁又递瓜子水果，又泡茶，还因为水烧得太开了被老婆骂了一顿。大姑父表面上在看电视，眼睛过一会儿就往沙发的方向瞄几眼。老太太直勾勾地盯着方灯的脸看还不够，又说要给她看手相。陆一进门没多久，就让大姑给叫进了厨房，从方灯的位置只看见大姑的嘴说个不停，他却一直在微笑。

方灯独来独往惯了，一下子很难适应这样的场合，尽量保持着微笑回答了这边的提问，又去接那边递过来的东西，还要把手递给老人家看掌纹，忙得不亦乐乎。

她支撑了一阵，起身到厨房去看陆一在做什么，顺便找机会问他搞什么鬼。谁知一进厨房，大姑滋啦啦炒菜的同时热情地将她招呼到身边，又把她多大啦，家里是不是本地的，父母做什么的问了个遍。

方灯瞪了陆一一眼，他心虚地低下头给大姑择菜。方灯只得一一回答大姑的“身世盘问”。当她说起自己是孤儿时，大姑吃惊地看了她几眼，脸上流露出惊奇和怜悯。

陆一说是在择菜，其实也心不在焉，嫩芽都被他扔了，老菜叶倒留了下来。方灯看不下去，无奈地接过他的活。这些都是她小时候常做的事，虽然现在已经很少自己动手了，但做起来还是驾轻就熟。

她择了菜又帮着大姑切胡萝卜，手脚麻利，刀工整齐。陆一头一回把方灯约到外面，她稍稍费心打扮了一下，大姑见她妆容精致，衣着考究，没想到她厨房的家务活做得这样得心应手，渐渐地笑容里多了几分满意。

饭菜齐备，一大家子人围桌而坐开始吃午饭。小女孩把饭漏到桌上被妈妈数落了，爸爸又给她夹了个鸡腿。大姑不停地给方灯夹菜，顺便说着她们家“一一”的各种优点。表姐夫总想招呼陆一喝酒，陆一抿了半杯就满脸通红，一再地推说自己喝不了。大姑父问了些陆一和方灯工作方面的问题，又抱怨起自己的退休金不理想。

电视机里的歌还在放，厨房透出来的油烟味还没有散尽，方灯坐在那里，包裹着她的是一种久违的人间烟火气味，热闹的、活着的、杂乱的、俗辣的、美满的平凡生活，这些画面曾在她梦里一晃而过，可她从来没有如此真实地置身其中。

送他们出门的时候，大姑捏着方灯的手许久不放，一直叫她有空再来。方灯违心答应了很多次，和陆一走到楼下，才如释重负地松了口气。

“不好意思啊，没事先和你说清楚，他们就是太关心我的事了。你不生气吧？”陆一小心地去看她的表情。

方灯笑笑，他肯定知道要是事先“说清楚”，她就未必肯来了，这算不算一个老实人的狡狯？她问：“你怎么跟他们说的，怎么以为我是你女朋友？”

陆一连连摇手，“没有没有，我就说你是我的朋友。他们没见过我把女孩子带回来，所以都误会了。”

“那你为什么把我带来，存心让他们误会？”方灯板起脸。

“对不起！我也不知道为什么，就是很希望今天能和你，还有我的家人一起好好吃顿饭。”他一脸愧色，“今天是我三十岁生日。我爸爸死后，直到上大学前，我一直是住在大姑家里的，他们一家都是好人。”

“我呢，你叫上我，也因为我是个大好人？”方灯故意逗他，看他什么时候肯把摆在脸上的心思亲口说出来。

谁知道陆一低头笑了笑，又有些羞赧地回避了这个问题。

方灯也笑道：“既然你家里人都把我当成你女朋友，来，小一一，说说他们都是怎么评价我的？”

陆一被她叫得浑身别扭，但还是说道：“佳佳很喜欢你，说长大要变成你这样。大姑父和表姐夫说我眼光不错，运气更好。嗯，表姐怕我不一定养得起你，她说你的衣服和包都不便宜，是这样吗？”

方灯笑而不语。

“大姑也觉得你不错，没想到你还能干家务活，她问我什么时候能把你娶过门。至于奶奶……”

“老人家怎么说？”方灯被他的那一下迟疑勾起了好奇心。

“她说你长得太好看，怕我留不住你。”

“恐怕她是说我像狐狸精，让你离我远一点吧。”老太太打量着她，在陆一耳边叨叨时，方灯可以从她的嘴型和表情猜到八九分。

“人年纪大了，脑子里反而都是奇奇怪怪的固执念头，你别往心里去。”陆一忙说。

方灯做了个狰狞的表情，“那我下次把脸画丑一点。”

陆一脱口而出，“有用吗，如果你不那么好看，我就能留得住你？”

“恐怕你到时未必愿意再多看我一眼。”方灯仿佛没看到他的红脸。

陆一想了想，说道：“你信吗，第一次在殡仪馆遇到你，让我印象更深的是你对我说的话，而不是你的脸。”

“我说什么惊天地泣鬼神的话了？”

“你忘了？你说不管我愿不愿意，该发生的事不会因为我的心思而改变，与其

逃避，还不如勇敢点，睁着眼睛看它发生。后来我越想越觉得你是对的，看恐怖片最要命的时候我也不会闭着眼，所以，长得再丑的人站在面前我都不怕。”陆一半开玩笑地说道，“亏我还一直相信你叫傅镜如，你是怎么想出这个名字的？”

“随便瞎想呗。”方灯说，他们已经走到了停车的地方，“没什么事的话，下午我去店里转转。”

“我送你。”陆一连忙说。

方灯扑哧一笑，“拜托，开车的人是我，你怎么送？”

陆一难堪的时候嘴角的酒窝就更深了，方灯很少见到男孩子的酒窝长在那个位置，其实还挺可爱的。

“我坐你顺风车送你，再打车回家也是可以的。”陆一讪讪道。

方灯靠在车门上，好奇地问：“陆一，你不开车，不会是因为你长大了还是个路痴吧。”

她的疑问也不是完全没有道理，像他一般年纪的年轻男子，收入条件都相当的情况下，很少人像他一样，出入总选择公共交通工具，要不就步行，连个驾照都没有。

陆一沉默了一会儿，说：“我爸妈都是车祸去世的，我妈妈出意外时，肚子里怀着我妹妹。还有我外公外婆，他们去旅游的时候，坐的游船出了事故。邪门吧，我也那么觉得，我们一家人好像都躲不开交通事故，我真的怕了。你笑吧，没关系。”

方灯笑不出来，她想起了陆宁海被卡在变形的车厢里，嘴巴吐着血沫的场景。要是当时她不在车上，或者她再努力想办法拉他一把，今天的陆一是否就不会落得双亲俱亡的下场？

“对不起。”她看着他说道。

“为什么说对不起，我自己也觉得挺好笑的，有句成语就是形容我这种人的，对，因噎废食！”

方灯摇头，“我不是说这个。陆一，你知道你爸爸出事的时候我是在场的吧。我没能把他救出来，很抱歉，真的。”这是她心中一直想对陆一说的话，只不过她没说完的是，在最佳的营救时间里，她在想尽办法毁掉有关傅镜殊身世的秘密。正是为了这个，每次她接近陆一，心中就逃不开一阵不安。

陆一面露惊讶，似乎没想到她会这么说。

“那就是一场意外，怎么能怪你？开车的人是我爸，还连累你受了伤。假如没有那场意外，我们说不定会是一家人。你原本可以有个家的，结果出了事，又回到孤儿院，什么倚靠都没有。我有大姑一家的照料，反而还幸运一点。那时候起，我一直很希望看到你过得好……”

陆一没有把话说完，因为身旁的方灯忽然踮起脚尖，给了他一个轻轻的拥抱。

“你是个好人，陆一。你奶奶说得对，你该离我远一点。”方灯在他身畔喃喃地说。

可陆一什么都听不到，此时他的感官被贴近的体温和近在咫尺的发香所占据，恍然间像一场梦，直到方灯抽身，他也没有来得及伸出手回应，后悔得恨不得抽自己。

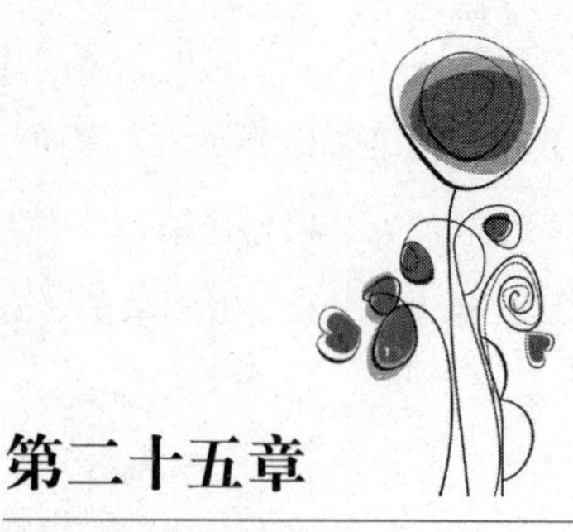

第二十五章

最好的味道

方灯最终没去成店里，她听从陆一的建议趁周末四处去走走，走着走着就到了通往瓜荫洲的轮船渡口。

陆一遥遥指着远处小岛的绿荫间冒出来的尖顶房子，“那就是大教堂？”

方灯点头。

“我妈妈和外公外婆是马来华侨，他们都信教。我爸不是教徒，但是自从我妈去世后，他常常带我来这里，也是这样指着教堂的屋顶对我说，我妈妈一定是听从她信仰的上帝召唤，去了天堂。你说，信教的人和不信的人死后会去同一个地方吗？我真怕他们没有办法在天堂团聚。”陆一说。

方灯回答道：“这个问题你只能去问上帝。”

“也行啊，那我就去问他老人家。你想不想陪我去岛上？有个瓜荫洲的本地人陪着一起，上帝可能就不会骗我。”

“上帝又不是瓜荫洲的土地神。”方灯嗤笑。她本不愿意上岛的，尤其是和陆一一起。但是她愿意听他多说一些他爸妈的身前身后事，这样或许就能对他父亲遗物的去向多点了解。她现在急不可待地想要把东西弄到手，这样傅七就没了后顾之忧，她也解脱了，从此远离陆一，不用再为欺骗了一个善良的人而不安。

他们在大教堂坐了好一阵，上帝当然没有回答陆一的问题，但他依然为方灯此时在旁而深深地感谢了主。出了教堂不远就是圣恩孤儿院，陆一问方灯愿不愿意再到里面看一看，方灯拒绝了。

陆一也没勉强，他也明白有些故地，人们是不愿意重游的。他随着方灯继续往前走，听着孤儿院里传出来的儿童嬉笑声，说道："我也够傻的，在见到你之前，一直都以为我爸收养的是个'小妹妹'，谁知道你只比我小一个月而已。你还没告诉我，你和我爸是怎么认识的？"

方灯骗他道："这个我也不清楚，你爸提出要收养我时，我也很意外。大概是他觉得我可怜吧。"

陆一不疑有他，点头说："我猜也是这样。那么说起来，你和我们父子算不算有缘分？"

他说完还不经意地看了方灯一眼，殊不知这样的话在方灯听来充满了嘲讽意味。有缘分不假，可是福是祸只有天知道，说不定有一天，他会和他死去的父亲一样，为了这孽缘而悔不当初。

"我爸爸平时看起来很严肃，其实他是个很好的人，不仅是对我，他对很多弱势的人也一样关心，总是想帮助他们。我记得有很穷的当事人来向他求助，他一分钱不收也愿意替人打官司。他总是说，这个世界是存在公平和正义的。从小他就是我的榜样，我一直想做一个像他那样正直、高尚，对周围充满善意的人。"

方灯掩饰住了嘴角的冷笑，她不想去破坏一个父亲在儿子心中的崇高形象，她低头去看脚下的青石路面，说："如果是这样，老天真是没长眼睛。"

陆一微笑，"虽然我爸不在了，但他还是让我认识了你，我相信他那时一定是真心想要给你一个家和安定的生活。要是他能看到我们……成为朋友，他会高兴的。"

"也许吧。"方灯淡淡地说。

因为周末的关系，瓜荫洲上游人不少。方灯许久没有上岛了，这里已发生了不

小的变化。随着近年来岛上旅游业的大力开发，各式各样的酒店和咖啡馆遍地开花，许多和傅家园差不多时代的老房子都被人改建，向游客开放，或成了家庭旅馆。圣恩孤儿院的门口往后退了几米，外面被几家很有小资情调的手工店和蛋糕店占据，老杜的违章搭建房也被拆除了，取而代之的是一间小超市。她栖息过的阁楼当然更不复存在，风雨不改依旧如初的也只有傅家园。

“方灯，进孤儿院之前，你住在岛上的什么地方？”陆一好奇地问。

方灯指了指小超市，“就是那里，我们租了二楼的一个小隔间。”

“可惜不知道以前是什么样的。”陆一有些遗憾。

“有什么可惜，反正是破破烂烂的。”

“那时你会想到今后的自己是什么样子的吗？对了，你为什么想到去开布艺店？”陆一仿佛对方灯的一切都充满了好奇，恨不得把她的前世今生都弄个清楚。

方灯不由自主地慢下脚步，看向不远处的傅家园，“我喜欢布艺的东西给人的感觉，像家一样。”

她又说了谎，她心中的归宿其实只是一扇覆盖着猩红色绒质帘子的小窗，在梦里，她无数次都在朝那扇窗奔跑，等她到达目的地，眼前却永远只是一个逼仄的楼道和低矮的阁楼。傅家园人去楼空之后，里面荒废得更厉害，许多陈设和装饰品都被撤下了，原本垂在窗前的帘子也不见了影踪。方灯成年后，曾四处寻找相同质地和颜色的替代品，始终未能如愿，误打误撞地就开了家布艺店。后来她才知道，她是不可能再找到和当初一样的窗帘的，因为就连她记忆里站在帘后的人，都不是过去那个样子了。

“我也那么觉得。”陆一附和。他也瞧见了前方的傅家园，不管它怎么颓败，都是瓜荫洲这小岛上不可取代的存在，没有人在走过时能将它忽略。

“这么多老房子都被翻新改建了，你说为什么最有名气的傅家园反而被荒废在这里？不知道这家的后人会不会觉得心疼，我看过关于岛上的一些资料，当年的傅家园据说风头无二。”

“可能他们也有不得已的苦衷吧。”方灯说。

陆一表示同意，“我以前也听我爸说过，越是过去鼎盛的大家族，留下来的老房子产权就越复杂。方灯，你以前住在傅家园附近，有没有听说过它的一些传言？”

“什么传言，不就是一座破园子！”

“我听说傅家园是岛上有名的鬼屋，一到晚上就阴风恻恻的，还有人叫它狐家园，你知道是为什么吗？你住对面的时候有没有害怕过？”

“当然害怕，里面有个女鬼，每到月圆之夜就披头散发地从枯井里钻出来，绕着园子哭哭啼啼的。”方灯吓唬他道。

陆一是个大男人，当然不会被吓到，他笑道：“你就编吧，我也觉得这些神神鬼鬼的都是以讹传讹。”

方灯和他在对面的小超市买了两瓶水，她想到了什么，忽然说道：“我给你讲个关于傅家园的故事吧，这个倒不是我编的。”

她坐在小超市门口，一边喝水，一边将小春姑娘那个关于小野狐和石狐的故事娓娓道来。陆一听得很专心，末了，他说：“这个比你刚才讲的枯井女鬼更恐怖。”

“恐怖吗？”

“你说呢。女鬼什么的聊斋里听多了，但是你说的这个故事往深处想，会让人心里很不舒服。小狐狸把心都掏空了给石狐，不但没有得到它想要的伙伴，反而得替它受千年雷罚和孤寂之苦，这太不公平。还好它没心，有心也凉透了。”

方灯笑道：“公平？你相信这世间还有公平？”

“当然！”陆一很坚决地说，“世界上当然是有公平和正义存在的，好人就该有好报——好狐狸也一样。”

方灯不以为然，也只有他这样从小沐浴在阳光里，心思纯良的人才会相信这些鬼话。

“故事而已，听过就算了。”

“这个故事是谁给你讲的？”陆一问。

“我忘了。”方灯含糊地说。

“我觉得这个人没有把故事讲完，没理由是这样一个结局。”

“你又犯轴了吧。”方灯笑笑，打趣说，“莫非你要给它接龙？”

陆一也笑，他拿着矿泉水瓶，还真的想了一会，说：“要我来接这个故事的话……

即使石狐再也不回来了，也没理由让小野狐那样孤单下去，一千年那么长，总有别的什么出现吧……”

“比如说一只土拨鼠，或者一条虫什么的？”

“你就不能说个好听点的？”陆一笑得孩子气，“你让我想想，鸟类最喜欢到废园子里逛了，没错，就是鸟。”

“后来，来了个鸟人？”方灯一口水差点没憋住。

“你要听我的故事接龙就认真点。”陆一故意摆出警告的神情，“就假设是只云雀吧。”

“为什么是云雀，云雀长什么样？”

陆一笑着说：“你别那么多为什么呀，反正云雀是好鸟……哦，益鸟！你别笑，听我说完。石狐走后，有一天，园子里飞来了一只云雀，它看到小狐狸很孤单，就每天飞来，在树梢给它唱歌……”

“凭什么呀？！”

“啊？”陆一被她说得有些莫名其妙。

方灯说：“你这个故事有漏洞，那云雀凭什么对小狐狸那样好，还天天唱歌！”

“我说你这个人呀，就是容易把什么都想得太坏。那你说，小狐狸又凭什么把心给了石狐？”陆一不服气地说。

方灯一愣，她倒没想到这个。

“因为小狐狸和石狐狸起码算同类！”她强词夺理。

“谁说不同种类就不能有共鸣？反正我的故事就是这样，云雀每天给小狐狸唱歌，还用嘴给它梳理毛发。小狐狸又有了伴，它的心好像活过来一样。”陆一很满意自己的接龙。

“空了的心怎么活过来？”方灯鄙夷道，“你爸妈以前没少给你讲童话故事吧，我看你就是中了童话的毒！”

“我不明白你怎么想的，方灯，相信世界上有美好的东西就这么难？”陆一固执起来也是很让人吃不消的。

方灯站起来说道：“真有那么多童话，怎么不见天上掉下个公主来拯救你这样的大龄技术宅男？”

陆一心里想说：“你怎么知道没有？”但到底说不出这样直白的话，只好继续低头笑着。

被他这么一搅和，方灯的心情居然好了不少，她沿着傅家园的墙根一路绕到后面，过去无数次她都是从这里进出傅家园。

“你想亲眼看看那个狐狸雕像吗？”她回头莞尔一笑，脱掉了高跟鞋。

“想啊……喂，你不会想翻墙进去吧？千万别，当心被人看见。”陆一环顾四周，他想不到方灯会这样大胆，没有做过坏事的人自然心里紧张。

“怕被人看见就别出声。”方灯庆幸自己今天穿的是裤装。其实她再清楚不过，老崔被傅七送到美国养老之后，这园子里哪还有半个活人。她多年没干过这勾当了，起初还觉得不太好使力，适应了一会，发现身手犹在，没几下就矫健地翻了上去。

陆一眼见佳人爬墙，不由大跌眼镜。只见方灯逍遥地坐在墙头，拍了拍手上的灰，示意他照做。

陆一小时候连迟到都没试过几回，别说是翻墙爬树了，不过一个弱不禁风的女人都能爬上去，别说一个大男人了，他正犹豫要不要脱鞋。

“哎，鞋脱下放哪呀？”他压低声音说。

面朝园子的方灯却没有回答他，片刻之后，没等他把鞋子脱下来，她就无声无息地跳回他身边，穿上鞋子就走。她眼里再没有了不久前的光彩和灵动，整个人失魂落魄一般。

“方灯，你怎么了？”

陆一忙追上去问。

方灯越走越快，仿佛身后有恶鬼追随。她始终没有告诉陆一刚才那一霎，她到底看到了什么。

“你小心。”傅镜殊走在傅家园通往后院的小径上，那里的野草已经没过了他的小腿，他了解这每一寸草下藏着的每一寸秘密，可身后穿着短裙和高跟鞋的来客就未必了，所以他不得不回头提醒一声。

当台湾“塑成”的贾家正式向郑太太提出结成儿女亲家的想法后，两边家长都表现出高度的热忱，极力想要撮合这桩美事，恨不能立即让他们走进结婚礼堂。

郑太太是见过那个女孩的，当时她和父亲前往马来西亚造访，傅镜殊因为公事滞留美国。他回来后，听郑太太对那女孩赞不绝口，说她既漂亮又开朗，而且一看就知道是从好家庭出来的，又洋派时髦，举手投足间也自有分寸和教养。

老太太认可的事，傅镜殊自然不好再说什么。两家人的意思都是希望趁早让他们见个面，相互了解了解。可一来傅镜殊实在是公事缠身，那女孩又整日满世界地跑，想找到合适的碰面机会不容易。恰好这一次，傅镜殊需要回来为那块商业用地做前期的筹备，那女孩也在当地的大学里做短暂的游学深造，两边家长便让他们找机会在国内碰个面。在他们看来，这也算是一种“比较开明”，且容易被小辈接受的认识方式。都是年轻人，又有相似的家庭环境和求学教育背景，人品才貌也很是相当，即使不能马上擦出火花，至少是不缺共同话题的。

傅镜殊处理好手头的事情之后就给女孩去了电话正式提出邀约，对方也并没有表现出意外，只不过她主动将会面的地点约在了傅家园，这多少有些出乎傅镜殊意料。然而他想到她父亲对老别墅的狂热，有其父必有其女，也就在情理之中了。

出于礼貌，傅镜殊先陪对方在岛上用过了午餐。那个叫明子的女孩确如郑太太所说那样年轻明艳，难得的是她并不似傅镜殊过去接触过的一些“名媛”，要不就是全盘洋化，要不就太过矜贵，她开朗，有活力，行事落落大方，倒给傅镜殊留下了不错的第一印象。

饭后傅镜殊就带着明子去了傅家园。老崔离开后，郑太太也没再费心请人打理园子，眼前就任它荒废，她一直相信在自己有生之年会看到傅家老宅重建。这次回来，傅镜殊才发觉，原本唯一还算像样的东侧后花园也杂草丛生，不成样子了。

贾明子随傅镜殊四处走走看看，虽然是第一次来，她对傅家园的风格、装饰细节乃至建筑材料的出处和特点都能说得头头是道，颇有一番见解，看来果然受她父亲影响不浅。

她的高跟鞋走在草地上难免吃力，留心着脚下，眼睛却止不住地四处打量，仿佛舍不得漏掉任何一处细节，话语里也满是赞叹向往。

“以前我爸爸对我说，傅家园等于是半殖民时代建筑风格的浓缩精华，我还不肯相信。你们怎么忍心让这么好的一个地方变成现在这个样子？！西楼都快看不出原来的面貌了，东楼还好一些，前院和两个小花园更是可惜了。”明子感叹道。

傅镜殊说：“一言难尽，当初我家里人离开时也是迫于无奈，后来的局势和政策谁也预料不到。现在房子是收回来了，但是傅家的人多半都不在国内，大房二房三房的人多得很，产权也复杂，大家各有心思，想重建也不是件容易的事。如果不是你爸爸神通广大，居然能说服二房那么多人都签了同意书，恐怕还不知道要荒废到什么时候。”

明子说：“我爸爸第一次在台湾看到傅家园就喜欢上了，但是别人告诉他，台湾的傅家园只不过是真正傅家老宅的模仿之作，是你们家二房移居台湾后，为表示不忘本，凭印象依老宅修建的。我还只有十几岁的时候，爸爸来大陆公干，就特意找来了这里，回去之后，他在我们面前一直念叨了很久，说太遗憾了，这样一座有规模，风格又独特的老房子居然颓败得他都不忍心看。如果这房子是属于他的，不论花多少钱和精力他都愿意让它恢复原貌。我估计从那时起，他就起了买下傅家园的心思。我爸这个人，想到什么就非做不可，我听说他派人花了五年时间，一个一个地找你们二房的后人，软磨硬泡地让他们同意转让名下产权的时候，都吓了一跳。只是他没料到，后人最多的二房都解决了，在三房那里碰了钉子，你奶奶说什么都不肯放弃傅家园，还说要是卖了老房子，她到地下都不会安宁的。”

“她们那一辈的人往往比我们要更有信念。”傅镜殊为明子撩开挡在前头的野生三角梅，“如果她同意出售傅家园，我们现在也不会在这里。”

明子忽然笑着说：“你是不知道，我爸对你有多满意。天天在我面前夸你是这一辈年轻人里少见的有本事，反正什么都好。我都觉得他之前是看中傅家园，现在更看上了你。如果他是女人，说不定他会自己嫁给你。好像我不跟你见一面，就会抱憾终生一样。”

“那你呢，你怎么想？”傅镜殊轻笑。反正都已经是摆在桌面上讨论商定的事，他也不必矫情。

他等于直截了当问她的看法。要是换了旁人，这还是第一次正面接触，明子说不定以为对方这样问是很突兀的事，但偏偏这样的话从傅镜殊嘴里说出来，就有种水到渠成的感觉，好像再自然不过一般。她见过比他更年轻、长得更吸引人，家世财富也不在他之下的男人，但他身上好像有一种特殊的东西，仿佛无时无刻不在说服你，打动你，软化你，侵蚀你，让人觉得他说什么、做什么都那样天经地义。连他笑起来的样子和说话的声音，看似毫无攻击性，但你就会觉得他是对的，而且让人心悦诚服。她也终于知道自己的老父亲为什么对他如此认可。

但她毕竟不是一个轻易能够被摆布的人。虽然明子从小就知道作为家里唯一的女儿，她在寻觅另一半的时候不可能不考虑家庭的利益，但她这样年轻的女孩，怎么可能不对自己的未来和终身大事有自己的梦幻构想。

她问傅镜殊："你觉得我们听从家里的安排是唯一的选择吗？"

傅镜殊沉吟后道："他们那辈人经历过很多事，一路走过来，眼睛往往会擦得更亮。我不会因为他们的坚持而错过一个也许是正确的选择。"

"那么，你相信爱情吗？"明子绕到傅镜殊身前，认真地问。

"我只相信我亲眼所见的东西。"傅镜殊笑着反问，"你认为什么是爱情？"

明子在原地走了几步，不确定地说道："我想，爱情应该是我们掌控不了的东西，危险，又极度不稳定，你不知道什么时候碰见了它，它就砰地把你炸得晕头转向。"

傅镜殊好像被她突如其来的一声"砰"逗笑了，"你说的更像是硝化甘油。"

"你遇到过你的硝化甘油吗？"明子笑着问。

"硝化甘油也就是液体炸弹。人们遇到这样的东西，首先不是想着排除它，或者绕过它吗？"

"但我总想着，也许我这辈子应该尝尝被炸飞的滋味。"明子眨着眼睛说道，"对了，傅先生，我听说你能画一手好画，有机会能让我欣赏你的作品吗？"

"你想试试我的画能不能把你炸飞？"傅镜殊开玩笑地说。

明子说："我妈妈说过，太纯粹的商人没什么意思，我爸要是没有收集老房子的喜好，一定会无趣很多。我在为我以后可能拥有的生活寻找一些燃点。"

傅镜殊不知道她是从哪里听来自己画画的事，实际上他这些年已经很少拿起画笔，就好像种花的这一爱好也逐渐搁置了一样，太多的事让他分身乏术。他最恨，也最喜欢，或许还是最好的一幅画就挂在方灯的卧室。

“说不定过几年你会发现纯粹稳定的东西才更安全。”傅镜殊说，“还有，我叫你明子，你也不用叫我傅先生。”

“那我叫你什么？傅叔叔？”明子俏皮地笑。

“你叫我傅七吧。”

“傅七！”明子大概觉得这个称呼很有意思，笑嘻嘻地重复了一遍，忽然跺了跺脚，“痒死了，有蚊子！”

傅家园里荒草丛生，她又光着两条腿，没有蚊子咬她才是怪事。好在傅镜殊一早就提醒了她，她临时在对面的小超市买了瓶花露水。

明子忙不迭地把花露水往脚上拍，既不想这么早从傅家园撤离，又觉得蚊子太烦人。

“这味道真刺激，傅七，你闻得惯花露水的味道吗？”明子苦恼地问。

她弯着腰，长发披泻在肩膀，遮住了大半张脸。六神花露水特有的味道萦绕在身边，浓烈却又清凉。傅镜殊听见那一声“傅七”，忽然生出一种错觉，仿佛下一秒，她就会微仰起脸，将湿漉漉的头发贴在他的胸口，身上也是这样若有若无的花露水气味，颤声说：“小七，总有一个人是比较傻的……”

久违的傅家园让傅镜殊一瞬间分不清是幻是真，他心中一动，竟不由自主地伸出了手，将她的头发轻轻掠在耳后。

明子诧异地抬起头，看到他原本清明无比的一双眼睛从迷茫转为惊愕，继而流露出几分抱歉，却都比之前要柔和了许多。

“你也讨厌这股味道？”她不解地问。

傅镜殊摇头，“这是我闻过的最好的味道。”

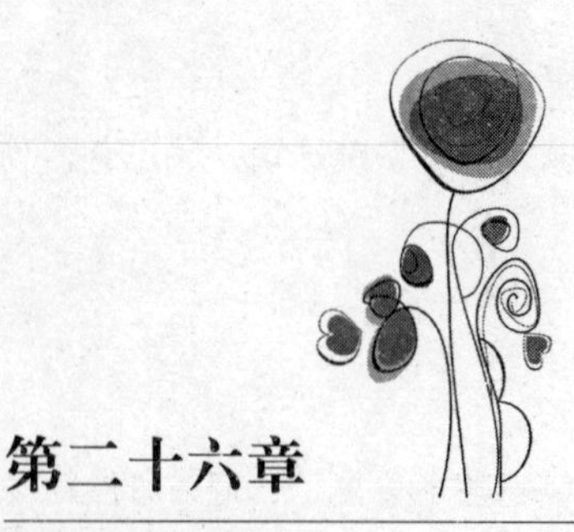

第二十六章

谎言大冒险

返程时，方灯怎么也找不到她的船票，也不知道是不是翻墙的时候弄丢了。陆一替她去补票，因为是周末，上岛的人很多，售票窗口前排起了长龙。方灯看到有个提着行李的年轻女孩，典型游客打扮，也站在排队的行列中，眼看就要轮到她，面前那个售票窗口却忽然关闭了。原来她正赶上了售票员交接班。女孩一脸郁闷，却无处宣泄，只得转向另一个行列，还站在了队伍排队等候的最末端。

方灯觉得人的一辈子其实也相差无几，选错了一个人，或者走错了一条路，就如同在人潮涌动的渡口排错了一个售票窗，等啊等啊，千辛万苦，终于以为该到自己了，前面那个人买走了最后一张船票，看似只差一步，但转向别的队伍已然太迟，很有可能最后一班船远去，最后空荡荡的渡口只剩下了自己一个人。

她一再地试图说服自己，傅七在这个时候结婚是正确的，一如他过去的很多决定。这一天对于他们来说根本无法避免，她不是早就想通了？她付出一切，不就是盼着他俩之中至少有一个人是得偿所愿的吗？可是到了刚才那一刻，她坐在墙头，亲眼目睹他和那个女孩并肩站在园子里，他低头看向对方的神情是那样温存，她才发现自己并没有想象中无私。他会幸福吗？她拼尽了自己换来的这种幸福，原来与她并无半点关联，空了的心里无望的回响，尤甚于亲手撕扯下它时血淋淋的疼痛。

离开了渡口，方灯还是和陆一一起去吃了晚餐。陆一很小心，试探地问过一遍是否自己让她不快，换来方灯的否认和沉默之后，就没有再提。饭后，方灯提出他们可以去喝几杯，陆一很为难，他说自己酒量太差，怕一杯就倒下，到时恐怕无人陪伴她。方灯嫌他婆婆妈妈，折中之后，决定回到他家慢慢再喝。

陆一家其实只有一瓶酒，绍兴的花雕，放在厨房炒菜时用的。方灯也不介意，她回了自己的住处一趟，下来的时候把各色酒瓶往陆一的茶几上一放。陆一眼睛有些发直，从红酒到威士忌再到茅台……连二锅头都有。

开始的时候他们决定随意，但方灯连干了两杯烈的，正想招呼陆一碰一杯，却发现他已经双颊酡红，托着头做不胜酒力状。

“我喝多了。”陆一痛苦地说。

方灯瞄了眼他面前的高脚杯，莫名地就有一种骂脏话的冲动。

“靠！不就喝了三分之一杯的红酒吗，你干脆说你酒精中毒算了！”

陆一此刻的大红脸还真的分不清到底是不好意思，还是酒精给闹的。他连连摆手，“我的酒品没有经过验证，所以我不确定我喝醉了会不会胡说八道。”

方灯斜睨着他笑道：“那我们就来胡说八道。你听我的，我们玩个好玩的游戏，叫谎话大冒险。”

陆一端着酒杯迷茫地说：“我只听说过真心话大冒险。”

“真心话太可怕了，谎话才好，说什么都可以。谁要是不信对方说的话，就自饮一杯，至于喝什么酒，就随便好了，反正你吃不了亏。开始了，我先来。我说我是个男人，你信不信？”

陆一苦着脸道：“你这个游戏一点道理都没有，要是我们都满嘴胡诌，不是存心找酒喝吗？”

“聪明！”方灯击掌表示同意，“这个游戏的精髓就是喝酒，让女人省事，让男人不省人事。别磨叽，你信不信我刚才说的话？不信就快喝一杯。”

陆一见她难得兴致高昂，不想扫兴，犹豫了一会儿，笑着说：“好吧，我当然不信。”

他皱眉将自己面前那大半杯红酒一饮而尽，喝完后表情复杂。方灯很满意，赞许道：“这才痛快。轮到你了！”

对于诚实的孩子来说，说谎话反而不是件容易的事。陆一思考了片刻，才说：“我……吃喝嫖赌样样在行。”

方灯大笑，当即满上了自己杯子里的威士忌，陆一还想阻拦，用自己的红酒来换。

“喝这个就行了。”他的手被方灯毫不留情地打开，只得又说道，“意思意思行了，不用倒这么满。”

方灯像没听见他说的一样将酒喝个底朝天。

“再来。”她说，“我有个幸福的童年。”

陆一想了想，又喝了一杯。

“我没有因为我爸的意外而难过。”

“我不认识你爸爸。”

“我不怕任何交通事故。”

“我的名字就叫傅镜如。”

“我从来没有给你写过信。”

……

方灯面前的酒消耗得很快，陆一骑虎难下，手边的红酒瓶也空了一半，他开始慢慢松开了因喝酒而微微皱起的眉头。有句话说得好，虱子多了不痒，债多了不愁，酒多了……也不醉，哪怕他连话都快说不清楚了。

方灯却越喝越清醒，她平静地将游戏继续。

“我今天过得很开心。”

“不对，这是假的，你不开心，我喝！”现在的陆一豪爽了不少。

方灯对他竖大拇指，“像个男人！”她说着，低头正打算倒酒，却听到陆一说：“又到我了。我是个男人……”

方灯一听这话，就知道他喝得已经糊涂了，笑着戏谑道：“看你这话说的，我是该喝还是不该喝呢？”

“不是，你等等。”陆一摇摇晃晃地给她倒了一杯，“刚才那句不算……”

“你耍赖皮了吧！”

“谁说的，我只是没把话说完。”他吐字有些艰难，但方灯依旧能够听得清楚，“我是个男人，应该把话说清楚……方灯，我一直都喜欢你。”

方灯正伸手去拿那瓶二锅头，他这话说出口，她的手一僵，慢慢地坐了回来。她能感觉到，陆一在目不转睛地凝视着她，那双眼睛里有酒醉后的血丝，也有酒醉后的勇敢。

她把酒放到唇边，只抿了一口，又放了下来。或许也是酒精烧灼的缘故，方灯的喉咙竟也有些发痛，她一定也醉了。

“可我一直都在利用你。”方灯哑声道。

陆一拿起酒就喝，被方灯拦了下来，她的动作太急，酒杯瞬间倾翻，鲜红色的液体洒在浅色的木质地板上，看起来触目惊心。

“你应该相信我这句话。我接近你，只是想从你这里得到我要的东西……”

陆一一愣，茫然地看了她许久，继而才笑着道：“你又骗我，装得越来越像，不就想让我喝酒，我喝就是了。”他对着酒瓶喝完了剩余的红酒。

方灯本想说什么，看他执意如此，点点头，自顾陪了一杯。

陆一喝完那点酒，几度欲呕，整个人软倒在沙发上，任方灯怎么叫都不肯起来。

“嘘，让我闭着眼待一会儿。我醉了，方灯。”他呓语道。

方灯呆呆坐在他身边，良久，才低声地回了句，“……我也是。”

明子和傅镜殊在傅家园门口道别。明子执意不用傅镜殊送她，她说自己喜欢这个岛，想一个人在岛上好好住上几天，也谢绝了傅镜殊让手下人替她安排的美意。以一个纯粹外来者的角度到处走走看看，也许会别有一番滋味。

傅镜殊晚上还有事，也没有勉强，临别前他们约定好要保持联系，好让两边的家长放心。明子自己找了个老别墅改造的旅馆住了下来，每日慢悠悠地把她感兴趣的建筑物细细看个遍，闲来喝杯咖啡，吹吹湿润的海风。一周下来，日子过得倒也

惬意。

准备离岛的前一天下午，明子从大名鼎鼎的淑正公馆回来，去超市买水，出来时看到了一个眼熟的侧影。

那时她前方正好有个导游举着小旗带旅行团经过，一群人浩浩荡荡地横挡在她的面前。明子双手拢在嘴边，试图压过导游扩音器的声响大喊道："喂，阿照……阿照，苏光照！"

那人从蛋糕店旁的小径走出来，头也不回地朝相反的方向走。明子喊了几声，有些气馁，犹豫着是否该追上去，却看他似乎闻声停了下来，面带疑惑地回头看，想来只看到了一大群穿着红色团服的老年团员。

明子怕冲撞了那帮老人，不敢冒失，只得艰难地从人群的缝隙中穿行，还不忘一边朝阿照挥手，"阿照，这里！"

他一定是看见了她，疑惑的神情很快被意外所取代。

"咦，你不就是那个'假名字'？"阿照认出了这个不久前的"艳遇"对象。

明子越过了旅行团，几步跑到他的身边，脸上洋溢着满满的笑意，却要装作不高兴的样子纠正道："什么'假名字'，我说过我叫'明子'，'决明子'的那个'明子'！"

阿照好像越听越糊涂，"决明子又是什么东西？"

"决明子是一种草籽，用来做枕头的，有清肝明目的功效。"明子心情好，不厌其烦地解释道。

阿照恍然大悟的样子，"你直接说，决明子就是谁睡了'它'都准没错的好东西不就行了。"

明子本来想点头的，忽然又觉出他话里意思不对，佯怒地在他胸口捶了一拳，"你这流氓，小瘪三，居然敢占我便宜！"

阿照笑得露出一口白牙，闪避道："哎呦，你下手真狠！别闹了，你怎么跑这来了，一个人？"

"你还好意思说，几个月前是哪个说话不算数的家伙答应要陪我逛瓜荫洲来着？亏我还傻乎乎地等了一天，以为你真的会给我电话。"明子想起了之前的事，当即要找他算账。

“我想给你打电话的，没骗你。谁知道第二天我哥有急事找我，我实在是没办法。”

“你哥的事就是急事，我就无关紧要是吧？难怪别人都说，兄弟如手足，女人如衣服！”

“你算我的女人吗？再说你那口红中看不中用，一不小心就蹭掉了，这个真不怪我。”阿照没个正经地说道，“再说，你也就等了我一天，又不是等了我一辈子。大不了我赔你一天好了。别生气了，决明子！”

“你再不好好叫我的名字，我也要拿你的开玩笑了。阿照阿照，你是不是回光返照的‘照’？”明子看他露出气闷的表情，心里才舒服些，“我说只等了你一天，那是因为没过多久我爸就把我召回台北了。”

“这不就结了，我们两个都没错，上次是不凑巧。我们不是又碰见了吗，这证明有缘的人是怎么也打不散的。”

这话明子爱听，她原本也不是真的生气，于是很快换上了笑颜，好奇地问：“你不是早就不住岛上了，今天来这里干什么？”

阿照指指蛋糕店的后头，“那里面有个孤儿院，我就是在那长大的。今天过来给他们送点东西。”

明子闻言，一副刮目相看的样子，眼里也多了几分赞许，“想不到你看上去像个小瘪三，其实还挺有爱心的。”

阿照本来想坦白，他是替七哥来的，给孤儿院送赞助是傅家几十年的惯例，在傅镜殊这里也延续了下来。但他转念一想，明子又不认识七哥，七哥的事，也就是他的事，何必那么认真去否定一个漂亮女孩对自己的认可呢。于是他理所当然地顺从了男人的那点小虚荣，手一挥，举重若轻地道：“这有什么，我本来就是从里面出来的，回来看看也是小事一桩。倒是你，怎么一个人跑岛上来了？”

明子愁眉苦脸地说：“我说我是来相亲的，你信不信？”

阿照当然不信，“什么年代了，还来这一套！你这样正点的妞，用得着相亲吗？”

“你这算是夸我？”明子露出一丝笑容，“可惜我家里人不这么想，总希望我

按他们的喜好，找个靠谱的男人结婚。”

“你的家人是从古时候穿越来的吧，要不就是你家特有钱，千万亿万家产不能不好好打算，这才让你找个门当户对的对象。”阿照眯着眼睛打量明子身上的长T恤和人字拖，信口打趣道。

明子笑嘻嘻地说：“算你猜对了，你不会绑架我吧？”

阿照夸张地说：“我怕你家里人不肯赎你，你赖上我怎么办？既然是来相亲的，你男人呢？对方没看上你？”

“什么呀！”明子瞪着眼睛说，“我还不一定看上他呢！”

“为什么，他是不是又老又丑，瘸了条腿，家里有五个孩子，身上还带着狐臭？”

明子笑出声来，“也不是，他其实挺好的。就是什么都太好了，让人挑不出一点毛病，好像……好像假人一样。和这样的人一起生活，我一刻也不敢放松对自己的要求，要不就显得我哪都是毛病，这样多累啊。”

“你这不是犯贱吗？”阿照避开明子的“搜魂腿”，笑嘻嘻地道，“太好的你不敢要，那我这样的好不好，有血有肉，如假包换。”

“你就做梦吧。”

“对了，你一个小台妹，跑这相亲来了，难道对方是岛上人？说出来我说不定还认得。”

明子知道阿照自幼长在这里，她不愿说出对方是“傅家园”半个主人的身份，这样他要不然就是不信，相信了反而对她的家世产生过多好奇想法，这样反而没劲。她眼珠转了转，说：“老提这个干吗？你不是说要赔我一天，这次可不许再骗我了。快说，你怎么赔？”

阿照想着晚上七哥应该不会用到自己，当即就爽快地说道：“你既然来了瓜荫洲，那就跟着我混吧。”

正百无聊赖的明子欣然听他安排。阿照把明子带去了岛上人开的一家火锅店，先把肚子填饱是要紧事。火锅店藏在菜市场附近的一条小巷子里，店面门不大，装潢得也不怎么样，但来的都是岛上居民和慕名而来的老顾客，大热天的，一进去只觉得热气缭绕，吃客们挤挤挨挨地坐满了十几张小方桌，外面还有好几个等位的。

“我最喜欢火锅了。”明子也不嫌弃这地方小，满脸雀跃欣喜，“可是这么多人，得等多久啊。”

阿照挤到一个老板模样的中年人那里耳语了几句，又朝一旁等待的明子挤了挤眼睛，老板心领神会地笑了，拍拍阿照的肩膀，硬是让服务员在角落里给他们加了张小桌，恰恰能坐下两个人。

明子随阿照坐下，服务员麻利地上了锅底。明子吸了吸鼻子。

“还挺香的，我在岛上快一星期了怎么不知道还有这地方？”她见阿照一脸得意，忍不住打击道，“你就这点能耐？”

阿照一抬下巴，笑着说：“你等着看吧。”

说完他就没了影，三下两下转进了后厨，许久都没有出来。

就在明子疑心他从后门溜走了，自己又被涮了一次的时候，阿照手里不知拿着什么东西又回来了，站在他们的小桌旁，揉了揉手里白乎乎的东西，明子这才看清楚那是个和好的面团。

她还没来得及问，阿照就忙活开了。两手一分，将面团拉得老长，然后一转身，面条像京剧演员的水袖一样荡开，险险掠过明子的头顶。明子惊叫一声，缩了缩脑袋，东西也顾不上吃了，直愣愣地看着阿照现场表演他的扯面绝活。只见他一时抬手，一时扭腰，好似跳一种奇怪的舞蹈，面条也在他手里听话得很，灵蛇般飘来晃去，伸缩自如，看似惊险，又游刃有余。

旁边吃火锅的食客也纷纷停下筷子扭头来看，不时有人叫好。明子从电视上看过这个，但身临其境还是头一回，尤其这表演的人还是她认识的，兴奋得连连拍手叫好。阿照也很是得意，手下的动作越来越花哨，面条飞得越来越远。就在他准备收手享受明子的谢幕欢呼时，飞出去的拉面荡上了隔壁桌一个中年胖子的头发，随着他收手的动作，一团黑糊糊的东西被面条带了回来，再一看，原本顶着一头乌油油黑发的胖子头上只剩下个油光锃亮的光瓢。阿照双手捧着面条和纠缠在其中的一顶假发，好像也被这突如其来的状况搞蒙了。

和他同样不知所措的还有那个秃顶的胖子。周围安静了几秒，明子最先憋不住地笑弯了腰，很快一旁笑声四起。胖子摸着头顶，最初的惊愕过后是火冒三丈，他

冲上前要与阿照理论。阿照自知理亏，弯腰道歉，作为补偿，他还态度恭敬地想把假发重新套回胖子的头上，殊不知那假发上全是拉面，胖子歪歪斜斜地顶着这一头乱糟糟的东西，只有更加滑稽的份。

附近的人笑得更厉害了，胖子恼羞成怒，取下假发朝阿照脸上一扔，举起拳头就要砸下来。阿照赶紧闪避，挪移间又碰倒了另一侧的桌子，汤汁倾倒，那一桌人发出了惊叫声。眼看情况越来越失控，阿照把扑上来的胖子推到一旁，拉起还在"咯咯"笑个不停的明子就往厨房的方向跑。

他们穿过厨房的后门跑进了另一条小巷，阿照对这一带了若指掌，东拐西绕地跑了一阵，确认身后没有人追过来，他才靠着小巷旁的围墙气喘吁吁地笑。

"你这不干好事的小瘪三，换我是那个胖子，我非揍死你不可。"明子也拍着胸口，笑得直呼肚子疼，"可惜我还没吃几口火锅呢。"

"还想着吃，再不走把店砸了，老板非杀了我不可。"阿照无奈道，"打死我也不知道他戴的是假发，真他妈倒霉！没事，下回我再给你表演个更精彩的。"

"你怎么会这一招？"

"嗨，我以前什么没做过。"阿照满不在乎地说。小巷里的斜阳投射到他年轻的脸上，每一滴汗水都是亮晶晶的。他抹了把脸，却在面颊上留下一道面糊的痕迹，显得整个人更有种大顽童似的无辜。

他就是个小瘪三，明子心里想，可这样一个小瘪三仿佛对一切都满不在乎的笑容仿佛点着了她身体里埋藏的某根引线。她含笑用手指去搓他脸上的脏污，他乖乖地站在那里，睫毛微微扑扇着。明子更真切地感觉到那一路火蛇般燃烧着的引线，蔓延着，跳动着，直通到心底。

明子踮起脚尖，凑得更近。她想，她管不了那么多了。

"你想不想试试被炸飞的滋味？"明子揪着阿照的衣领呢喃道。

阿照的眼睛却看着巷口。

傅至时带着一个女人，陪伴一对年约六旬的老夫妇从那里经过。这附近就是傅至时父母的住处。岛上住惯了的人多半不愿轻易离开，几年前，他们在原址重新修建了一栋气派的小别墅，正临着海，是岛上数一数二的好地盘。

傅至时虽是阿照的死对头，但阿照也不得不承认，他是个孝子。听说每一周，傅至时都会上岛陪伴双亲，风雨不改，他妻子也是因为侍奉二老得力，先讨了长辈欢心再加上肚子争气，这才成了傅家的媳妇。

傅至时搀扶着老人，眼睛似乎朝他们的方向扫了一眼，身边的女人在和他说话，他又将视线移开。

“阿照，你怎么了？有没有听见我说话？”明子嗔道。

“什么？谁被炸飞？”阿照回神，这才领会到身畔微妙而旖旎的氛围。

“你不想吗？”年轻的女孩朱唇微启，目光如水。

阿照仿佛感觉到了傅至时再度“不经意”的回望。那王八蛋身边有老人和老婆，不敢轻举妄动，但是看到他中意过的小妞在对头怀里，恐怕会憋闷到内伤。

阿照心中暗爽，佳人在侧，也实在是让人情不自禁。他低头用力地吻上明子，含糊地说：“炸就炸吧。”

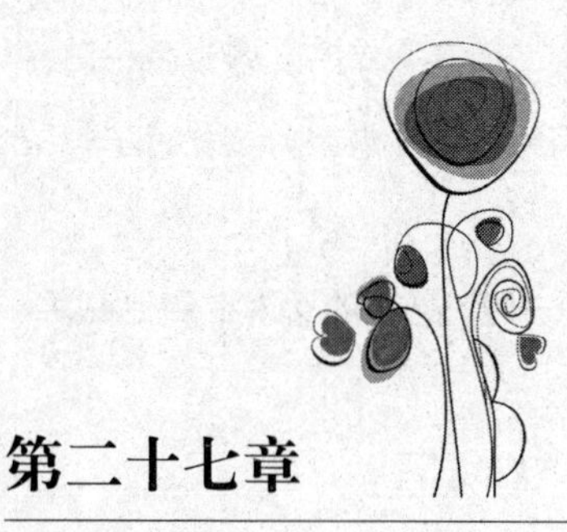

第二十七章

复杂的简单

方灯站在傅镜殊办公室的巨大落地窗前看外面的世界。同样朝向，这里的视角和她从阁楼小窗所看到的景致又截然不同，瓜荫洲和大半个城市一样都在脚下。她想象着傅七这般远眺时，心中是踌躇满志，还是惶惑难安?

秘书正打算送喝的进来，在门口被阿照截住了。阿照把咖啡递给方灯，自己坐在办公桌沿，笑眯眯地说："姐，这地方还不赖吧？"

方灯回头对他说："你们的动作挺快，短短时间就能找到这样一个地方，办公室收拾得还不错。"

"那是！有钱什么事办不到。"阿照面露骄傲，仿佛方灯夸奖的是他。跟在傅镜殊身边之后，他的人生境况被彻底改变，他崇拜着傅镜殊，并为他的每一份成就而感到与有荣焉。

"你来了也不说一声，七哥下午有个会议。他让你在他办公室好好休息休息，会议结束马上就回来。"阿照说道。

方灯点头，坐在傅镜殊的椅子上，对阿照说："你有事就去忙，用不着管我。"

"你好不容易来一趟，你的事就是最大的事。"阿照嘴上抹蜜一般，见方灯只是笑笑不语，又挪近一些，兴致勃勃地说道："姐，告诉你一件事。我最近把傅至时看上的妞给泡了，这次非把他气得半死。"

方灯闻言有些惊讶，"你怎么又跟他搅和在一起？"

"我就是看他不顺眼。他不痛快，我才痛快。"

"就算是这样，你干什么不好，偏搞些争风吃醋的事，把一个女人扯进来有什么意思？"

阿照撇了撇嘴，"反正那小妞也是自己送上门来的。姐，你放心吧，我心里有谱，也没把他怎么样，就是给他点颜色看看，总之不能让欺负过我们的人好过。"

方灯听他这么说，还是觉得不妥，警告道："你别乱来。狗咬了你一口，你难道还咬回去？"

阿照满心得意地来邀功，没想到反遭方灯训斥，悻悻地说："姐，你以前不是这样的。当初不是你教会我，对付小人就要痛打落水狗，收拾到他服气为止，不能怕，也不能手软。怎么现在你反而婆婆妈妈的？"

方灯顺手拿起桌上的裁纸刀朝他扔过去，"你少说废话。我再跟你说一次，别尽惹事，小心兔子急了还咬人。"

阿照被浇了一头冷水，脸上不服，却不敢争辩，灰溜溜地走了。方灯靠在椅背上想得出神，那些东西真的是她教会阿照的吗？她把一个懦弱的小可怜变成了天不怕地不怕的骁勇少年，自己却越来越胆怯？或许她只是受够了夹缝里泥潭中为生存、为出头而不计代价、不择手段的生活。黑暗里的人越点亮灯火就越警惕微光后的凶险，而习惯了阳光的人只要相信每天太阳照常升起，就会感到安心而满足。人为什么不能活得简单一些，那样反而容易放过自己，这才是快乐的根源，就像……陆一。

方灯闭上眼睛，头还有些隐隐作痛，都是宿醉惹的祸。她今早醒来时发现自己躺在陆一家的沙发上，厨房传来搅拌机的声音。屋子的主人见她坐起来，就端来一杯颜色诡异的液体。

"难受吗？喝完这个会好一点。"他看上去倒是显得神清气爽。

方灯头沉沉地灌了一口下去，险些没当场呕出来，“这是什么鬼东西？”

陆一说：“这里面有香蕉、芹菜、牛奶和一点点葱。相信我，这是我们家的醒酒秘方。”

“你们家的醒酒秘方就是把厨房垃圾桶里的东西搅拌在一起喝下去？”方灯被那难以言说的怪味道一激，竟然真的醒了几分，嘀咕道：“说不能喝都是假的，你的状态居然这么好！”

陆一又给她弄来了一块热毛巾，“酒品太好绝对不是个优点。”

方灯捧着脑袋说：“不行了，我现在的样子肯定半人半鬼的。我先回去收拾一下，免得吓坏了你。”

她站起来打算告辞，却听陆一在身后叫了她一声。

“方灯，你打算就这么走了？”

方灯回头说：“我们已经错过了酒后乱性的时机，而且我也不会对你负责的。”

陆一笑了起来，“你不是还没拿到你想要的东西？”

方灯本以为有些事会和酒精一块散去，看来她错了。

“什么？”她揣着明白装糊涂。

陆一却是个不太会绕弯子的人，他直截了当地说：“就是昨晚你说想从我这里得到的东西，也是你接近我的目的。”

他的样子一点也不像开玩笑，事已至此，方灯也不打算再装下去。她坐回他的身边，似笑非笑地说道：“那你说，你想怎么样？我怎么才能拿到我想要的东西？”

“说出来。”陆一言简意赅地回道。

“什么？”方灯一时间没明白他的意思。

陆一又笑了，“你不说出来，我怎么知道该给你什么？”

他的语气就好似她向他索要一张废纸，或是一块糖，只要他手头上有，就可以随随便便奉上。方灯竟有些糊涂了，她看不清他究竟是个傻子，还是城府太深。

她更愿意相信是后者，但无论怎么样，她都已打算豁出去。

“我要你爸爸遗物里的一份文件。”

“文件？”陆一想了一会儿，起身走到书房，拉开第一个抽屉，从里面翻出一个盒子。“我爸爸没有什么遗物。房子给了我继母，钱和抚恤金我留了一部分，他生前的衣物和书大多捐了出去，工作方面的大部分文件和卷宗都是属于事务所的，由他的合伙人接收了。如果要说遗物，那就只有这个了。”

他把一个毫不起眼的塑料盒子推到了方灯面前，“这里面是我爸出事时随身带着的东西，交警把它们封存起来交给了家属，我继母不要。我就想，留下来当做纪念也好，这些东西好歹陪伴我爸走过了最后一程。”

方灯木然地拿起盒子，这不正是装有她照片的那一个？当时她只顾往隐秘处找，这个盒子摆在触手可及的位置，里面又多是她的照片，她仓促中也没细看，这时才发现盒子下层还有一本过期的护照、发黄的全家福、身份证、钱夹、打火机和薄薄的几张纸。她展开有些发皱的纸，其中一张赫然就是傅镜殊的血液鉴定结果，和她车祸后毁掉的如出一辙，后面还附有一张银行汇款凭证，金额并不大，收款人正是已经去世的化验员。这些东西想必是陆宁海放在贴身口袋里，她只搜过了公文包，还以为自己已经毁掉了所有证据，殊不知这些东西在出事后被不经意保留下来，而它的拥有者就把它随意放在显而易见的地方，她却看不见。

陆一看方灯的视线停留在那张纸上，好奇地问了句:“傅镜殊是谁？你认识他？”

方灯仍没能从这出乎意料的一幕中彻底回神，只点了点头。

“它对你很重要？”陆一又问。

其实方灯不确定他问的是“他”还是“它”，但无论哪一个，答案无疑都是肯定的。她紧紧把那两张纸拿在手里，打起精神反问道：“对！你说吧，你到底要怎么样？”

陆一不明所以地笑了起来，“什么怎么样？既然你用得着，那就拿去。这些东西对于我来说就是废纸。”

“我要，你就给我？别装圣人了行吗，把自己扮得无欲无求的累不累？既然是废纸，你怎么不早扔了它？你这样让我觉得很虚伪，还不如把条件说得痛快点！”方灯毫不客气地说。她压根不相信世界上有只求付出不求回报的人，所有人都有属于自己的欲求和贪念，或大或小，或无害或可怕，作恶之人追逐名利美色，行善之人向往他人的崇敬和内心的满足，虽有高下之分，却没人能幸免。

陆一被她这么一说，面上露出几分尴尬，他低头去看自己的手，迟疑了许久才说道："我也不是无欲无求。方灯，老实说当我知道我身上有你想要的东西，而且这东西对你来说很重要的时候，我松了口气。在这之前我一直很困惑，你为什么忽然和我走得那么近，从你踏进我家的第一天开始，我就生活在惴惴不安中，因为我知道你不会喜欢上我，我怕自己身无长物，给不了你想要的东西，到头来反而让你失望。"

他说到这里才抬起头来直视方灯，那份难堪还在，眼神却坦然，"现在我知道，你是为了这份东西来的，这对我来说一点损失都没有。如果不是它，恐怕我这辈子只能在背后偷偷地看你，现在至少有一段很快乐的记忆，就算你拿着它马上从我的生活里消失，我都觉得值了。我想装得轻松一点，大方一点，让你以后想起我，会说，这是个傻子，但还算个不错的傻子。没想到连这都弄巧成拙，看来我是傻得无药可救了。但是有一点我能拍着胸口保证，我对你没有恶意，一点也没有。你就这么想，一个亿万富翁不介意女人爱上他的钱，一个穷光蛋可能也愿意为他爱的人割一颗肾，这是他们仅有的能拿出手的东西。能够用这些为自己爱的人做点事，对方正好也需要，这是件好事。你现在从我手里拿走的只是一张纸，我有什么不肯的？"

方灯竟无言以对，她只觉得被酒精烧灼过的脑袋疼得更加厉害，以至于整个人都无比混乱了，世界也仿佛是颠倒的。陆一看她状况不佳，伸出手想要扶她一把，被她警惕地避过。他无奈地将手收回，脸上有了然，也有失落。

"方灯，假如我说，我确实有个条件，你会觉得我龌龊吗？"

"你说！"方灯急不可待。

"你拿到了这份东西之后，能不能再敷衍我一下。别误会，我没别的意思，只是偶尔一起吃顿饭，大家见面的时候也可以坐下来聊几句，假装我是你的一个朋友……"

"别说了。"方灯收起手里的东西仓皇而逃，她怕走得再迟一步，会更厌弃自己的卑鄙。

咖啡也没能让她的头痛欲裂有所好转，方灯靠在傅镜殊的椅子上，好像睡着了，又好像醒着，逃离陆一身边时，他最后的那个神情在她脑海里不断放大，放大……仿佛又和他父亲的脸重叠在一起。他们父子轮廓相似，但又那么不同，他和她这半生接触过的任何人都太不相同。她忽然想再喝一口他那个口味古怪的醒酒汤，这样说不定会好受一些。

迷迷糊糊间，有什么东西覆盖在身上，方灯即刻睁开了眼睛，看到的却是在松领带的傅镜殊，她身上盖着的是他的外套。

“昨晚上没睡好？你脸色很差，累的话就再眯一会儿。”他坐到一旁的会客沙发上去签茶几上的一叠文件，察觉到方灯走到自己身边，正想抬头，两张显得陈旧的纸被递到了他的面前。

傅镜殊伸手去接，展开来扫了两眼，嘴角的笑容渐渐消散，神情也变得专注而凝重。

“这就是你说的东西？”两人见面后方灯第一次开口。

傅镜殊将两张纸重新叠得整整齐齐，放在自己的面前。

“你怎么拿到的？”

方灯往后退了几步，靠在他的办公桌旁，淡淡地说：“陆一给的。”

“哦？”他只消一个字，方灯便知他所有的不确定和疑惑。

“我开口问他要，他就给了我这个。”

“你怎么问，他又说了什么？”

“我说想从他爸爸的遗物里找点东西，然后就从他给我的东西里发现了这个。其余的，他什么都没问。”

“他看过这个鉴定结果和汇款凭证？”

“大概吧。他没有刻意把这个东西藏起来，只是把它和陆宁海别的遗物放在一起，当成一件普通的纪念品。”

“是这样……”傅镜殊放慢了声音自言自语道。他没有再穷追不舍地问下去，但方灯知道他心中一定还有不少疑窦。

她怎么能直截了当地索要？

陆一怎么会大方地给？他没理由连问都不问。

既然没有刻意藏起来，方灯为什么一直找不到?

陆一看过这个鉴定结果，他会有何想法……

方灯也想把话说得更清楚一些，但这件事就是这么简单，简单到让人无从解释。

“你已经拿到想要的东西，这件事可以就此结束了吗？”方灯试探着问。

傅镜殊毫不犹豫地回答：“那是自然。我们两人之间，谢字就不说了。我又欠了你一次……希望你能原谅我。”

“有什么原不原谅，我自己愿意的。”

“我经常很矛盾，一方面想让你过上最好的生活，你想要的任何生活，但有些事除了你，我再也找不到可以相信的人。无论怎么样，这都是最后一次了，方灯，你为我做得已经足够，剩下的是我为你……”

“你不用为我做什么。”方灯敏感地从他的话语里捕捉到一些东西，他只说她的使命已经完成，却绝口不提陆一，“即使陆一看过这份资料，可他什么都不知道，也不关心，他这边也就此打住吧。”她劝道。

傅镜殊把手放在那两张纸上，直言不讳地说：“我没办法相信他。”

“为什么？就因为他看过他爸爸留下的遗物？还是因为他都没有睡过我，就太轻易把东西交了出来？”方灯讥讽道。

“不是这个意思。”傅镜殊无视方灯的尖锐，不疾不徐地说，“你知道这件事对我来说很重要，我不得不慎重。”

“你想怎么样？”方灯警惕地问。

“这个你别管了，你的脸色真的很差。听我的，回去好好睡一觉。如果陆一纠缠你，干脆就换个住处。要不然你趁这段时间出去散散心？等我忙完手里的事，我也可以去陪你。”

方灯坚持道：“陆一只是个很简单的普通人，他对你不构成任何的威胁。”

傅镜殊说：“简不简单，现在还不是下结论的时候。”

方灯苦笑，本质上他和她真的是一种人，永远对周遭充满戒备，从不相信无缘无故的善意。她走到傅镜殊的身边，弯下腰问：“让你相信这世界上有简简单单，没有任何目的的感情存在就这么难？”

傅镜殊笑了，“你信吗，方灯？你见过你所说的东西？如果我们轻信，根本不可能有今天！”

方灯一字一句地说：“假如我不相信，你也不会有今天！”

傅镜殊听罢，似有所触动，语气也放柔了，但这也只限于对方灯，“所以我信你，但不信他。”

“我信他！我可以替他做保证。”

“我们都只能保证自己。你才接触他几天，对他又了解多少？”

方灯放弃与他争辩，在他面前，她总是轻易变得幼稚且易怒。

“傅七，我警告你，不要碰他。”方灯咬牙道。

傅镜殊竟有些惊讶，仿佛没料到她会为了一个陆一如此上心，原本平静无澜的脸上也添了几分恼意。

“他算什么东西？”

“他什么都不算，但如果他有事，我不会原谅你！”方灯撂下狠话。

傅镜殊寒着脸许久都没有出声，像是在抵抗久违而陌生的怒火。他低头继续去翻那些文件，漠然道：“你走吧，我不想和你因为一个外人吵架。”

方灯掉头就走，她重重摔门的声音传来，傅镜殊再也克制不住，烦躁地将茶几上的东西统统拂到一边。过了好一会儿，他才长叹一口气，默默捡起她扔下的两张纸，低头又细看了一遍。

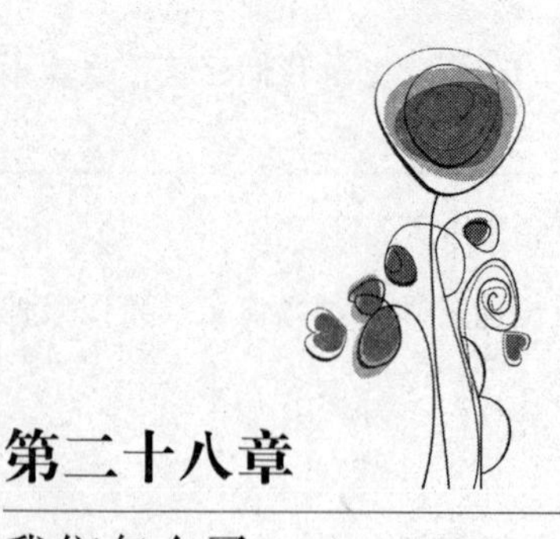

第二十八章

我们怎么了

方灯关闭店门时，周围的店铺已有一半熄了灯光。最近说起来是布艺店生意的淡季，她本不用如此辛劳，但是这几天她最得力的雇员谢桔年似乎有些魂不守舍，一连几次弄错了单子，货品送到顾客家才发现，不是尺寸有偏差，就是送错了地点。方灯建议她休假几天调整一下，她偏还不肯。就在今天下午，要不是方灯在旁指出，她又要把库存量多写一个零。谢桔年在店里已经好几年了，方灯一向信赖且倚重她，知道她不会无缘无故状况频出，又不便过于苛责，只好自己亲自坐镇店里，等到晚上的盘点和结算清楚才能脱身。

回到住处所在的大厦，方灯把车开进停车场，发现前方有辆车停在那里占了半边车道。由于是停车场入口处附近，她避让后才勉强能够通过，心想着什么人如此缺乏公德心，又见那车大灯未熄，正打算按喇叭略施警告，忽然发现车子有些眼熟。她起初心中一跳，以为车里会是自己期待又害怕见到的那人，转念一想又觉得不太可能，听说他最近并不在国内，这车反而是阿照开得比较多。

两车交会时，方灯看清了驾驶座里的人，果然是阿照。他把车停在这里的用意也昭然若揭，此刻他的怀里正有一个火辣的身躯与他热烈交缠，两人仿佛浑然忘却了身在何处。

方灯心中暗骂，没羞没臊的熊孩子，泡妞泡到她家门口来了。她想装作看不见，可按向喇叭的手却来不及收回。刺耳的鸣笛声响起，如胶似漆的一对鸳鸯被短暂地惊醒，阿照和他怀里的女孩双双看了过来。

阿照单手遮住对方车灯的强光，脸上的几分恼意在看清来人后很快变作了顽童般的笑容。那女孩发丝凌乱，面色潮红，眼神依旧带着迷离，似乎激情并未从她身上彻底退却。方灯好气又好笑，也没打算停留，可是当那个女孩的面容清晰地映入她眼帘，她本能地急踩了一下刹车，猛然回头又看了一眼。那女孩也感受到了她刻意的打量，半是撒娇半是闪躲地将脸埋进了阿照的怀里。

方灯回到住处，把包一扔，在客厅来回地踱了几圈，心中的疑惧不但半点没有消退，反而越发感觉到焦虑。她按捺不住还是给阿照打了个电话，催他立刻上来。

五分钟后，方灯听到了敲门声。门一开，她就看到了阿照的笑脸。

“姐，你怎么变得和孤儿院的修女嬷嬷一样了，什么看不惯的都要管。”阿照走了进来，把手上的外卖食盒往吧台上一放，一如回到了自己家般熟络，“专门给你买的鸡粥，还是你最喜欢的那家店。你和七哥怎么了，他自己不打电话给你，反而问我你最近怎么样了，还非让我过来看看。不是我说你们，一把年纪了还闹什么别扭……”

“刚才你车上的人是谁？”方灯没心思听他说别的。

阿照一听方灯转了话题，也来劲了，仰倒在沙发上眉飞色舞地问：“你看见了，那妞正点吧？”

“我问你她是谁！”

方灯口气严厉，阿照吓了一跳，坐直了起来说：“不就是个女人吗？干吗那么紧张？我管她是谁，这很重要？”

方灯快被他儿戏一般的态度气坏了，连珠炮般质问道：“她叫什么？是哪里人？你们怎么认识的？”

“查户口呢！”阿照笑着说，“我就知道她叫贾明子，出去玩的时候认得的。”

他站起来把手放在方灯的肩上，捏了两下，嬉皮笑脸道：“姐，放轻松。你最近怪怪的，难怪七哥也不放心你。我就随便玩玩，又不是要和她结婚，你担心得太早了。”

方灯好像没听到他的这番话，她把全部心思都用来回想傅家园里匆匆一瞥的那张面孔。那个照面确实很短暂，但她不会认错，也不可能将那张年轻娇美的容颜从脑海中淡忘。

“贾明子，她姓贾……是不是从台湾来的？”

“咦，神了！你怎么知道？她是台湾人没错。”阿照惊讶地回应。

“那就是她了！”这下换了方灯愣愣地坐回沙发上，低语道，“怎么会……怎么会这么巧？”

阿照坐到她的身边，“姐，到底出了什么事，你别吓我。”

“你马上断了和她的联系。”方灯回过神来，不容置喙地说道，“你和她开始多久了？发展到哪一步？”

其实想到刚才他俩那干柴烈火的劲头，方灯已清楚自己最后那个问题的多余，但她还是心存侥幸地想要证实。

阿照挠了挠头，笑着说：“男女之间你情我愿，不就那回事。”

“你知道她是谁？连对方的底细都没弄清楚你就胡闹……”

“她不就是傅至时看上的小妞吗，难道我还怕了那王八蛋？”

“傅至时算什么！她姓贾，是台湾‘塑成’负责人的女儿，也是姓郑的老太婆安排给傅七的女人！她告诉过你她这次回内地是干什么的吗？是两边家长特意安排她和傅七见面来的，亏你还糊里糊涂的！”

阿照变了脸色，又急又慌地说：“不可能吧，我看她不像……糟了，她是说家里让她和一个男人相亲，还说她有个了不起的爸爸，我还以为她跟我吹牛呢……怎么会这样？明明是她主动贴上来的，我实在没想到……”

“别说了，现在说这个有意义吗？傅七应该还不知道这件事吧？”

“我没对七哥说过，他一向不管我的私事。”阿照越想就越坐立难安，竟出了一头一脸的冷汗。他什么都不怕，就算明晃晃的刀子捅过来都可以眼睛不眨，但唯独事情关联到傅七，他最最敬重的七哥，他都不敢想，假如七哥知道这件事后会怎样。

“姐，我是不是坏了七哥的大事？我该怎么办？”阿照全然不见了往日的玩世不恭，说话的尾音里也带上了隐隐的哭腔。

方灯说：“你不要再和那个叫贾明子的女孩搅在一起了，趁早离她远远的。至于其他的，都已经这样了，走一步看一步吧。”

方灯心里确实也是一团乱麻，老实说，她并不那么期待傅七和贾家的女儿“有情人终成眷属”，换了个男人和贾明子鬼混，她兴许还会幸灾乐祸，但这个男人偏偏是阿照这个糊涂蛋，着实让她心烦意乱。

“事情已经够糟了，但愿不会再糟下去。”她对阿照，也是对自己说。

深秋的云层极薄，午后太阳照得马路发白，中午时分，布艺店的店员们忙完了手头的事，纷纷到附近的小店解决午餐问题，店里就剩了方灯和谢桔年。

方灯一边从包里拿出钱夹，一边瞄了门口一眼，那辆银灰色的斯巴鲁还停在那里，她有些知道桔年最近心神不宁的源头在哪里了。

“我去吃饭，用不用给你带一份？”她问桔年。

“嗯……哦，吃饭啊，好啊，麻烦你了。”桔年专心地在写写算算，方灯很怀疑她现在的工作效率。

“我看他也挺执著的。过得去就行了，人有时候没必要那么为难自己。”方灯劝道。

桔年没头没脑地答道：“我就是不想为难自己，才要离他远一点。”她终于放弃了和一堆数据过不去，抬起头问：“老板娘，你相信命吗？”

方灯笑着说：“好的我就信，坏的不信。你要给我算命？”

桔年也抿嘴笑道：“随便问问罢了。不过你要有兴趣，回头我给你算一卦。”

“好啊，算出大吉大利的兆头我给你加工资。”方灯推门出去，三两下走到那辆斯巴鲁前，敲了敲车窗，然后朝一侧的泊车指示牌指了指，那牌子上写着“客户专用停车位”。

车里的人还算识趣，会意地打了个致歉的手势，缓缓将车开走。但是依照方灯这段时间总结出来的经验，他在周围绕几圈，最后还是会停到这附近。

方灯觉得有趣，脸上挂着笑容。她需要这些让她缓口气的乐子，就连桔年冷得让人发颤的笑话都能将她逗乐，她愿意相信，当她开怀时，心中的那些阴霾也会淡去不少，哪怕是自欺欺人。

阿照应该和那个女孩断了联系，在这件事上，他不敢不听话。傅七前几天从吉隆坡回国，他那边暂时还没有什么动静。方灯只能寄望于贾明子和阿照一样年轻贪玩，但也仅限于玩玩而已，分别后就将上一个男伴视作过眼云烟。日后即使她真的成了傅七的另一半，与阿照再度遇见，聪明的话两人装作不认识，打死不承认，这件事或许还有圆过去的可能。当然，若她和傅七未如双方家长所愿那样成了好事，事情就更简单了，这曾是方灯心中暗自所愿的，但现在她都不愿意多想，因为她希望简单的事，没一件真正变得简单。

方灯刻意选择了自己很少光顾的一家餐厅，就是为了避免和陆一再遇上。这段时间，陆一给她打过几通电话，两人还在住处的楼下遇见过一次，都是草草几句话就结束了。方灯不怕陆一纠缠，他不是那种人，她只是还没想好该如何面对他，更不知道傅七会做些什么。她曾提醒过陆一，万事小心一点。然而当陆一追问，他该小心什么？她却答不上来。方灯有时会觉得，自己这次应该听傅七的，离陆一远一点，该做的，不该做的，她都做了，那点可怜兮兮的歉疚并不能给事情带来任何的转机，她怕与陆一的接触再给他带来意想不到的麻烦。

方灯给自己点了份简餐，味道寡淡，她以前鲜少来这里也不是没有原因的。正打算让伙计准备好给桔年的外卖，忽然听到桌前有人问："不介意我坐下吧？"

她先是环顾四周，餐厅里并未坐满，明明好几张桌子都空着，再抬头看了一眼来人，心下顿时明白了几分。

对方的询问显然也仅止于口头上的礼貌，在方灯点头之前，她已经施施然坐定，还招呼服务员上了一杯温水。

"我见过你。"方灯说。这当然不是一场偶遇，对方有备而来，她避不过，就只能见招拆招。

坐在她对面的人微笑着说："上一次见面已经是几个月前的事情了，方小姐好记性。"

"江源的向远是有名的女中豪杰，闲杂人等难得一见，我又怎么可能忘记！"方灯不冷不热地说道。

向远脸上的笑意更盛，"真巧，我对方小姐也是印象深刻。"

方灯自嘲地笑笑，玩着自己那边的一角桌布，"你既然都找到了这里，有事就直说吧，我还要回去看店。"

"方小姐果然要比傅先生爽快多了，我喜欢爽快的人。"向远的笑容观之可亲。

方灯冷笑，"和傅镜殊比起来，你当然要更喜欢我一点，你都恨不得嚼了他的骨头吧。"

向远和傅七的梁子恐怕还不只是源于那块地皮之争。傅七外表和谈吐都无比温和，但下手一向狠而准，那天他既然能让向远在关键时刻缺席，势必"问候"的是对方极为看重的人。

"如果我没弄错，方小姐和傅先生是多年的老相识了，想必对他知之甚深。"向远也不再兜圈子。

方灯挑眉，"那又怎么样？"

向远说："我很小的时候就听过一句话，让一棵大树枯死，只需要把它的根暴露在阳光下。想来，对待一个人也是如此。"

方灯惊讶到极致反而笑出声来，她好奇地往前一些，好靠得离向远更近，"我真想知道，你凭哪一点认定我会是你的那把铲子，或者是撬棍呢？"

向远却说了句看似无关的话，"愿我如灯君如镜，夜夜流光相皎洁。方小姐和傅先生感情一定非常深厚。"

"你继续说。"方灯倒要看她究竟有什么花招。

"我想不出除了到极致的爱，还有什么可以驱使一个女人甘愿为一个男人付出一切，包括自己。"向远给自己的那杯水加了两块方糖，搅拌均匀后喝了一大口。

方灯露出个了然的表情，不出所料，对方果然打探过她和傅七的底细，只是不知道她了解到何种程度，只有一点她能够确定，假如向远手上握有可制衡傅七的确

凿把柄，现在也不会坐在她的面前。

“如果我像你说的一样爱他，你又何必来我这里白费口舌？”

“因为我也是个女人，我能理解这种感情。”向远仿佛觉得还不够，继续往她的水里加糖，“可惜这世上的爱往往是不对等的，当你发现，有人以爱的名义剥夺了你的一切，却连那双剥夺的手都要收回，到头来你还剩了什么？”

“我听不懂你说的话。”方灯漠然道。

向远的笑容依旧让人无法抗拒，“太深的感情反噬起来才最要命。你是聪明人，当然会懂。怎么不问问我能给你什么？”

方灯看上去颇感兴趣，“你这么有把握，不如把条件说来听听，让我看看值不值得让我反咬他一口。”

向远从包里掏出一个纸袋，推到方灯面前，“这只是份小小的见面礼，还请笑纳。只要你愿意，我们都可以谈。”

方灯取出纸袋里的东西，看了好一会儿，才感慨道：“你和傅七都一样，你们做惯了商人，而且很成功，就以为什么都可以买卖，什么都有条件可谈。一寸光阴一寸金，你给我一寸金，我卖你一寸光阴，价格合适，一生都可以卖给你们，是这样吗？”

“我也知道这些远远不够，这只不过是想给方小姐提个醒，你对他掏心掏肺，他能回报你同等，哪怕是一半的感情吗？他对你的信任有几分？”向远看着方灯站起来招呼服务员买单，也不着急，仍在搅着她那杯水，说道：“我当然是个生意人，但是说不定有一天方小姐会觉得，谈生意远比谈感情有意义。假如你要换个买主，不如先考虑考虑我。我可以保证，我开的价码永远比别家要更……有用。”

傅镜殊打开酒店的房门，看到外面站着的人是方灯，脸上露出了笑容。

“你来了？我以为你还生着气。”他侧身让她入内，对着她的背影笑着道，“那天我情绪不好，算我的错，我说对不起。”

傅七这个人，平日待人接物面子上一贯和颜悦色，给人如春风细雨之感，但骨子里其实极清高要强，他认定的事鲜少动摇，也难得低头，即使在方灯的面前他也没认过几次错。这次如此服软，一来看她主动肯来找他，心中高兴，再则也不愿与她继续僵持下去了。

他给方灯倒了杯水，恰是她最喜欢的热度，正想递过去，两人好如往常争吵那样一笑释心结，方灯却在这时忽然转身，将一叠东西扔到了他的面前。

“这就是你能使出来的伎俩？你到底想怎么样？”

她扔过来的气力不小，傅镜殊手里的水险些泼出，他抓住那个纸袋，坐到另一侧的沙发上，收起僵住的笑容。

“你别急，先喝口水，要不就凉了。”

他缓缓地将纸袋里的东西倒在酒店的茶几上，又拿起其中一个小东西饶有兴味地放到眼前细看。

“你有什么好说的？”方灯冷冷地说道。

傅镜殊也不争辩，“你想听我说什么？”

“窃听器，复制的 SIM 卡……该拆的邮件你们也拆了，陆一家上次失窃也不是一般的小贼干的吧。也难怪你留着崔敏行，这样下作的事你也越来越得心应手了。”

“你要这么说，我也没办法。”傅镜殊淡淡地说完，将东西重新放回了纸袋里，“我说过这件事你不要管。”

方灯眼里流露出难过的神情，“你想让我别管，为什么不在一开始的时候就把事情交给崔敏行去办？要是你没有把我扯进来，我也没有亲手从陆一手里拿到你想要的东西，那么你怎么做都行。可是现在你东西到手了，连经手的人也不肯放过，傅七，做事要留余地！”

“你是介意我做事的方式，还是在乎那个人？”傅镜殊说，“我做错了什么？陆一和别的人又有什么不同，他对你就这么重要？”

“我说过很多遍，东西我已经交给你了，他已经完全和这件事没有关系。你不肯放过，是不是要他死你才放心？”

傅镜殊抓着方灯的手，试图让她坐到自己身边好好说话，却被方灯用力地挥开。在两人的动作下，茶几动了动，上面的杯子被打翻，水流淌了一地。

傅镜殊听着水滴没入地毯上的细微声响，面无表情地说道：“假如我真要那么

做，也不是什么困难的事。”

方灯气极，声音都哽咽了，“好，你什么都做得到。你别忘了，我才是对你的身世最了解的人，我也知道你的秘密，你第一个不能放过的人应该是我！”

“你拿自己和他比？”

“我们都是人，有什么不同，人活着就不会可靠。”

“我连你都不肯放过。在你心里，我已经成这样一个人了？”

方灯深呼吸了几口气，强忍着不让眼泪掉下来，“这样好吗？我让陆一离开，我也和他一块走，去到一个远离你、让你觉得安全的地方，再也不回来。我用下半辈子保证他不会对你造成一丝一毫的危险，这样你放心了吧。”

“你跟他走？”傅镜殊仿佛从来没有想过方灯会说出这样的话，一时间竟不知如何应答，良久才骇然地笑道，“就为了那个姓陆的？他值得你这样？”

方灯又哭又笑，“有什么不值得，我难道又值得更好的？最起码他是个好人，他在乎我，这对我来说就够了。”

“他当然是个好人。”傅镜殊脸上写满讽刺，“我只是很好奇，要是有一天这个好人知道他父亲为什么会收养你，又为什么丢了性命的时候，他还会不会那么在乎你，觉得什么都值得？”

方灯脸色瞬间煞白，眼泪半干在腮边，她慢慢坐到他的身边，轻声说：“我也很想知道，当郑太太准备放心把整个傅家交给你之前，忽然发现她的好孙子原来不是傅家的种，她脸上该是什么样的表情呢？”

“你拿这个要挟我？”傅镜殊怒极反笑，“方灯，你不要逼我。”

方灯也挤出了一个笑容，“你也是一样。”

他们沉默了许久，寂静中仿佛只听到对方的呼吸声，还有心跳，在过去漫长的岁月里，他们曾经以为自己和对方的心跳都是一样的。

方灯有些失神，“真没有想到，我们的十几年，就换来了今天？”

傅镜殊却冷冷地接过话，“其实我早该想到了，就从你见向远的那一刻起。”

方灯一惊，很快这惊讶就变作苦笑。她到现在才明白，为什么向远是那样成竹在胸，即使从方灯这里什么都没得到，向远还是会赢下这一局，因为她了解她的对手，傅七行事谨慎，却十分多疑。只是从什么时候开始，他连她都不信了?

“你对他掏心掏肺，他对你的信任又有几分？”方灯想起了向远最后说的话。她用一种前所未有的陌生眼光打量着身边再熟悉不过的那个人，她都快不认得他了，他眼里倒映出的她也同样面目全非。

方灯怔怔地说：“傅七，我们这是怎么了？”

第二十九章

请你跟我走

每个周末，方灯去店里的时间都会晚一些，这天她故意起了个大早，把车开出大厦，在广场的拐弯路口还是远远地看见了陆一。

陆一也看到了她的车，脚步停了下来。方灯本打算像往常那样轻点油门就过去了，然而当她又一次把他抛在身后，看着那个身影越变越小，一种说不出的烦躁感油然而生。

陆一目送她的车绝尘而去，有些失望，正要转身离开，忽又听到车子的声响，回头看了一眼，脸上露出意外的笑容。

“今天又是‘那么巧’？”方灯把车倒了回来，摇下车窗问他。

“是啊。”陆一说罢，自己也觉得这个谎言站不住脚，又不好意思地笑了，“其实也不是，我专门等了一会儿，想看看能不能遇见你。”

方灯没有问他遇见自己之后又打算怎么样，她示意他上车。

“我带你去一个地方。”

陆一心里难免有很多问号,她走了为什么又回头,现在到底打算把他带到哪里?他尝试过开口,却发现此时的方灯并无谈心的欲望。反正他也只是想看看她,目的既已达成,就干脆把话咽回肚子里,安心听从她的安排。

方灯把车停在了中心广场附近,和陆一上了渡轮,再度登上了瓜荫洲。只不过这一次她没有陪他在岛上闲逛,而是直接去了圣恩孤儿院。

孤儿院资深的嬷嬷还认得方灯,她算是从这里走出去之后比较“有出息”的孩子之一,院里现在挂着的窗帘和一部分孩子的被套还是去年圣诞时,院长去找方灯募来的,因此见她回来,脸上的笑容很是殷勤。

方灯征得嬷嬷的同意,领着陆一上了宿舍楼的天台。宿舍楼是孤儿院最高的一栋小楼,其实也只有四层,顶上是铺满水泥空心砖的开阔地,平时护工们会在这里晾晒衣服和被子,也常有不听话的孩子不顾孤儿院的禁令偷偷跑到这上面来玩耍。方灯从前就经常在这里度过她的傍晚时光,从这里望过去,大半个傅家园尽收眼底——东侧小楼的窗口、干涸了的月牙池,还有草木茂密的小后院,天气特别好的时候,风吹开长草,偶尔还能瞧见匍匐在草丛中的石狐。十几年过去了,老杜家的违章建筑早已不复存在,只有这个天台还是以前的样子。

大概因为是周末的缘故,护工们都休息了,竹竿和拉起的晾衣绳上空荡荡的,天台角落里摆着几个簸箕,里面不知是哪个嬷嬷晒的豆角干,引来了一只黄蜂在旁嗡嗡地飞。另一侧有个八九岁的小女孩独自用白粉笔在水泥砖上涂鸦,看见有两个成年人闯入,也不理不睬。陆一看着小女孩画了个人形模样的图案,然后躺在了那个图案上。

“她在干什么?”陆一奇怪地问方灯。

方灯说:“你为什么不自己去问她?”

陆一真的走了过去,蹲在卧倒的女孩身旁与她低声对答了几句,再走回方灯这边时难掩一脸的复杂神色。

“她怎么说?”

“她说她画的是她妈妈,她躺在那个图案上,就好像躺在妈妈的怀里。”

方灯不理会陆一语气里的悲悯,漠然道:“她可能根本就没见过她的妈妈。不

是每个孤儿都像你一样幸运，没了父母还能在亲戚那里享受到一个家的温暖。会被送到孤儿院、福利院的孩子，要不就是身体不健全，要不就是亲人死绝了，没有一个地方可以接纳他。”

“你小的时候也这样？”陆一拂了拂地上的灰尘，两人背靠着天台的水泥栏杆席地而坐。

方灯摇头，“我进来的时候已经十六岁了，父母的怀抱对我来说已经没有那么重要。陆一，我今天把你带到这里，其实是有些事想告诉你。”

“你想让我看看你从前生活过的地方？”

“也可以这么说吧。我从前待过的地方，只有这里没什么变化。你问过我，你爸爸当初为什么会收养我。”

“为什么？”陆一竟显得有些紧张。

“有人已经对你说过什么吗？”

“你指哪方面？”

“不管了。我想过要瞒着你的，但现在看来，你知道了也好。陆一，你爸爸决定收养我的时候，我都十六岁了，你从来没有感到惊讶？”

“也许他希望我有个伴？”

方灯笑了起来，“你爸爸不会想到你们父子是那么相似，即使在看女人的眼光方面也是如此。他收养了我，但从没有想过把我带回他和你继母生活的那个家……他说我是他的洛丽塔。”

她说起这段话时是那样平静，陆一却用了很长的时间来消化。他几次张嘴，想说：“不会的，我爸爸不是那种人。”但这样说的同时就意味着方灯说谎。理智在告诉他，方灯对于这件事说谎的可能性并不大。

方灯没有给他更多的时间去缓冲，她接着往下说：“我也不是什么好人，在那件事上，我不是被逼的，甚至你爸爸也是被我引诱着一步步陷进来。他的死，我脱不了关系，如果我不在车上，那一天他或许能够平安到家，你也不会失去父亲，到现在可能都还有个完整的家。”

“你为什么要那么做？”陆一喉咙干涩。

“就和我接近你的理由一模一样，为了那份鉴定结果。你爸爸出事的时候，我以为我已经毁掉了他手上所有的证据，没想到他还留了一份，所以……你为什么用这种眼神看我？好像不认识我了。其实你从来就没有认识过我，你根本不知道我是什么人。我远比你能想象到的更肮脏卑鄙。”

在陆一的沉默中，方灯开始了漫长的叙述。她从自己登上瓜荫洲，第一次坐在傅家园的墙头说起，一直讲到了自己对傅镜殊的向往和迷恋、她的酒鬼父亲和朱颜姑姑与傅家的旧事、傅镜殊的野心和他经受的冷落、突如其来那场绑架、她父亲的意外横死、傅七身世之谜的解开……然后陆宁海登场，他给绝望中的人带来了命运的转机，但谎言、欲望和贪求把纠缠在其中的人都一步步推向深渊。她甚至也没有省略傅镜殊重归傅家后自己为他做过的那些见不得人的丑事。整个过程中方灯没有看陆一一眼，独自平静而木然地将自己生命中的前三十年平铺直叙地呈现在另一个人面前。那些过去的种种，她经历过，挣扎过，却从未像今天这样谈起过，这段历程光怪陆离，满目疮痍，说来却如同一个荒诞的脚本，连感叹都无从着手。

“很惊讶？陆一，你说你爱我，你爱的是这样一个我吗？”方灯将头倚靠在粗糙的水泥栏杆上，不无讽刺地看着身边的男人。

陆一的样子看起来竟有些难过。

“听起来你是做了很多傻事，那些事……都不好。但是如果把我换成你，我不敢说我能做得比你好。”陆一把脸埋在膝盖上，“你和我爸爸的事，我不想再听了。就算这是真的，他对我没有亏欠，在我心里，他永远是个好父亲。”

“是啊，他是个好父亲。一切都是我的错。”

“不是这样，方灯。我这人嘴笨，很多话我不知道该怎么说。我……我不能说我一点都不惊讶，也不介意。可是就像你说的，有些事，闭上眼睛，我们也不能当做它从未发生，可是……当我睁开眼睛，我最想看到的还是你笑起来的样子。”

“就这样？”

“你说我该怎么样？”

方灯答不上来，她双手抱膝，抬起头看着瓜荫洲的天空。深秋的天蓝得藏不了半点污垢，也容不下无用的悲伤。风吹过，极薄的云被驱赶着慢悠悠地走，她的心

也空空的，丢失掉的东西找不回来，积郁的污血倾泻而出，只余下一个什么都没有，却难得干净的容器。

她闭上眼睛，感觉这久违的风，它们又在树梢，在云端低语，它们什么都看见了，却从来不肯大声说出来。

“方灯……”

“嘘！”

“我……”

“别说话。”

陆一乖乖地安静了好一会儿，再度动了动脚。

“你听我说……”

“你能不能别像个女人一样婆婆妈妈？”

方灯睁开眼睛，怒视着陆一。

陆一满脸通红，就像他最初在方灯面前那般手足无措，兴许他也发现自己的举措有些不合时宜，但是一种莫名的冲动还是让他急切地想把话说完。

“我只有一句话，你耐心听我说完。你说以前做过很多不好的事，那现在你可以做一件很好的事来将它们都弥补回来，方灯，我想你嫁给我，这样我们还有很多时间去做更多更好的事。”

方灯把头扭到一边，没有回答。

“你不愿意？”陆一等了又等，他从这种无声中嗅到了拒绝的苦味，“那也没什么，我……”

“你这是一句话吗？”方灯忽然打断他。

“什么？哦，这是一个比较长的句子。”

“我问你，你有没有特别想去的地方？不许说游戏和卡通片里的虚拟场景，除此之外地球上任意一个角落都可以。”

“这个嘛……我曾经很想去芬兰，不过那是很久以前做的梦了。”

“芬兰？”

“是啊，芬兰。书上说，芬兰是世界上最北端的国家，在那里能看到极夜和极昼，还可以感受到雪在你发梢融化。”

方灯把头转了过来，眼角湿润。她对陆一说：“那我们就去芬兰。我愿意嫁给你，只要你愿意跟我走，越快离开越好。”

阿照在喧闹的酒吧与朋友们高声猜拳，他赢了很多回，也喝了不少酒。依偎在他身边的是个皮肤黝黑，身材却火辣的鬼妹，二十分钟前刚刚认识的。他今晚本没有泡妞的心思，但崔敏行非说出来玩就要尽兴，撺掇了一帮兄弟在旁起哄，那鬼妹又频频对他暗送秋波，他也不再推三阻四，趁着酒兴大大方方把她搂进怀里。

他又一次猜赢了崔敏行，对方向他竖起了大拇指，爽快地拿起自己的酒，阿照也不含糊，举起酒杯陪他喝了一轮。

“好小子，还是你痛快！”崔敏行喝毕，亲热地搂着阿照的肩膀说了几句好听的话，又不经意地提到，“哎，最近傅先生脸色不太好看，我都不敢在他身边久留，就怕说错话。”

阿照笑道：“我还当你好心陪我喝酒，原来找机会打听事来了。老东西，你管那么多干什么，做好你的本分就行。”

“话是这么说，但傅先生待我不薄，他要是肯开口，我能出力的地方绝不含糊。在人手下做事，不就该替人分忧解难？我是粗人，有时做了不合傅先生心意的举动，做兄弟的可千万要点醒我。”

“你放心吧。”阿照笑着把崔敏行的手从自己肩膀上拿下来，“能有什么事难得住他？再说了，他也不是一点小事就挂在脸上的人，你从哪看出他脸色不好？有那份闲心，不如好好喝你的酒。”

“那天我去找傅先生，正好见到方小姐脸色铁青地摔门出去，别怪我多嘴，该不是两人吵架了？”

“那也不是你我能管的事。他们不会怎么样的，顶多闹闹别扭，吵两句就忘了。”

“你说得也对，我算是看着他们长大，他俩的情分那是没得说，普通人家的亲兄妹也未必能那样。”

“你懂什么？我姐和七哥经历了多少事？他们的关系能和一般人比？就算他们

真吵起来，我们也插不上嘴。”

“我们是外人，自然不好多事。你怎么能一样，你和他们不就像一家人似的？你哥哥姐姐对你不错，谁看了都要羡慕。有些话也只有你能在他们面前讲。”

这话阿照爱听，嘴上不说什么，喝酒的时候却也觉得舒心，“那是，在我眼里，他们就是我的家人。”

“说不定你们家要添新人了。听说方小姐新交了男朋友，很是要好。她和傅先生吵架不会也为了这一桩吧，都说女大不中留……”

“你瞎说什么！”阿照脸色一变，崔敏行赶紧打住，“不说了，不说了，怪我多事。喝酒！”

“你少……”

“苏光照！”

阿照的背被人用力一拍，他回头，看到的是一张明艳却让他避之唯恐不及的面容。

“你跑这来干什么？”他嘟囔道。

“你浑蛋！”明子看到了阿照身畔的香艳场景，满腔的血都往头上涌去，恨不得当众给他一巴掌，手刚抬起来，就被阿照截下。

“别闹啊！”

明子红了眼眶，“你太过分了！”

四下都是熟人，当着他们的面，阿照拉不下脸，更不想让人看笑话，匆匆喝干面前的酒，拉起明子借一步说话。

“你想干什么，说吧。”阿照在一个人少且相对安静的地方松开了明子的手，无奈地说道。

明子咬着嘴唇，“这句话应该我问你。你凭什么说翻脸就翻脸？”

“我翻脸还不行了？”阿照摆出一副痞子的神态，吊儿郎当地说，“我们又没拜堂成亲，大家都是成年人，你情我愿，好聚好散。”

“你之前不是这么说的。”明子在他胸口用力捶了一下。

阿照往后退了一步，“我说你就信？大家玩玩而已，用不用那么当真？”

“我为什么不信？你敢说你不喜欢我？”明子含着泪大声质问道。

阿照烦恼地抓了抓头发，“我就是个浑蛋，今天我喜欢你，明天就能喜欢别人，你趁早看清我的真面目。”

“还是因为傅镜殊的事对吗？因为我和他家里的关系，所以你不敢和我在一起！”

“你想怎么说都行。”

明子上前一步，情急地拉住阿照的手，认真道：“我说过，家里的安排是他们的事，我不会嫁给傅镜殊的，我和他根本就不合适。”

阿照像听一个笑话，“你是千金小姐，你和我七哥不合适，和我这小瘪三就合适了？”

“我管你是什么人？阿照，你没有必要妄自菲薄，我喜欢你，自然有你值得我喜欢的理由。我爸爸很固执，但是他爱我，我妈妈也一样。他们会生我的气，可到最后他们会希望我幸福。我爸也是像你这个年纪的时候白手起家，他会欣赏你这样聪明、重情义、有热血的年轻人，你跟我回台北，我们把事情对家里人说清楚，我还会把我的朋友们介绍给你……”

“你别一相情愿了行不行，好好的女孩子，你要什么没有，找什么男人不行，何必在我这棵歪脖子树上吊死？”阿照被明子的一番话说得心烦意乱，他急于脱身，自然就口不择言。

明子脸上写着屈辱，但是她仍相信自己的心，她爱的人不会真的这么恶劣。她流着泪说：“你怕傅镜殊？你不敢为了我和他翻脸是吗？”

“这不是敢不敢的问题，我的天，你要我怎么说你才明白。”阿照烦躁中一脚踢翻了身旁的垃圾桶，“我就把话跟你挑明了说吧。是，我挺喜欢你的，你漂亮，身材正点，是男人都喜欢，这有什么奇怪，更重要的是你自己送上门来的。我讨厌傅至时，泡了他的妞我觉得心里高兴得很，要是没有你和我七哥那层关系，我不介意和你开开心心再相处一阵，但是这不意味着我会娶你。你不了解我，我也不想知道你是哪一家的千金，即使没有我七哥，我们也不会有结果，你懂吗？你的感情有多真是你的事，在我这里，我说的爱啊，喜欢啊，一分钱都不值，和狗屎没有区别。

我不是不敢和我七哥翻脸——而是事情根本没到那一步！”

“你的意思是说，你甩了我，不是因为碍于你七哥的情分不能和我在一起，而是我根本就不值得拿来和他相提并论？”

“要是这样想你能死心，那就这样！”

明子眨了眨眼睛，她好像忽然间哭不出来了。她打电话给她的朋友，说她爱上了一个可能什么都没有的男人。朋友问，这个男人有什么好？明子一时间说不上来。阿照冲动、幼稚、执拗，总是满脸的不在乎，还爱打架，每和别人较真，不头破血流不肯收手。但同时他单纯、热烈、重情重义，笑起来像最明亮的太阳。她还相信他有一颗孩子般真挚善良的心，只不过把它藏在了骁勇斗狠的表象里。即使一切的优点都是她为自己沉溺的爱情找出来的美丽借口，但她还是爱他，这是她选择的爱情方式。可是到现在她才发现自己错得有多离谱，她爱上的是像孩子一样的他，可孩子根本不会爱人，也不想长大。

难道真如她的朋友们所说的，她过去一直生活在童话的国度里，她想象的爱情，是在年轻的时候遇上最真的那个人，任他点燃她心中的引线，然后绽放出最璀璨的烟火。然而事实上她和阿照之间，不过像贪玩的孩子信手玩火，砰的一声她粉身碎骨，然后他丢下火种，浑然无事一般笑嘻嘻跑回了家。

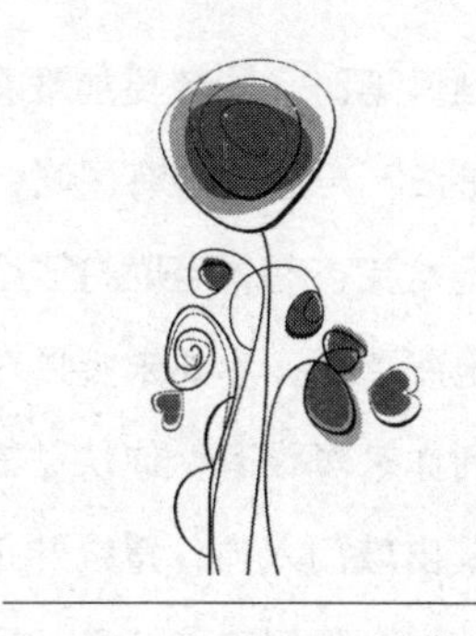

第三十章

持灯觅火

阿照坐在傅镜殊助理的办公桌对面，试探着问道：“我七哥今天找我是为什么事？”

助理是个比阿照年长两岁的大男孩，香港人，大学毕业之后一直在傅镜殊身边做事。他扶了扶眼镜，爱莫能助地摇头。

今天一大早，阿照接到傅镜殊的电话，说是有事找他，让他到办公室来一趟。阿照不敢怠慢，提前了半个小时赶过来，被告知现在傅先生办公室还有别的客人，让他在外面稍等片刻。

往常傅镜殊找阿照来交待一些事情也是常有的，但或许是心虚的缘故，昨晚刚和明子大闹一场，今天早上就接到七哥召唤，阿照心中惴惴不安，总疑心事情败露，他这次是闯了大祸，真不知道该如何面对七哥，更不知如何收场。

坐立不安等待的那段时间对于阿照来说无比漫长，终于傅镜殊办公室的门被打开，有人从里面走了出来。

阿照一看到傅至时，脸色更加难看，故意扭过头去装作没看到他，与小助理谈笑道："我当是谁？早起的狗有屎吃，汪汪汪！"

助理尴尬地赔笑，朝傅至时打了个招呼。傅至时在这种场合通常不会和阿照一般见识，礼貌地点点头，浑如未听见对方说什么一般离去了。

"傅先生问你来了没有，你快进去吧。"助理放下内线电话对阿照说道。

阿照硬着头皮敲门入内，傅镜殊正低头看一份企划书，听见他进来，只抬头看了一眼，说："你今天倒来得挺早，看来昨晚没喝多。"

"我根本就没喝。"阿照规规矩矩地坐到对面，笑着问，"七哥你找我有什么吩咐？"

傅镜殊这才放下手里的东西说："是这样，半个月后是我们祖奶奶的诞辰，照惯例逢十年的大日子要好好操办，这件事交给你，办得周全些，有什么想不到的就来问我。"

阿照在傅镜殊身边多年，自然知道他所说的"祖奶奶"指的是傅学程的老母亲黄氏。傅家发家始于自傅学程那一代，而傅学程事母至孝，他死后和母亲一同葬在了瓜荫洲，现今后人虽散落各方，但每逢祖辈诞辰，即使不一定都能赶回国内，也多少要有人负责操办，方才不显得偌大一个家族人丁凋落。

这事说大也不大，说小却也不小。阿照自问把它办妥了一点问题都没有，只是不明白，明明傅至时前脚刚走，按说那王八蛋才是正经的傅家人，七哥即使百事缠身，像这类家族事务，交给傅至时才更说得过去。

傅镜殊好像看穿了阿照的心思，没等他问，便说道："这事原本是各房轮流负责，上一回二房派了人回来操办，这次理应轮到三房。傅至时到底是大房的人，找他去反而不妥，这件事交给你，就和我亲自去办是一样的。"

言下之意，也就是说把阿照看成了不折不扣的自己人。傅镜殊在人前鲜少说重话，即使是面对替他跑腿的阿照，也多半是客客气气的，既不苛责，也难得情感外露。阿照敬他，却又畏他。虽说把他看成是亲兄长一般，但要说在他面前如方灯一般任意而为，那是断然不可能的。这时听了他举重若轻的一番话，阿照心中一暖，更觉得自己没白把七哥当成至亲看待，相较之下，他和明子的那些事简直成了一场噩梦。他从未如现在这样讨厌自己的放浪轻狂，要不是姐姐提醒，还不知错到什么地步，他该拿什么颜面来面对七哥?

傅镜殊继续埋首看他的企划书，过了一会儿，发现阿照还愣愣地坐在沙发上，于是问道："阿照，你还有别的事？"

"没……没有！"沉浸在无比羞愧之中的阿照慌忙答道。

傅镜殊看他这副样子，说："你年纪也不小了，做事要稳重些，这样你姐才会高兴，我也能放心把更多的事交给你。"

阿照觉得自己再也没办法隐瞒下去了。方灯要他打死都不能承认这件事，可男子汉大丈夫，敢做就要敢当，七哥对他这么好，他已经做错了，还要瞒着，这样还算是个人吗?

他脑子一热，站起来走到傅镜殊的办公桌前，横下心说："七哥，我……我做了一件对不起你的事！"

傅镜殊微微皱眉，靠向了椅背。

"是吗？"

他这样不动声色，好不容易鼓起勇气的阿照反而不知怎么说下去，这事太难以启齿，让一个天不怕地不怕的人也吞吞吐吐了起来。

"我……"

"你是说这个？"傅镜殊伸手在办公桌的文件堆里翻了翻，找出一份东西扔到阿照面前。

阿照拿起来一看，血直冲往脑袋。他手上拿着的是好几张偷拍的照片，照片里如胶似漆黏在一起的两人不是他和明子又能是谁?

"七哥，我那时不知道她的身份，我可以发誓的！"

傅镜殊笑了笑道："你当然不知道，你要是知道还这么做，那我就该擦亮眼睛了。"

"你怎么会有这个？"阿照心中惊魂难定，莫非七哥早就对他不信任了?

傅镜殊定定看了阿照几眼，才反问道："你说呢？"

阿照想起了刚刚离开的傅至时，恍然大悟，咬牙切齿道："我就知道是那个王八蛋，卑鄙小人！”可他再怎么痛骂傅至时，也无法掩盖手里握着的事实，这件事是他做错在先，才被人抓到了把柄。他双手握拳道：“我对不起你，七哥，你要怎么打发我都无话可说。”

傅镜殊倒像被他逗乐了，“怎么打发你，把你们双双浸猪笼？”

阿照显然没有开玩笑的心思，很难配合他做出稍微轻松的表情。傅镜殊收起了笑容，平静地说：“我要是存心怪你，也不会把这个给你看了。我和贾明子的事的确是双方家长都有意，我也认真考虑过，但是她还太年轻，看得出来她对联姻的事并不热衷。这件事本来就是能成更好，成不了也不能强求，我在郑太太面前也是这么说。你根本不知道她是谁，又那么巧让你们遇上，我……可以理解。不过，要是你没到放不下的地步，我也希望你最好不要再和她来往，毕竟她身份特殊，这事捅到老人家那里，大家颜面上都不好看。”

他的语气并不重，阿照听着却又是一头一脸的汗，“我再也不会见她，七哥，你放心！”

“这也是我一开始提醒你做事要稳重，凡事三思后行的原因。你自己谨慎小心，才不至于被别人抓了把柄。你好好想想。”

这如同兄长一般的谆谆教诲，让阿照几乎红了眼眶，恨不得当场剖出心来给他看。

“七哥，我错了！我以后都不会再让你失望了。”阿照赌誓一样说道。他没有想到自己捅出了那样的娄子，七哥了然于心，都还能既往不咎，越是这样，越让他无地自容。

“阿照，当初我把你带出瓜荫洲，放在身边做事，一半是方灯开了口，另一半也是因为我了解你的本性。我自幼没有兄弟姐妹，在我看来，你和我的亲弟弟也没什么两样。平时可能对你太严厉了，可我的本意是为你好。”

“我知道！”阿照心中那股热流再度澎湃，别说是让他听七哥的话，就算七哥这时候让他去挡刀子，他也半点不会含糊。他哽咽道：“七哥，我是个孤儿，从小被人欺负，没有你和我姐，我什么都不是，在我心里你们就是我的家人，没有什么比这个更加重要。我们会一直像小时候那样，做任何事都是一条心！”

傅镜殊听了他这番话竟有些惆怅，他像是想到了什么，自己先苦笑了，“怎么可能再像过去一样？阿照，人是会变的。”

“我不会！”阿照傻乎乎地说，他见傅镜殊惆怅不语，这才明白自己表错了情，七哥现在心里想的根本不是自己。他想起崔敏行的话，又联系上方灯最近的行踪，犹疑地问：“我姐对那个姓陆的是来真的？”

“也许吧，她居然说要跟陆一走。”傅镜殊面露苦涩。

阿照大惊，“走？她要去哪？这不可能！”

“我刚听说的时候也和你一样难以置信。但回过头想想，我欠了她太多，她会这样也不奇怪。”

“不行，我要去找我姐，那个姓陆的小白脸有什么好，哪一点配得上她。我姐只是赌气罢了，我不会让她就这么走！”阿照大声道。

“你劝不了她，这件事你不要管，让我再想想。”傅镜殊合上面前的文件夹，有些疲惫地说，“你先出去吧。”

阿照点头，走了两步又不放心地转身看了一眼。他从没见过姐姐和七哥闹得那么僵，以前他们再怎么吵，心里都是想着对方的。他虽不是细腻的人，但是这些年离他们最近，看得最真切的那个人只有他，有些事，心思简单的人反而看得更加明了。别人都猜不透方灯和傅镜殊的关系，阿照只知道一个事实，能让姐姐不顾一切的人只有七哥，而能让七哥黯然失措的那个人，也只有姐姐。

他心下担忧，多嘴问了一句，“七哥，这么多年，我姐在你心中到底算是什么？”

在阿照眼里，他的七哥是无所不知的。但是这一次，面对他的问题，傅镜殊良久不语，过了一会儿，手上握着的笔轻轻掉落在办公桌上，他也仿若未觉。

一转眼又近年底，布艺店的生意更忙碌了。桔年上午去医院探望生病的侄女，请了半天的假，回到店里，本打算换上制服，却看到方灯在更衣室的凳子上坐着发呆。

“对了，老板娘，我上次去观音寺给你求了个签，你要不要看看？”桔年说着在她米袋一样的布包里一阵好找。

方灯都快忘了这件事，她有些茫然地接过桔年手中皱巴巴的黄色薄纸，上面写

着“观音灵签第十签中签寅宫”。

“庞涓观阵？”她吃力地辨认纸上的小字，“……石藏无价玉和珍，只管他乡外客寻。宛如持灯更觅火，不如收拾枉劳心……什么意思？”

桔年指着签纸的最后一行说道：“这里不是写着吗？此卦持灯觅火之像，无需限意，眼前是真。”

“眼前是真？”方灯喃喃地重复了一遍，“是我理解的意思吗？那么说，我做的决定是对的？”

她把签纸攥在手心，抬头看着桔年，“你真的相信这些？一张破纸，几句含含糊糊的话就能泄露天机？”

桔年想了想，才回答道：“我是这么想的，有些东西，你要是不信，什么都是偶然，可要是你相信，什么都是注定。”

方灯听后沉默了一会儿，再开口时却诡异地将话锋一转，“桔年，我想要转让布艺店，你有没有盘下的打算？”

桔年吓了一跳，“你为什么忽然间要把好好的一个店给转出去？”

“我有离开这里的打算。你只要说，你想不想盘下来？”方灯找到桔年不是没有理由的，布艺店开张这几年，桔年在店里投入的精力并不比她少，她想不出还有其他更合适的人选。

“我哪有那么多钱？”桔年讷讷地说。

方灯报了一个价格，低得让桔年也颇觉意外，“你就这么着急走？这个店你完全可以卖到更好的价钱。”

“我希望能把这个店交给你。你不用立刻答复我，钱的事我们可以商量，你再想想办法也行，但我等不了太久。”

桔年对这个店不是没有感情，方灯这么一说，她也有些动心，“我记得你以前说过，这个店对你来说很重要。”

“那都是以前，现在不一样了，你不也是吗？”桔年这段时间的一些变故方灯也不是全然不知，她忽然问，“你说，人要怎样才能做到放下和宽恕？”

桔年吃惊地笑了，“这个问题我也想知道。”

方灯有些失望，但她原本也没指望得到答案，“我知道，这对谁来说都不容易。”

桔年点头，慢吞吞地换上制服，她拉平衣角，又对方灯说：“老板娘，你听过这样一句话吗？‘夜雨秋灯，梨花海棠相伴老。小楼东风，往事不堪回首了。’我想这段话的意思无非是，无不可过去之事，有自然相知之人。”

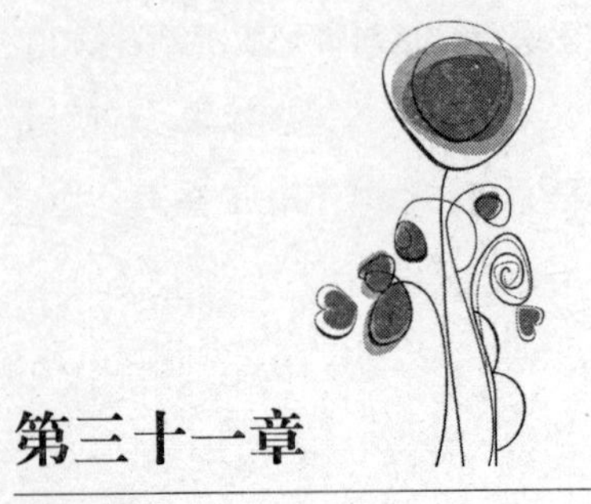

第三十一章

我爱过你

人在一个城市待得久了，就像树扎下了根，想动一动，可每一条根须都深深地缠入了身下的土壤，那里有它赖以生长的养分，也有它立足的根本。陆一过去也想过“生活在别处”，但每当他动了离开的念头，总会发现这普普通通的城市也有不少让他眷恋的地方，即使他此前孑然一身，父母双亡。

向方灯求婚是他这辈子做过的最疯狂也最无憾的一件事。当方灯问他愿不愿意一起走时，他却说了一句傻得不能再傻的话。

“这不会是新一轮的谎言大冒险吧？”

方灯只是红着眼眶，用无比的沉默来回应他。他知道她在等待一个回答。从那一刻起，他就已做好了将自己的生活连根拔起的准备。

陆一对生活要求很简单，他不需要太多的富贵，男人们都渴望的功成名就于他而言也没有多大的吸引力，他只想过自己默默无闻却点滴知足的小日子，方灯是他平凡人生中最大的奢望，他愿意为这场美梦毫不犹豫地倾尽所有。

离开的手续复杂而繁琐，一个“走”字寥寥几笔，真正付诸行动，辞职、卖房子、申请签证、告别亲友……每一项办起来都不轻松。但陆一有足够的决心和动力，因为从他搬离原来的住处，另找了个临时落脚的地方开始，方灯就一直陪在他的身边。这让他真切地感受到，和她共度一生并不是一场梦，为此还有什么不值得?

方灯心中却别有一番滋味。她和傅七最后一次见面，两人都说了狠话，决裂后，她的心如同在冰水里浸过一样，傅七的心寒想必也不亚于她。她拿出他最敏感的身世之秘密相要挟，实在是不得已而为之，因为她必须保住陆一。要是傅七坚信陆一对他有威胁，他和他身边的人什么都做得出来。然而威胁他的人换做方灯又不一样了，方灯就是要他知道，如果陆一有事，谁都不会好过。她了解他太多的秘密，就如同他了解自己一样。再忌惮，傅七也不会对方灯下狠手，即使他因此而恨她。这已是方灯最后能够确信的一件事，只要他理智尚存，陆一至少安全无虞。

只不过方灯没有预料到的是，傅七即使不敢动陆一，却能让他不好受，更能让他离开的每一步都走得无比艰难。卖房和签证办理过程中的种种障碍自不必提，连陆一都能感觉到，自己无论走到哪里，身后似乎总有一双阴魂不散的眼睛，身边也频频有各种小事故发生，即使有惊无险，但让人无时无刻不是提心吊胆。他的住处、包括离职前的办公室都不止一次有人为翻动的痕迹，甚至是他父母安葬的墓地也不能幸免。更让他难以释怀的是对他有过养育之恩的大姑一家也受到波及，安居了十几年的老房子破天荒地遭了贼，报警也查不出什么端倪。表姐夫周末开车载着一家人去公园，回来的路上被一辆忽然冲出来的小型箱车迎头撞上，车里的人虽无大碍，但都吓出一身冷汗，陆一的小外甥孙女佳佳更是当场大哭。到头来那辆逃逸的肇事车辆果然被证实是套牌车，要追究起来谈何容易。

陆一听方灯的劝说暂时更换住处，也尽量少与大姑一家往来，避免让他们多受牵连，其余的事交给她处理。眼前最重要的是尽早办妥手续离开，走得越远越好，天地之大，总有傅镜殊和崔敏行那种人碰不到的地方。如果他们再也不回来，时间长了，想必他也会渐渐放心，就此收手罢休。

方灯还没决定该不该亲自再去找一趟傅镜殊，却没想到他先找上门来。那天她在陆一新租来的公寓里，陆一见她连日来郁郁寡欢，说要做一顿好吃的让她高兴高

兴，方灯听到敲门声，还以为是陆一没带钥匙，打开门见到的却是傅镜殊。

“不欢迎？”傅镜殊从容问道。他身后并没有跟着旁人。

方灯心中百感交集，说出来的话也不客气，“难得你有这个自觉。”

傅镜殊从方灯身侧走进了屋子，方灯并没有阻拦，他既然能找到这里，她就不可能真正地避开他。

他脱了外套，在十几平米见方的小客厅里四下打量了片刻，很快就看到了打包齐整堆放于沙发一侧的行李，里面有属于她的那一份。

他站在行李旁，转过脸去看仍站在门边的方灯，脸上有不敢置信的神情。

“你真的打算要走？”

方灯走过来，坐在沙发上反问道：“我的去留需要你的批准？”

“我从来没有想过你会去一个我看不见的地方。”傅镜殊的手不经意地划过行李箱上端，长吁口气，走到方灯身畔，低声说，“让陆一走，我保证不会再管他的事。你留下，你要什么我都答应你，只要别再赌气了。”

“我不走，我们就能当做什么都没发生？”方灯斜睨着身边的人，仿佛想要看穿他的自欺欺人。从他们相互说出最致命的话开始，从他为她见过向远而耿耿于怀开始，他们就已经不再是从前的傅镜殊和方灯了。也许裂痕在许久之前就已悄然滋生，只是他们都太想守住这份慰藉，拼命地扮作视而不见。

傅镜殊说：“我以为没有什么能比我们曾经的情分更重要。”

“情分？”方灯无声地笑了，“你也说那是‘曾经’。你敢说对于你而言，我是最重要的？说出来你自己也不信吧。傅七，在你心中最重要的只有‘傅家人’这个身份，从过去到现在都是一样！只是现在你得到的越多，就越怕有朝一日失去它，摘掉了这个姓，你还剩什么？我们的情分顶多是你的垫脚石，别说你在乎我这样的话，我已经听够了！”

“原来我在你心里已经变得这样不堪。”傅镜殊自我解嘲。他又问方灯：“那你呢，现在对你来说最重要的又是什么？”

他们都知道，在过去的十几年里，她心中最重要的只有一个名字。

方灯说：“我已经了答应了嫁给陆一，后半生我都会和他在一起生活。”

傅镜殊似乎想要笑，却只从喉间挤出一声沙哑的单音节。

“哈！这样的话你以前不是没有说过。”

过去两人闹别扭的时候，方灯有时也会赌气地说要随便找个人嫁了。那时他们都清楚这只是一句气话或是玩笑话，他从未当真，连劝都没有劝过，通常只是把她怒气冲冲的脸按进怀里，可是现在她就近在咫尺，他却仿佛连伸出手拥抱她的勇气也丧失了。

方灯用冷静到有些漠然的语气对他说：“你可以不信，但我从来没有这么认真。”

“你要嫁给他？你们能去哪里，他能给你什么？”傅镜殊克制着情绪冷冷地问。

“他没你有钱有势，身后也没有一个显赫的家族。可是他能给我一个名分，一种光明正大的、平静的生活。”方灯见傅镜殊露出了他最惯常的嘲讽笑容，在他开口之前，她站了起来，靠近他，把手贴在他最靠近心脏的位置，一字一句说道：“他还能给我一个家，你可以吗？”

傅镜殊双目低垂，抓住她的手正待说话，这时门外再度传来了笃笃的敲门声。

方灯当即想要转身奔向门边，被傅镜殊用力地抱在怀里，“我不可能让你跟他走！”

“方灯，我忘带钥匙了。”陆一在门外说。

“放开。”方灯轻声道。傅镜殊不做声，她的脸紧挨着他的胸口，她听到了那再熟悉不过的心跳声，这声音仿佛也在她胸腔内带出回响，那一刻方灯只觉得悲从中来，竟放弃了挣扎，只是在他怀里仰起了头，哀声说了句：“小七，你放过我们吧。”

他们都快忘了，她有多久没有这样轻声唤过他的名字。傅镜殊永远记得傅家园里那个最初的夜晚，她的脸和湿漉漉的长发贴在他胸口，身上是若有若无的花露水的味道。

那时，她的睫毛上也挂着泪滴。

那时，她亲手把心放进他的胸膛，说：“小七，总有一个人比较傻……想着我这么做，我心里是快乐的……”

那时，他们眼里只有彼此。

而现在呢？她用同样的口吻，却让他放过他们。

傅镜殊的声音听起来自己都觉得陌生，“从什么时候开始，你和他倒成了‘我们’？”

陆一的敲门声一阵强过一阵。

“从你把我推向他的那天……”方灯短暂地闭上眼睛，再一次尝到了嘴角的咸涩滋味，眼泪是最不好的东西，软弱而无用，从此应该戒掉的。

她竭力用最平稳的声音对他说：“我不是非走不可，但是我留下来，你又能给我什么？你能娶我？你敢不敢当着所有人的面说我不是你的家人，不是你的表妹？你要是点头，我哪都不去！看吧，你不敢。镜子永远都是镜子，可灯迟早会有枯竭的那天。我已经太累了，我等不了，因为那一天不可能会来。”

他能说什么？每一句话他都无从辩驳。

“方灯，你在里面吗？不会睡着了吧？”

方灯从傅镜殊力道渐松的怀抱里抽身，换了轻快的语调对门口的人回应道：“我在，就来了！”

她的温度彻底远离他的那刻，傅镜殊扣住她的手，有些不知所措地问：“方灯，你爱他？”

方灯说：“难道你不懂，寻常男女之间，只要有一个人的爱足够浓烈，就可以过一辈子。”

傅镜殊低声道：“你不也爱我？”

方灯笑了，重重将手抽了回来，冲到门边打开了门闩。

陆一走了进来，嘴里说着：“我真糊涂，明明记得带了钥匙的，我把你吵醒了吧……”

他的视线与傅镜殊相对，愣了一下，有些困惑地看向方灯，方灯刚哭过的眼睛让他心下明白了几分。

“你是……傅先生？”

傅镜殊不答，只是面无表情地打量着陆一。

陆一刚从菜市场回来，双手拎满了东西，有鱼，有姜葱，有青菜，还有一大袋苹果。他的头发和肩膀也被外面的小雨打湿了，看上去有些狼狈，然而面对傅镜殊的眼神，他的脸色却依旧温和坦然。

“方灯，你没说今天有客人呀。傅先生要不就留下来吃个便饭？”

方灯代替傅镜殊回答了陆一。

“他还有事，马上要走了。”她说完又看了傅镜殊一眼，“你忙你的去吧，我不送了。”

傅镜殊泥塑般站了会儿，低头笑了一声，朝门口走去。

“等等。”方灯叫住了他。

他很快地回头，正好看见她递过来的东西。

方灯说：“你忘了你的外套。”

傅镜殊走后，陆一将手上的东西放进厨房，一边收拾买回来的东西，一边笑着问方灯：“你今晚想吃什么？”

方灯没来得及回答，听到手机响了一声，是条短信息，发信人是傅七。

这时他应该回到了车上。

方灯打开信息，上面只有寥寥两行字。

“走吧，别回来了。我不想看到你们儿女成群。”

方灯放下手机，整个人恍恍惚惚的。

他终于肯放手了吗？

“……那条鱼是红烧还是清蒸的好？老实说我做红烧鱼比较拿手，不过这条鱼很新鲜，不用来清蒸又有些浪费，要不……？”

方灯忽然打断了陆一。

“你为什么不问？”

“问什么？”陆一将鱼放在砧板上。

“别装成没事一样，你都不会说谎，装也装不像。”

“关于傅镜殊？”陆一笑了笑说道，“我能说他来这里干什么，对我不是很重要吗？”

“那你觉得什么才重要？你眼里在乎的只有这条死鱼？”方灯难以克制她的暴

躁，虽然她很明白自己将难以言说的情绪发泄在陆一身上是极其过分且没有道理的，但是若她再找不到这样一个出口，她会逼死自己。

“说什么傻话？”陆一把手洗干净。

“你想过没有，我可能根本就不爱你。以前我接近你是为了拿到傅镜殊的身世资料，现在跟你走，也不过是利用你来摆脱傅镜殊。我们完全是两种人，你想象不到我有多卑鄙，和我这种人在一起，为我把你原来好端端的生活搞得天翻地覆，值得吗？就算你一个人走了，我也会确保你和你家里人没事的，趁现在后悔还来得及。”

“我们不是说好了要一起去看极夜和极昼？”陆一宽慰似的将手放在方灯的肩膀，被她焦躁地甩开。

“你有没有认真听清我的话？我的过去，还有我和傅镜殊的过去，你都不在乎，难道你是圣人？我心里很有可能还想着他，我没救了。跟我这样的人过一辈子，你不觉得憋屈？”

陆一的双手稳稳地握住方灯的手腕，“我也不是不介意，你为他哭，我看了不好受。但这也怪我，如果我足够好，就能填满你的心，让你心里失去爱另外一个人的余地。所以你放心，我会对你更好的。总有一天，你会笑着跟我说，傅镜殊算什么？想着他，还不如想想晚上到底要吃红烧鱼还是清蒸鱼。”

方灯用一种怪异的眼神看着他，仿佛在看一个外星人，她完全不能够理解他脑回路的构造。

“你等等。”陆一按着她的肩膀把她推到沙发边，让她好好坐下，然后去厨房迅速地削好了一个苹果，塞到她的手里。“这苹果可是专治婚前恐惧症的。”

方灯怔怔地拿着苹果，另一只手上是被她手温焐热了的手机。

“你吃啊，发什么呆？”

她在陆一的催促下，机械地咬了一口，出奇的甜，甜得人心里直发慌。她没吃过这么甜的苹果，不，应该说，从没有人给她削过一个苹果。

方灯又咬了一口，点了点头，脸上的神情说不出是快乐还是伤悲，只是眼角有泪。陆一看她样子古怪，有些担心地摸了摸她的额头，“你脸色很差，该不会是病了吧？”

方灯又点了点头，一口气把苹果吃完。

她想她是病了，而且病得太久。

方灯和傅七曾经住在同一间病房，他们相互搀扶，自以为同病相怜。但到头来才发现，同样的症状，他只是一场伤风，她却病入膏肓。现在该是她自救的时候了，哪怕只是回光返照，可是好歹从十几年的昏迷中试着苏醒了过来。

方灯从小太过孤独，没有人爱过她，她也不知道去爱谁，傅七只是出现在她最需要爱的时候，所以她把所有的感情都投注到一个人的身上，为他生，为他死，为他付出一切。正如向远所说的，即使她的一切傅七都要下手剥夺，她还祈求着他能把那双正在剥夺的手留下来给她。

她曾经以为没有什么可以动摇这份爱，这辈子都不行，到死也不会，可是她错了。到今天她才尝到了解药，原来只需要一个削好的苹果。

是陆一的这个苹果让方灯第一次明白，竟然有一种感情可以这么舒适自然，没有眼泪，没有牺牲，也没有任何的负担。

方灯身上有一面镜子，是傅镜殊当年送给她的，背面镂刻着“不离不弃”的誓言。其实幸福自信的人从不需要赌誓，“不离不弃”从来就是个谎言。

她过去将这个谎言视若珍宝，一直带在身边，当她想要委身陆宁海的时候，还有陪在雇主身边那三年，每每她做着违心的事，都会将镜子翻过一边，仿佛镜子里藏着一双眼。可是这一次，她用仍带着苹果香甜的嘴亲吻手足无措的陆一，她希望镜子能够看得见。

深夜，方灯才给傅七回了一条信息，那既是对他临走前那个疑问的回答，也是对他们这十几年的一个回答。

她说：“我爱过你。”

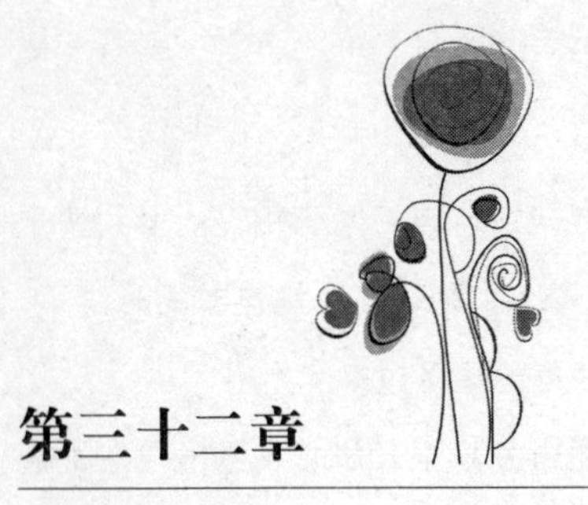

第三十二章

爱极无不舍

阿照陪在傅镜殊身边，他很少见到七哥喝酒。傅镜殊平日里应酬也不少，但他在酒桌上总是太过克制，并且自有他的一套规避法子，所以负责接送他的阿照通常发现宾主尽欢之后，客人们醉得差不多了，他还清醒得很。

阿照只听方灯一次开玩笑的时候提到过，傅七酒桌上深不见底的表象只不过是因为他狡猾，其实他的酒量十分之差，有时方灯非让他陪着喝几杯，先撑不住倒下的那个必定是他。

现在阿照知道了，姐姐没有说假话。

傅镜殊醉了，不仅是因为那两杯龙舌兰，也因为他不想再那么清醒。

于是阿照从他酒后断断续续的叙述中，头一回听说了他初到马来西亚，站在吉隆坡的大宅前的那种无助和惶惑，也知道了他对郑太太既感恩又忌惮的复杂心理，还有他对大宅里勾心斗角的“亲戚”们的厌恶和戒心。

傅镜殊说郑太太现在身体一天不如一天，一年到头倒有大半时间是在病床上度过的，大家嘴上说她会长命百岁，然而心里都清楚她的时日已不多。傅维敏夫妇也着急得很，明里暗里想尽了一切可以挽回老太太心意的法子，他们守在病床前的机会要比忙于公事的傅镜殊多得多，大把表现殷勤的机会。

傅维敏夫妇最大的儿子已经年满十八岁，听说很是聪明奋进，行事长相都颇有几分傅传声当年的样子，也越来越讨外祖母的欢心。他们夫妇俩都表示，很愿意让长子改随母姓，这样一来，这孩子也可以继承傅家的香火，而且身上还流着郑太太的血，远比傅七这个身份卑贱的野种更配得上傅家的基业。郑太太现在还不为所动，每逢女儿女婿提起，只说孩子还小，傅七这些年也做得很不错，但是谁也不敢保证她会不会在大限将至之前，或是某场昏迷之后忽然改变了决定。郑太太的两个弟弟本来就是墙头草，今天他们对傅镜殊还客客气气，但是只要一听到风声，就会立刻翻脸不认人。

傅镜殊端着晃动不已的酒杯对阿照说，别看他现在还暂时能压制住那拨人，没准转眼就成了一场空，到时他这些年投注在傅家的心血都将是替他人作嫁衣裳。

阿照能做的只有不断扶起傅镜殊歪倒的身体，擦拭掉他杯子里洒出来的酒液。他知道七哥一直很不容易，但七哥总是一副举重若轻的模样，他到现在才发现，人前所有的风光，背地里竟是如此凶险。

阿照还知道，七哥下午去找了方灯。方灯新换的住处还是阿照让人打探出来的，他以为这一次七哥前去劝说求和，姐姐一定会和七哥冰释前嫌。自家人，有什么解不开的心结？没有想到，回来后的七哥居然成了这副样子。傅镜殊醉后绝口不提方灯，但是阿照再傻也能猜到，这些都是因姐姐而起。

阿照破天荒地在心里埋怨起姐姐，女人都喜欢认死理，纠缠于一点小事不放，为什么就不能多体谅男人的苦衷。在阿照看来，七哥对姐姐已经足够在意，难道她真的铁了心要跟那个姓陆的男人走？这个结果阿照想不通，也万万不能接受。他、姐姐，还有七哥这么多年都相安无事，一同度过，没理由让半路杀出来的一个陌生人打破这一切。

想到这里，阿照心里堵得慌，忍不住还是开口问了。

“七哥，我姐她当真不肯回来？你说她在想什么？”

傅镜殊仰靠在沙发上对阿照说：“我先问你一个问题，为什么很多人一起共得了艰苦，却享不了甘甜？”

阿照摇头表示不知。在他的词典里，“同甘共苦”是铁一般的定律。

傅镜殊当然也没想过阿照能给他答案，他自说自话：“因为前者没有选择，但后者有。”

阿照其实还是一知半解，他只关心一点，“我姐她要走，现在到底该怎么办？”

傅镜殊笑了，“阿照，我不是万能的，有些事我们都没有办法，留不住就只能让她走。我答应她了，让她去任何想去的地方。”

这个回答让阿照大为意外，心里也凉了半截。他控制不住地单手握拳，不轻不重地砸在茶几上，酒杯和倾倒的瓶子一阵晃动。

“她怎么能这样？”

“她怎么不能？”傅镜殊反问，“别怪她，我们都没为她想过。如果我是她，可能我早走了。方灯说得对，留下来我能给她什么？有时候我也觉得自己人模人样的，可在她面前，我就是个废物。阿照，那天你问我，你姐对我来说算是什么？这个问题很简单，我却答不上来，我不敢去想那个答案。方灯就像我自己，这样的话她不想再听，可对我来说，这就是事实。每当看到她，就像看到我最不愿回想的过去，还有见不得光的另一面。我害怕她，又放不下她。”

阿照只有一个最简单的想法。

“人最爱的不也是自己？”

傅镜殊喝多了，再也难以支撑，手上最后一杯酒也泼洒在沙发上，人已经昏昏沉沉。阿照要费很大劲才勉强听得清他呓语一般的话。

“……爱极翻成无不舍……陈散原写的一首诗……我什么都不是，能豁得出去的也只剩下自己……她早看透了我的无耻……走……走了也好。”

阿照手忙脚乱地把傅镜殊扶在沙发上躺好，然后坐在一旁发了好一会儿呆。爱是什么，对他来说是太复杂的谜题。他似乎没有爱过，脑海中偶尔浮现明子的脸，又急不可待地将她清空。他唯一见过的爱，就是姐姐对七哥的感情，这也应该是七哥曾经最为确信的一样东西，现在连这个都要改变了吗？

他听到一声轻微的震动，在深夜里格外引人注意，那是被七哥扔在沙发角落里的手机。阿照拿起手机，想着要不要叫醒七哥，却看到屏幕上显示是方灯发来的一条信息。他只犹豫了不到一秒，就按开了那条短信，上面只有一句话。

“我爱过你。”

阿照回头看了看闭目蹙眉躺在沙发上的傅镜殊，默默删除了那条信息。

第二天，傅镜殊依旧准点到了办公室。他醒过来之后，用了很长时间在浴室里清洗，与其说他厌恶身上散发出来的酒味，不如说他排斥的是那个因懦弱而依赖酒精的自己。

九点多，助理打进来一个电话，说是有位没有预约的女士想要见他。傅镜殊第一个念头想到的是方灯，他站了起来，忽而才想起自己是多么可笑。助理跟在他身边几年，怎么可能连方灯都不知道，酒精果然是个可怕的东西。他坐定揉着自己的眉心，问对方姓什么。

助理说，她叫贾明子。

明子走进办公室时，看到的是永远清醒从容的傅镜殊。他们一起吃过几次饭，但她主动到办公地点来找他还是从没有过的事。

傅镜殊礼貌地和她寒暄了几句，秘书送进来的咖啡是他们一起用餐时她曾点过的口味，明子抿了一口，有些惊讶，也有些佩服。阿照总是那么粗心，莽莽撞撞的，什么都不放在心上，他和傅镜殊关系亲近，却是截然相反的两种存在。

“你要找我，其实可以先给我打个电话，下班后我让人去接你。”傅镜殊客气地说。

明子答道：“我之所以来办公室，是因为我不太能够确定，我今天的来意到底是公事还是私事。”

“哦？”傅镜殊摆出愿闻其详的姿态。

“你还愿意和我结婚吗？”

这下连傅镜殊都不得不露出惊讶的表情。他沉吟了片刻，微笑着问：“你想要的不是那种砰一声的感觉？”

“炸过一次就够了。”明子放下了咖啡，面不改色地注视着办公桌后的人，“我说的是什么，你不会不知道。我做的事在你眼里恐怕是个笑话。”

“像你这个年纪的女孩子，想要轰轰烈烈的爱情不是罪过，我也不感到意外。”傅镜殊口气缓和。

明子撇嘴笑笑，“爱是可以随便说说的，看上去再轰轰烈烈也一样。我也以为他爱我，还山盟海誓地说我是他身体的一部分，呵呵，后来我才知道，我是盲肠，是痔疮，反正是随时可以割掉的那部分。我不想骗你，也知道骗不过你，今天我既然来了，就代表我打定了主意。愿不愿意，你只要一句话。”

傅镜殊仿佛很欣赏对方毫不拖泥带水的个性，他把玩着手上的签字笔，慢条斯理地说：“让我猜猜，你家里出了状况？还是……”他的眼神明显地掠过了她身体的某个部位，为显得不失礼，又很快地移开，但含义不言而喻。

“我爸爸说得对，你是个聪明的人。”明子下意识地挺直了腰，仿佛是要让自己更坚定，“你猜中了一样。”

即使已有了心理准备，傅镜殊还是沉默了一会儿。

“他知道吗？”他问。

明子摇头，“我绝对不会告诉他，不管我们的交易成与不成，都请你替我保守这个秘密。”

“你跟我说‘交易’？”傅镜殊的笑容颇值得玩味。

“说白了不就是这样？要是你愿意用更好听的说法，我也可以配合。”明子说。

“你要想清楚！”傅镜殊言下之意是怕她太过轻率，而他不会随意为他人的冲动买单。

明子脸色有些发白，但还是沉声说道：“我想得很清楚。你也该知道，我的家庭容不下这个孩子，我必须给他一个名正言顺的身份。”

“你没想过阿照……”

“别提他，他不配。”明子没有让傅镜殊把话说完。她声音抬高了一些，但神态坚决，看得出不是说气话，“他不会是个好父亲，即便他回心转意，我家里也没有障碍，我和他也不可能了。孩子是我自己的，与任何人无关。你娶我之后，可以做任何你想做的事，我要一个名分。这桩交易对你来说不吃亏，你能得到傅家园，还有你们家郑老太太最后的认可。等到老太太百年之后，我们再分开，到时傅家已经是你的，你要怎么样都行。”

傅镜殊笑笑，垂首不语。

“怎么，你怕自己戴不了这顶‘绿帽子’？”明子语带挑衅。

“我做生意的时候，就只讲生意，不知道别的。”傅镜殊笑着说，“我只是在考虑，这个买卖值不值得一做。”

明子终于掩饰不住急切，“那现在呢，你想得怎么样？”

傅镜殊说：“听起来好像还不错。”

一周之后，傅镜殊和贾明子双双奔赴台北和吉隆坡，正式拜会两边的家长。他们前脚刚走，阿照就去找了方灯。

方灯和陆一刚从附近的超市采购回来，在楼下与阿照不期而遇。

“姐！”阿照叫她一声。

方灯惊讶地说：“你怎么来了？”

“我有话跟你说。”阿照走向方灯，经过陆一身边时，肩膀重重地撞上了陆一，他也不道歉，眼里的厌恶和轻蔑显而易见。

“你干什么！”方灯呵斥道。

陆一被阿照的力度撞得身体摇晃了一下。他见过阿照，知道对方就像方灯的亲弟弟一样，便也没有发作，好脾气地对方灯说：“你们慢慢聊，我先把东西拿上楼。”

阿照瞥了眼陆一的背影，用力朝地上吐了口唾沫。

“窝囊废！”

“苏光照，你再说一遍。”方灯冷冷道。

她仅有的几次叫他的全名，都是真正发了火。阿照虽不认为自己说错了，但也不愿在这种时候与她对着干，只好申辩道：“你看他那副怕事的样子像个男人吗？”

“那是，只有像你一样凡事用拳头说话的才算真正的男人！”方灯讥讽道。

阿照阴着脸说：“我讨厌这个人，更讨厌你和他在一块。”

“当初你来劝我为你七哥去接近这个人的时候，怎么不说这样的话？”

“那时我不知道你会当真。你已经拿到了想要的东西，为什么还要和他搅在一起？”

他理直气壮的样子让方灯感到悲哀，“你越来越像傅七了。”

方灯开始怀疑自己让阿照跟着傅七的决定是错误的，要是他还在火锅店里表演拉面，说不定到现在依然是个简单快乐的小伙子，有点冲动，有点倔强，但至少心地善良。如今耳濡目染之下，阿照越来越向他崇拜的七哥靠近，却没有傅七的理性和克制，只承袭了傅七身上阴鸷狠辣的那一面。

“姐，你醒醒吧，这气也赌得太离谱了！”

“连你也认为我在赌气？我不想再解释，我有赌气的自由。”方灯淡淡地说，“我从没有这么清醒过，只后悔醒得太晚。”

“你为了那样的一个男人和七哥翻脸，连我们这么多年的情分都不顾了，这还叫清醒？”阿照大声道。

方灯说：“假如我不顾情分，就不止一走了之了。难道我为傅七做得还不够？至于你，阿照，我又欠了你什么？”

“姐，我不想你走。”阿照摇晃着方灯的手臂，就像小时候那样，“姓陆的给你下了什么迷药？我要去找他算账。”

“你别胡闹，这事和陆一没有关系，是我做的决定。”方灯警告道。

“你不知道七哥有多难过。”

“他难过？我就不难过？我一辈子只能为他而活？我受够了，现在只想过上正常人的生活，我想为自己活一次。”

“你撞见我和明子在一起的时候，是怎么劝我的？你让我赶紧断了和她的联系。我听了你的话，可轮到你自己，你又是怎么做的？”

“这是两码事！”方灯发现在阿照面前根本就没有道理可讲。

阿照吼道：“有什么不同？我可以放弃明子，姓陆的就那么重要？”

“你爱贾明子吗？你只不过是在玩火！”

“你怎么知道我不爱，什么是爱？你爱姓陆的，就什么都不顾了？我没有你那么自私，在我心里最重要的只有你和七哥，我们的情分谊比任何东西都宝贵。”

方灯不是第一次见识阿照的偏执。也许只有受够了孤独的人才容易对某种情感特别地依赖和狂热，阿照对于他想象中的“家”是如此，她曾经对于傅七不也是这样？

“我现在和你说不清楚。你和贾明子的事，就当是我做错了。你要是爱她，就别松手。总有一天你会明白，什么都是假的，只有愿意用一辈子陪你，看得见，摸得着的那个人才值得你付出。”

阿照仿佛没有听见方灯的话，依旧不依不饶地说：“我只问你一句。姐，你真的要跟他走？”

“是！”方灯答得简单干脆，她拿下了阿照的手，“你已经不小了，根本就不再需要我。人不可能永远是小时候那个样子。阿照，我们都回不到过去，假如还珍惜那点情分，就趁它还没彻底耗尽，各自散了吧。离得远，至少还剩点念想，否则……”

“要是我求你呢？”阿照咬牙道，不知什么时候，他已经红了眼眶。

方灯别过脸去，不想看他现在这副模样，狠下心说：“对不起，阿照，我不可能再回头了。你走吧。”

她见他还是一动不动，只得自己先转身离开。

“姐！我从小没爹没妈，在孤儿院被人欺负的时候，我总想着，早点死了才好，下辈子投生个好人家。后来我遇到了你，还有七哥，你们对我那么好，我才觉得活着有意义，我有亲人了。我的家就是你们，你一走，我的家就散了！”

阿照的声音带着哭腔，像个无助的孩子。方灯没有回头，迟早他也会醒过来，发现真正的家不是他想象的那样。他们不是家人，只不过是一起走过夜路的同伴，她走了，他才会长大，找到属于他的归依。

第三十三章

石头做的心

阿照在崔敏行的场子里灌闷酒。崔敏行劝他："大白天的喝那么多，当心傅先生知道了要不高兴。"

阿照推了他一把，"老东西，别废话。怕我付不起酒钱？我七哥不在，况且，我也管不了那么多。"

"有什么想不通的事，说出来，看老哥哥我能不能帮你一把，我好歹多活了几十年。"崔敏行和颜悦色道。

"你能帮个屁！"阿照不耐烦地说，"你能让我姐回头？"他咕噜噜地又灌下一大杯，"我七哥都办不到。我那样求她，她都不理。"

"原来还是为了方小姐的事。哎，我早就提醒过你，那时你们都不当回事。女人是世界上最不可靠的东西，一变了心意，胳膊肘就往外拐了。"崔敏行啧啧有声地感叹道。

"这事不怪我姐，都是姓陆的挑唆。"阿照听到旁人这样说方灯，心里还是有些不爽，忍不住要出言维护。

崔敏行作势轻扇自己的嘴，“好好好，都是我瞎说。姓陆的就是你姐新找的男人？”

“别提他。我恨不得捏死他！”阿照咬牙切齿地说，“我真搞不懂我姐怎么想的，那个陆一连给我七哥提鞋都不配。”

“那当然，他拿什么和傅先生比。可惜呀，你姐偏偏中了他的迷魂药。傅先生嘴上不说，心里该难受了。”崔敏行附和道。

“到现在我都想不通，她怎么能说走就走！”阿照负气地将眼前的空酒杯一推，吧台上的东西呼啦啦倒了一片，服务员赶紧上来收拾，崔敏行给了个眼色，让手下的人走开。

“说起来也是，你们到底这么多年的情分在，方小姐她这么绝情，别说傅先生和你，我这个不相干的人看了都觉得惋惜。当真没有挽回的余地了？”

“怎么挽回？我七哥都说了让她走，我搞不懂他们闹什么，明明心里都舍不得，还不让我插手！”

崔敏行面露诧异，“你是真不知道？”

“什么意思？”阿照用发红的眼睛扫了崔敏行一眼。

“傅先生那也是没有办法。”崔敏行压低声音，“本来我不打算多嘴的，不过看你这么在意，我们又是忘年……”

“他妈的你少废话，快说，你知道什么？”阿照重重放下酒杯。

崔敏行悻悻一笑，“有些事你听过就算了，千万别在傅先生面前提起，更不要说是我告诉你的。你当傅先生愿意放他们走？我听说姓陆的手上还有一份与傅先生身世有关的资料。”

“这怎么可能。”阿照隐约知道一些关于傅镜殊隐晦身世的传闻，但他从不打听，也不想知道真相，在他心里，无论傅镜殊是什么人，都永远是他七哥。据他所知，姐姐应该是从陆一那里得到了七哥想要的东西。

崔敏行飞快地看了看周遭，这才低声道：“方小姐和傅先生闹翻的时候，亲口用这个来要挟傅先生，要不我怎么说，女人都靠不住呢？”

“你放屁！”阿照难以置信。姐姐曾经那样对七哥掏心掏肺，就算全世界都背叛了七哥，但他相信，姐姐不会做出这种事来。

“唉，你别不信。”崔敏行咂嘴道，“要不是傅先生私下让我去方小姐的住处和姓陆的那里都找过一遍，我也不会相信。傅先生是个重情义的人，就算你姐姐做得再出格，他也下不了狠心去对付她，方小姐就是拿准了这一点。你说，到了这种地步，她说要走，傅先生能不放吗？”

他说得有鼻子有眼，阿照想不相信都难，呆了好一阵，又想起七哥酒后的失落和无奈……难怪了！

“我姐怎么会变成这样？”他喃喃自语地说道。

“女人啊，一听到甜言蜜语就昏了头。要我说，这也不是方小姐的本意……”

“没错，我姐不会这样的，一定是陆一的主意！是他挑唆我姐和七哥反目，都是他！”阿照喝多了，充满血丝的眼里全是恨意。

崔敏行叹气，“那是，要是没有他，你们也不会是现在这个样子。”

阿照紧紧地握着酒杯，几欲将它捏碎。他满腔的怒火，全部的不忿仿佛都找到了宣泄口。崔敏行的话如同醍醐灌顶一般，他清醒的时候未必想得这么明白。全怪姓陆的，是他拆散了姐姐和七哥，也是他让他们好端端的生活被打破了。要是这世界上没有了那该死的家伙，什么都会好起来的。

阿照用力把酒杯往地上一掼，清脆的碎裂声让他热血沸腾。他不顾崔敏行在背后声声呼唤，一阵疾风似的冲了出去。

方灯和陆一拿到了签证，两人都松了口气。这样一来，离开的日子也就近了，行李都已打包就绪，他们特意去了一趟陆一的大姑家，当做最后的道别。他们毕竟对他有抚养之情，日后也不知道什么时候才能再见了。

大姑一家把陆一当做自己的孩子看待，知道他要走，自然是万般舍不得。从他们家出来，陆一虽不说什么，但方灯能看出他心里不好受，开着车，一路说些轻松的事，好让他心情好转。

陆一也知道方灯用心良苦，想着两人的未来，渐渐的，亲人离别之痛也被冲淡了不少，两人相互提醒着还有什么东西是需要带走的。陆一老是舍不下他那一堆游戏光碟和正版 CD，方灯直埋怨他傻气，说说笑笑就到了租住地附近。

方灯说："还好租约要到期了，明天我就去找房东结算房租，机票也订好了，你手机上有没有收到信息？"

她看着前方，许久没有听到陆一的回答，转过头去看他在干什么，却见他手里拿着个方形的小盒子，一脸犹豫。

"这是什么？"方灯好奇地问。

陆一脸色发红，"一个小礼物，准备了好一阵，本来想等到出发那天再给你的。"

"还藏着掖着。"方灯笑着伸出手，"快拿过来给我看看。"

陆一把盒子递到方灯手里，方灯把车停靠在路边，当即就想打开来看。

"不会是戒指吧？如果是，那还真沉得有点可怕。"方灯打趣道。

"不是，戒指归戒指，这只是个小礼物。"陆一见她急不可待地去撕包装纸，脸红得更厉害了，期期艾艾地说，"你就不能等到我不在的时候再慢慢看？"

"你这么神秘，我现在反而非看不可了。"他还从没有像这样正式地送过她东西，方灯十分好奇陆一这样的人会在礼物盒子里藏着什么，该不会是个游戏人物模型吧？

盒子拆到一半，陆一还是坐不住了。正好停车位置的前方十几米处有家便利店，他忙着解开安全带，"你慢慢看，我去给你买点喝的。"

方灯笑了，买喝的是假，不好意思亲眼看她打开礼物才是真。

"害什么羞呀？"

"我先提醒你，不是什么值钱的东西。看归看，不许嘲笑我。"陆一红着脸警告道，不等方灯回答，匆匆推开车门逃了出去。

方灯笑着摇头，掀开了盒子。出乎她的意料，里面是一个红彤彤的苹果，想来原本卖相是不错的，只是存放在盒子里的时间长了，表皮有些萎缩。

方灯把苹果拿在手里，嗅了嗅，味道依旧香甜。她怎么会不明白陆一送给她这个的用意。一个普普通通的苹果，对她而言，是压垮过去执念的最后一根稻草，可在他那里，却是开启明天幸福的钥匙。

她注意到，盒子底部还有一张小卡片，上面有工整的手写字体，应该是陆一的字迹。方灯饶有兴趣地看了看，忍不住笑出声来。那居然是一首小诗，真够书呆子气的，也难怪他不好意思当着面让她看见。

那首诗是这么写的：

你总有爱我的一天，

我能等着你的爱慢慢地长大。

你手里握着的那把花，

不也是四月种下的种子，

六月才开的吗?

如今，我种下满心窝的种子，

至少有一两颗，能生根发芽。

开的花是你不要采的，

不是爱，至少是一点点喜欢吧。

即使我死去，坟前的那朵紫罗兰，

你总会瞧它一眼，

你这一眼，抵过我千般苦恼了。

死算什么，

你总有爱我的一天。

方灯默念了一遍，心里说，这真是傻透了。可她抬起头，却在后视镜里看到一双满是笑意的眼睛，那眼里有笃定的幸福，也有满满的安心。

她摇下车窗，探出头去看那个傻瓜回来了没有。果然，陆一手里端着两杯饮料从便利店里走了出来。方灯不用看也能猜到，他的纸杯里装着的一定是芬达。他总说，小的时候，家里不让多喝饮料，每当有高兴的事，餐桌上才会出现一瓶芬达，他喜欢那个橘子味道，以至于后来他都养成了一种习惯，高兴的时候，就给自己买一杯，还非让方灯也陪着一起喝。方灯老是取笑他，小孩子才喝这些东西，她高兴或不高兴的时候，最喜欢的只有烈酒。现在她把酒戒了，他还没戒掉他奇怪的芬达癖好。

陆一也感觉到方灯的张望，举起装满饮料的纸杯朝她晃了晃。他们都能想到接下来的画面，他一定会好说歹说地哄她喝几口，她会一个劲地嘲笑他，但最后还是抵不过地喝下那杯甜腻腻的玩意儿。

方灯还决定了，等他回来，她一定要当面怪声怪气地把那首诗念一遍，就是想看看他窘得满脸通红的样子。

想到这里，她忍不住笑了起来，捏着那张卡片，不怀好意地在窗口挥了挥。陆一走近了，脸上的表情也更为清晰，他看到她的动作，低下头去，开始不好意思地笑。他应该多笑的，微笑的时候，他嘴角的小酒窝让人忍不住去戳戳它。

方灯的手已经蠢蠢欲动，就在陆一走过马路的时候，一辆银灰色的车风驰电掣般从前方直冲过来，方灯根本来不及看清，只听见了一声沉闷的声响，然后是剧烈而尖锐的刹车声。那辆车短暂停下了数秒，又飞快地发动，继续歪歪斜斜地向前驶去。

方灯脑子空白一片，凭着一股本能踩了脚油门紧跟上前，她开的是好车，又如同不要命一般，很快车头就撞上了那辆陌生的银灰色轿车。剧烈的撞击感让两辆车都为之一震，前方车辆的驾驶人仓皇回头，那一霎，方灯看清了对方的脸，只觉得眼前一黑。

迟疑的瞬间，尾部受创不轻的肇事车辆迅速拐向了左边的路口，不管不顾的，撞飞了路边的隔离墩也没有使得他放缓车速。方灯惦记着陆一，无心再追，当即调头，回到刚才的地方。

马路正中央有个趴伏着的身躯，一动不动。已经有路过的行人纷纷从四周聚拢过来。方灯走下车，一个个拨开挡在身前的好事者，步步朝众人围观的中心靠近。

她蹲在那个身躯旁，轻轻地将他翻转过来，怔怔地看着他。大量的血沫不断地从他的口鼻处涌出，止都止不住，身下，还有一大片逐渐晕染开的猩红色血迹，混合着打翻的芬达那橘红色的液体。这一幕竟出奇地熟悉。

方灯双膝软倒，跌坐在马路上，抱起他绵软的身躯。不远处仿佛有人在喊："快打 120！"还有别的声音，听不清在说些什么。她耳边全被他浊重的呼吸声填满，

手里那张卡片也不知在什么时候脱手，浸在了血渍中，字迹变得模糊难辨。

陆一尚有一丝神智，吃力地睁开眼睛看她，想伸手，哪里还能动弹。方灯有一种错觉，他似乎竭力地在朝她露出笑脸，却换来身体更急促的抽搐。她徒劳地想去帮他擦拭，他嘴里喃喃着什么，自己也听不清，只知道她的半个人也被血染红了，在冬日里，鲜血是那么的温暖，只可惜被风一吹，又迅速变得冰凉彻骨。

他的心跳，她一度还感觉得到，渐渐地变得微弱了。

方灯记得陆一曾说过，如果小狐狸可以掏出心给石狐，那云雀也可以把心给小狐狸，大不了等上一千年。

那时方灯回答他，谁也不要再做这样的蠢事，人人都只有一颗心，她再也不想看到谁掏空了自己，大不了，他们将心来换。

然而他们都没有猜到命运赋予这个故事的结局。

小狐狸终于被云雀的歌声打动，它在自己的胸腔中填了颗石头，自以为心又开始跳动，又有了重生的力量。它说，不要再有牺牲，你把心给我，我也交出我的。

云雀就先把心哺给了它。小狐狸随即也把自己的心捧出胸膛，这时才发现那还是颗冰冷坚固的石头，先前的温热只不过是自欺欺人的梦境错觉。云雀失去了心脏，唱完最后一首歌，死在了小狐狸的面前。

陆一说，他相信美好的东西，相信世界一定存在公平和正义，善良和勇敢的人会得到幸福。然而在救护车到来的前一分钟，他在方灯怀里咽下了最后一口气。

恍恍惚惚中，方灯好像感觉到有人来扶她，有人试图将冰冷僵硬的身体从她怀里移走。凝固的血液仿佛封住了她所有的感官。她什么都不记得了，整个天地在她面前轰然倒塌，连海上最后一丝光也彻底地熄灭，只余下无穷无尽的黑。

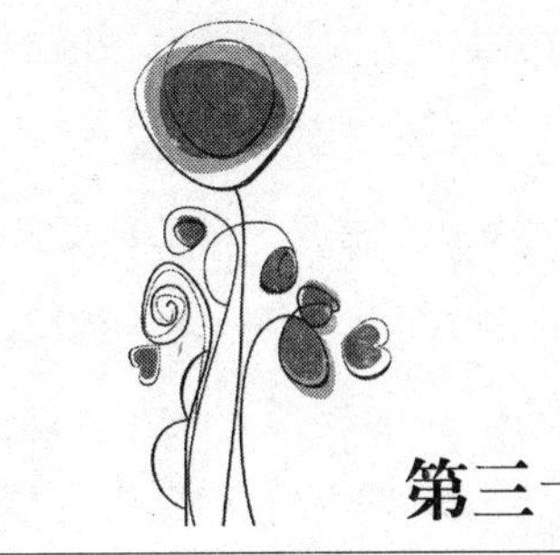

第三十四章

拿什么偿还

方灯好像漂浮在黑色的海上，什么都看不见，没有彼岸，没有尽头，只听见有一个声音在呼唤她，似乎在前方，又像在身后，她拿不出一丁点儿挣扎的气力，只能随着起伏的浪潮浮浮沉沉。

也不知道过了多久，她感觉到了周身的火热，唯有额头是冰凉的。耳畔那个声音逐渐放大，变得清晰。一定是更深的一场梦境，那个声音竟然让她想起许多年未见的老崔。

“小七，你还是去休息一下，这里有护士照看着……”

留在方灯记忆中的老崔仍是十几年前的样子，这个在傅家园度过了将近一辈子的老园丁总喜欢朝墙头上晃腿的方灯吹胡子瞪眼，高声喊：“下来，下来！像什么样子！”

那时他已经是个老头了，现在耳边这声音听起来只会更加苍老无力。老崔不是应该在很遥远的地方，享受着他的“小七”为他安排的安逸晚年？

方灯没有听见有人回应老崔的话，只是有一双手不断地更换着她额头的冰毛巾，一遍又一遍，仿佛不知道疲倦。

她或许又睡过去了一阵，再度恢复些许意识的时候，不远处传来低声细语。

“……这是怎么回事，明明说是没有创伤的痕迹，一个正常的人怎么可能昏睡那么长时间……”

“小七，你不要急，听医生把话说完。”

“该做的身体检查我们都已经做过，病人……”

“病人？你们至少告诉我她有什么病？”

“行了，小七，有话我们出去说，让她好好休息……”

……

门被人打开又掩上，声音渐渐远去，方灯动了动手指头，她不想睁开眼睛，不想回忆自己为什么会躺在这里，什么都不要想，不要！

滴答，滴答……那是静脉注射的药水在输液管中滴落的声音，方灯做过护士，她对这个声音无比熟悉，空旷的房间内，因为有了这样的声响，更显得无比静寂。

又有人推开门走到了床前，不是换药水的医护人员，他坐到了床畔，耳语的声音又一次传来。这个声音对于方灯来说很陌生，不是“他”，而应该是“她”。

“听说你也在这家医院，我……顺道来看看你。你睡了很久。昏迷的人能不能听到声音？即使听到了你也不一定知道我是谁吧，对你来说，我是个陌生人。而你……你是他的姐姐，也是傅镜殊很在乎的人。我一直很好奇，你长得什么样子？你对我有过好奇心吗？”

说话的是个年轻女孩，声音低柔软糯，颇为动人。方灯任她自言自语，没有任何的反应。

“他又闯祸了，就像个长不大的孩子，做事老是那么冲动。我帮不了他，这事轮不到我管，但是我知道他很后悔。我说过再也不理他的事，可是看到他现在的样子，我心里还是不好受。可能我还要更多的时间去修炼，即使每天都看到他，也当他是个陌生人。”

她的声音听起来有些难过，停顿了一阵，又继续轻声道：“有时我反而羡慕你，虽然我知道他只把你当姐姐，可你这个姐姐对他而言比很多人都重要，我说他不懂得爱，只知道像没断奶的孩子那样依赖最熟悉的人，什么蠢事都做得出来……对于傅镜殊来说，你一定也很重要，他陪了你那么多天，傅家园动工那天他也没去。他不爱我，当然，我也不爱他，我们至少都没有欺骗对方，这也算是做夫妻的义务吧？”

方灯听到了极低的一声叹息，她一定压抑坏了，才会疯狂到选择向一个昏睡中的人倾诉。

“你会不会因为我和傅镜殊的婚事而恨我呢？其实也没什么。我妈常跟我说，对于男人而言，爱情是奢侈品，原配才是空气，是水，哦，还有人说是盐。不管是什么，好像做了别人名正言顺的妻子，就成了他生活中的必需品。听起来好像很重要的样子，其实都是拿来哄自己开心的。什么水啊，空气啊，盐啊，现实中哪里没有？谁都不缺这些东西，反而奢侈品才需要煞费苦心。我妈自己都可以为一个铂金包等上一年，对于男人来说，一件奢侈品不抵得过成千上万吨盐？”

“你别嫌我虚伪，是，这些都是我自己选的。我要给孩子一个家，让他从小在有爱的环境中长大，那么等到他成年后，他的感情世界才是健全的，才懂得去爱，去付出，不像他们……我希望我生个女儿，女人天生比男人会爱，你看那些男人，不管他们情场上怎么得意，在爱情上，他们都像个生手。你觉得傅镜殊爱你吗？我问过他，他不答。要是问一个孩子爱不爱吃米饭，他多半也是说不爱的，每天满满地盛上来，摆在他面前，他没有挨饿过……他们都一样！”

“明子小姐？”老崔的声音带着惊讶，“你怎么跑这来了？”

“我今天来找周医生检查，顺便过来看看。崔伯，都说了好多遍，不要叫我明子小姐，你叫我明子就可以了。”

“你现在不应该在医院里久待，我送你出去搭车。”老崔还是那么固执，“跟我来，明子小姐。”

病床上的方灯依旧疲惫，但她知道自己的神智在一点点变得清醒，这对她而言绝不是一件好事。

“退烧了？”有人在触碰她的额头，熟悉的声音，熟悉的体温，“你们先出去，我在这里就好。”

她身上的被子被人轻轻地掖了掖，有人趴伏在她的床侧。她的手无声地握紧，可她不能醒，也不想醒。

又是一夜过去，清晨的病房里无比忙碌，有人来，有人走，有人在她身上徒劳地做着各种检查。

“小七，公司有人找你。”

“我知道，你也回去吧，年纪大了就不要硬撑着，这里我应付得来。”

医生翻看了方灯的眼睛，纳闷地对护士说：“奇怪，按说应该醒了……”

他们都走后，方灯想要动一动僵硬的身体，然而，她闻到了一股鸡肉粥的味道。这味道忽然让她身上的每一个毛孔都充满了尖锐的疼痛。只有一个人最喜欢给她买那家店的粥，出事前的每一个画面顷刻间如同快进的电影，一幕幕在她脑海中重放，撞击的闷响，前方车辆里猛然回头的那张脸，围观者的声浪，由热变冷的血……

方灯用尽了所有的意志力去克制全身上下的颤抖，仿佛要把她焚烧殆尽的恨意和入骨的疼痛在体内撕咬着，叫嚣着，几欲挣脱这虚弱的躯壳。

来人并没有多言，放下了粥，在床前默立了一阵，转身要走。

“阿照……”这是她的声音？听起来仿佛是从一个垂死的人口中发出来的，然而这极度微弱的呼唤足以让病房里的另一个人立刻回头，奔至床前。

“姐，你叫我？你醒了！”阿照像是不敢相信自己的耳朵，“我，我去叫人……你等着，我去告诉七哥……”

“别走，阿照，我饿了。”方灯极其缓慢地睁开眼睛，努力地适应陌生的光线。

“好，我不走，饿了好。我喂你吃点东西。”她被扶了起来，逐渐聚焦的视线中有一张喜极而泣的脸。

阿照坐在床边，端起粥，小心地吹着上面的热气，伸手抹去了眼角渗出的一滴眼泪。刚凑近方灯，她毫无预兆地抬手一掀，热腾腾的一碗粥全糊到了阿照的脸上。

“啊！”

阿照被迷了眼，还来不及去擦，方灯疯了一样扑身向前，用输液管在他的脖子上迅速地缠绕了两圈，再猛然收紧。挂输液瓶的支架被带倒，砸在阿照的身上，他睁不开眼睛，只觉得喉间一窒，喊也喊不出来，想挣扎一时间又找不准方向，脖子上的东西勒得他喘不过气。他无法相信这是病床上一个奄奄一息的病人的力道，决绝得没有一丝挽回的余地，像是动物濒死前的爆发，他的姐姐拼尽全力要置他于死地。他徒劳地想要摆脱，床上的方灯也随着他的动作跌倒在地，可她一言未发，从始至终手上也没有半点放松。阿照脸憋得通红，绝望地张开了嘴，空气却逐渐从他的肺部抽离，脑子也开始不清醒了，甚至忘记了抵抗。这就是死亡的滋味?

就在他已绝望的时刻，喉间突然一松，大口大口的空气灌进火辣辣的喉管，带着腥甜的滋味。阿照迅速回过神来，赶紧抹了把脸，原来竟是输液管承受不住力道断裂开来，他险险捡回一条小命。

方灯喘息得比阿照更为吃力，她已在病床上昏睡多时，刚才拼死一搏几乎耗光了她所有的精力，可她还不肯罢休，抓住输液支架就朝阿照的头挥去，只不过这时金属的支架对于她而言太过沉重，举到一半就颓然落地。

阿照跪坐起来想要制住方灯的疯狂，又唯恐自己的动作伤到她，一边闪避，一边哭叫着："姐，我错了！我那天喝昏了头，我知道错了！"

方灯看向他的眼睛里只有赤裸裸的狂怒和恨意，她在阿照欺身上前压住她手臂的时候，另一只手抓起输液瓶碎裂的玻璃残片径直朝他扎去。阿照堪堪握住玻璃，顺势缴下，虎口被割出了极深的一道伤。他忍痛扔开滴血的玻璃，制住方灯的手，已不知道疼痛的是哪个部位。

"别这样，姐！我心里也不好受，我只是想教训一下他！真的，我没想要他死！"阿照涕泪俱下，"我知道你恨我，你想要我给他陪葬。死前我也要把话说完，我只是想要一个完整的家，这点要求也过分？"

方灯被他制住手脚动弹不得，绝望到了极致，脸上反而像在笑，她断断续续地说："你没有家……你只不过是个孤儿……我们都一样……我们都没有家……我不是你的家人……你的家人只有一个……呵呵，在贾明子的肚子里……很快她就会嫁给傅七……孩子会叫傅七爸爸，他不会知道你是谁……你到死都是个孤魂野鬼！"

阿照仿佛一时间听不懂方灯的话，整个人呆呆的，压制她的力道却逐渐地松懈了。

病房的门被人用力推开，傅镜殊闻声赶到，身后还有好几个医护人员。他们显然都被眼前这一幕吓了一跳。短暂的犹疑后，大家都冲了过去，将阿照从方灯身边拉开。

傅镜殊抱起半伏在地板上的方灯，她没有抗拒，眼神空洞，手上除了一道陷入肉里的勒痕，还有无数细小的割伤，大腿也有被玻璃碎片扎伤的痕迹，淡蓝色的病服上全是星星点点的血，就好像她被送进医院那天一样触目惊心。

傅镜殊倒吸了一口气，站起来朝着阿照劈头盖脸地扇了两个耳光。

“你还嫌闯的祸不够？你想逼死她，还是想逼死我？”

阿照的脸被打得偏向一边，他用鲜血淋漓的手捂住脸颊，爆发似的大哭道：“打吧，你们都打我，都恨透了我，所有的错事全是我一个人干的！可是我他妈的为了谁！啊？我为了我自己？我做的哪一件事，不是为了大家好，我盼着我们一起共享富贵，过上好的日子，我想我的家人幸福地在一起，这也全错了？你们一个个言不由衷。七哥，我不想我姐走，你敢说这不是你心里希望看到的？”

“我说过这些事不用你管！你看看你都干了什么？”傅镜殊也难以再克制，咬牙道，“是我让他们走的！”

“你成全他们？你会后悔的！”阿照本想挑破：你以为我姐还像从前那样，她心里已经没有你了！

这样的话已经到了嘴边，可是面对着守在病床前数日，形容憔悴的傅镜殊，阿照硬生生地把话吞了回去，一拳砸向旁边的墙壁，留下一道血迹。

“我最后悔的是不该派人把你保释出来。你最好自己反省反省，我现在不想看到你。”傅镜殊没有再多说，朝阿照挥了挥手，“你走吧……还愣着干什么，滚！”

阿照推开试图为他包扎伤口的护士，大步流星地离开了病房。

傅镜殊回到方灯身边，已有人将她抬回病床，处理她身上的碎玻璃。她不喊痛，也不吭声，仿佛这躯体也不是自己的。傅镜殊用手拨开她被血和汗凝结在面颊上的头发，发现她看过来的眼神如此陌生。

“别这么看着我行吗？我知道你难受，别什么都憋在心里。方灯，你哭吧，如果哭出来会好一点。”他无力地垂下手，“我保证到此为止，以后没有人可以再伤害你……”

方灯回以他的是嘴角的冷笑。这辈子她都没听过这么可笑的话。

从小带大视若亲弟的人杀死了她想要共度一生的伴侣，口口声声说不会让别人伤害她的人却彻底地毁了她！

他低下头，将额头贴在她被重新插上了输液管的手背，“别这样，你对我说句话也好。”

方灯低头看着他，轻声道：“傅镜殊，死的人怎么不是你？”

他抬起的脸上透出的灰败和绝望让方灯终于尝到了一丝快意。她笑着笑着，仿佛呛到了自己，咳嗽声带出了眼泪。

“是我错了！”方灯闭上眼，满脸都是冰凉的泪，话语里夹杂着急促的抽气声，听起来支离破碎，“我对他说，不管遇上任何事，都应该睁开眼看着它发生，我以为这是勇敢，我真蠢！为什么那时我不肯闭上眼睛？如果我看不到后来发生的事，那么到最后我记得的会是他笑起来的样子……可是我错了，现在我睁开眼，看到的全是血……我再也看不到他了……我只看得到恐惧，只剩下黑压压的一片……”

傅镜殊用手去顺她的背，只换来她更剧烈的喘息声。

“医生……”他回头叫人。

方灯听见他的声音，仿佛从她自己的魔怔中醒过神来，痛哭失声：“傅七，你还给我……还给我……”

“好，我还！你让我拿什么还都可以。”傅镜殊紧紧抱着她，连声应允，虽然他不知道她到底要他偿还的是什么？

是陆一的命？

是她十几年的青春？

还是曾经交付出去的那颗心？

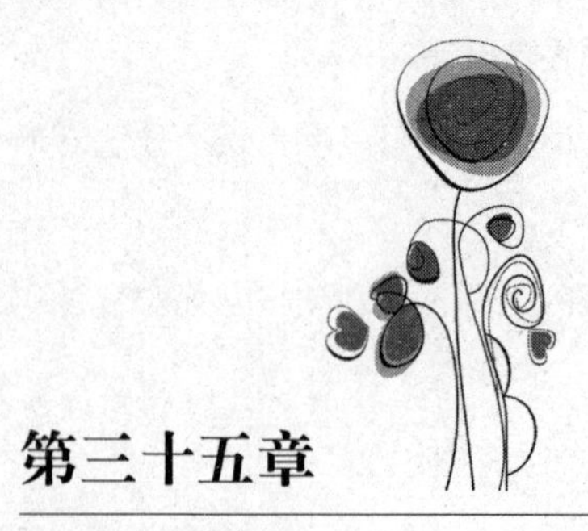

第三十五章

回首已成灰

傅家园的修葺工程如火如荼，傅镜殊和贾明子的好事也将至。阿照无可避免地和明子打过几次照面，明子浑似不认识他一般。他本该感到松口气的，七哥都不再提起他和明子的旧事，他哪里敢主动触碰禁忌，恨不得躲得远远的，撇清所有，当做什么事都没有发生。原先的事只是一场荒唐的意外，如今才算回到正轨。七哥和明子的婚姻即使出于家族利益，看上去也那么般配，他理应奉上祝福，虽然再看到明子绽放笑颜时，心里会偶尔飘过怪异的感觉。

事情本来会朝着大家预料的方向发展，可是他酒醉后亲手造成的一场莽撞而疯狂的事故将一切改变了。阿照恨陆一，但当他得知陆一的死讯时，心里也凉了半截，酒全醒了过来，只余恐惧，他知道自己也完了。即使七哥找人将他保释出来，试图将他的行径掩饰成酒后驾驶造成的意外事故，阿照还是奢望求得方灯的宽恕，然而那天病房里发生的事让他明白，姐姐将永远不会原谅他，七哥也不理解他的良苦用心，他越不想失去他们，越是亲手葬送了这份亲情。

他没有家了。

而在此同时，濒临疯狂边缘的方灯给他带来了一个无比震惊的消息——明子肚子里有可能怀着他的孩子。

阿照有生以来的记忆是从孤儿院开始的，世界上的孤儿不止他一个，但七哥、姐姐和院里的其他伙伴，大部分人至少见过他们的父母一面，唯独阿照没有。他在一个冬夜被扔在孤儿院的大门口，被发现时只剩一口气在，他从未与世上任何一个血亲打过照面，只能把唯一给过他温情的方灯和傅镜殊当做了生命中的至亲。

一个小生命，流着和他相同的血液，长得或许还有他的影子，这会是怎样奇妙的存在！

阿照去找明子，她不肯见他，打了无数个电话也没有人接。阿照只得给她留了条信息。他不敢打扰明子和七哥的好事，只是想亲耳从明子那里证实，那个孩子是不是真的，如果是，让他做什么他都愿意，死也值得！

在那条信息里，他约了明子去他们曾去过的那家火锅店见面。他点了一桌的东西，一直等到天黑，夜深。如他意料之中那样，明子并没有来。火锅蒸腾的热气里，只有他茫然而孤独的脸。

火锅店打烊之前，阿照心灰意冷地离开，没想到在渡口附近与刚上岛的傅至时狭路相逢。这时的阿照无心与傅至时纠缠，两人擦肩而过时，他仿佛看到了对方脸上充满了嘲讽意味的笑意。是了，这王八蛋曾经把他和明子的事捅到七哥那里，心里一定也知道些什么，他在讽刺他的窝囊和无能！

傅至时有什么资格笑话他？

阿照原本就郁结在心中的烦闷化作了重重吐在傅至时脚边的一口唾沫。

“哈巴狗！”他轻狂地从牙缝里挤出三个字。

傅至时身边是他妆容精致的妻子，看来是下班后两人回岛上看望父母。那口唾沫差一点溅上了傅至时一尘不染的皮鞋，他面色一寒，身边的女人迅速拉住了他的胳膊。他盯着阿照的眼神像是要从阿照身上剜下一块肉来，但到底没有在人来人往的渡口和阿照计较，冷冷地错身走开。

阿照回头，看到傅至时走远之后用力甩开了妻子的手。

“狗就是狗，一辈子都要夹着尾巴。”阿照心里暗想道。这样的不战而胜给了他几许快慰，但远远不够。

回到市里，郁郁寡欢的阿照去找崔敏行喝酒，没想到那老东西居然不在。换做平时，崔敏行即使有事，手下的人通报一声，他也会屁颠屁颠地赶来拍马屁。看来姓崔的也听到了风声，知道阿照现在闯了祸，傅镜殊正是恼他的时候，所以也看风使舵地远着他，趁机避避风头。阿照气得牙痒痒，都是帮小人！要不是崔敏行在旁煽风点火，他那天未必会回头去找陆一算账，这才闯下了大祸。

阿照原已下定决心要把酒戒掉，这时再也忍不住了，大家都冲着他来吧，所有的人都恨他也无所谓！他在崔敏行的场子里叫了一堆酒，自己独自喝得酩酊大醉，摇摇摆摆走出去的时候，崔敏行的人居然追出去让他买单。

阿照把钱狠狠地砸在对方的脸上，大吼着“滚！”

那人听话地滚了，阿照站在夜深的街头，却忽然不知道自己该往哪去。他吐了一阵，走走停停，又到了方灯最喜欢的那家粥店。明知道姐姐再也不会喝他买的粥了，到了这里，阿照还是习惯性地进去买了碗鸡粥，让老板给他打包，好像这样，家里就会有个等着夜宵的人，他也才有了归处。

拎着粥，还没走出多远，阿照忽然被一股力道拽进了没有路灯的小巷，还来不及回过神，好几双拳头和几条腿纷纷朝他身上招呼过来，他一下子被打蒙了，趴在脏污的路面上动弹不得。

对方见他无力还手，教训够了就扬长而去。阿照哪肯吃这暗亏，吃力地爬起来，吐了口血沫，在四下转了几圈，找到一块废弃在路边的木板就追了过去。

到了光线充足的地方，他才发现对方有五六个人，他手里的板子只砸倒其中一个，另外几人又迅速地把他打翻。这一次对方下手更狠了，阿照咽下了自己脱落的一颗槽牙，嘴里仍不服软，把所有他知道的恶毒的话都骂了一遍。

没等他骂完，一只脚踩在了他贴地的脸上，将他五官都碾得变了形状。那只脚上的鞋子一看即知价值不菲，干净得不染纤尘。

他早该想到的，夹着尾巴的狗最爱在暗处咬人一口。

“小杂种，我忍着你，你还以为我怕你不成。”傅至时的唾液吐得斯文，但正中阿照的脸部，“你以为现在还有傅七罩着？想都别想！你搞得方灯半死不活，又上了他要娶的妞，以傅七的为人，他没把你弄死就不错了！”

“你他妈的放屁！有种你在七哥面前横呀！在他面前你只会猛摇尾巴，哈巴疯狗一条！”阿照吐字不清地回骂道。

傅至时的脚下更为用力，“傅七有什么了不起，他不过是运气好罢了，属于他的一切原本统统都应该是我的！地位、女人……都是他从我这里夺走的！我知道他不把我放在眼里，还存心保住久安堂来恶心我。总有那么一天，我会让他也跪在我的面前，把属于我的东西全都还给我。你等着瞧！”

踩在脸上的脚松开了，更多的脚继续朝阿照身上招呼。疼痛让他将身体蜷做了一团，可是再难受的时候，他的骂声也没有停过。

“这小子还挺硬气。”又是一脚重重踢在他的背上，阿照嘴里尝到了更浓重的血腥味。

傅至时终于出言制止，“够了，给他点颜色看看就行，别闹出人命。苏光照，我也为你做了件好事，光这样也够你躺一阵子，这下你就有理由不去参加傅七的订婚礼，也用不着看你上过的妞戴上别人的戒指。”

傅至时笑着走开，还不忘扔下一句，“也说不清是谁给谁戴的绿帽子。只是可惜了方灯。”

阿照用尚能动弹的那只手去摸口袋里的手机，他该打给谁？连崔敏行这个时候也不可能过来帮他一把。他咬紧牙关，再一次捡起脚边的木板，将身体支撑起来，拖着脚几步冲上前，用尽全力将板子砸向了傅至时的后脑勺。

傅至时只来得及回头看了一眼，脸上全是惊讶，然后一句话来不及说就软倒在地，暗红色的血从他脑后静静淌出。他身边的人也急了眼，用力来夺阿照手里的凶器。阿照虎口有伤，一下拿捏不稳，木板被人从手里抽走，然后他也吃到了头颈处的重重一击。

那些人没料到这些变故，都慌了神，扔下木板就作鸟兽散去。阿照已经站不直了，周遭的一切都是血红色的，他像无头苍蝇在原地转了两圈，听到几声轰鸣，勉强仰起头，淌着血的天幕炸开了绚丽的花朵。

明子最喜欢放烟花了，如果她看到，一定会高兴得又跳又叫。阿照残存的意识模模糊糊地想起，明天就是元旦，也是明子和七哥订婚的好日子。到时候应该会燃放更多的烟花，可惜他从来没有和她一起看过。

阿照仰倒在地，手机响了，他想去接，手却软绵绵地使不上一点力。他的指尖碰到了口袋里的另一个东西，太好了，它还在。那是他刚编的草蜻蜓，无依无靠的童年，这样的草蜻蜓是他仅有的玩具和慰藉，后来，这慰藉又成了他对姐姐和七哥的依赖。他什么都给不了明子和她肚子里的孩子，只有这只草蜻蜓，他的孩子会喜欢吗?

烟火就在他视线上方，仿佛为他而燃放。如果他还能站起来看见明子，会对她说什么? 他会要她亲口承认，孩子是他的。要是还有可能，要是他还能站起来，他愿意带着她和孩子走，这样，他又有家了。

可是这些想象都太远太远，远得仿佛天上的烟火。触手可及的反而是傅至时的身躯，他倒在地上像条死狗。

我还没有输！这是阿照脑海里闪过的最后一个念头。

渡轮上的明子也看到了这场美丽的烟火，可她无心细赏。她的身形还没变，但是肚子里的宝宝仿佛已经会悄悄地吐泡泡，像条快乐的小鱼。她发过誓不会让阿照知道孩子的存在，这辈子她和宝宝都不会再和他扯上关系，然而当她收到他的短信，犹豫了一整晚，到最后，她还是想见他一面。她只想最后一次听听，他还有什么话可说。

阿照到底是没有耐心，等她赶到火锅店，已是人去店空。明子对自己说，一开始她就没什么期待，现在何必失望? 她坐最后一班渡轮离开了瓜葫洲，明天再登上小岛，她将会站在焕然一新的傅家园里，当着父母亲朋的面成为傅镜殊的未婚妻。

迎新的烟火美好得就像流星，绚烂地绽放，怀着火热的心呼啸着奔向它渴望的终点，等它终于到达地面，已丧失了所有的热度，化作冷石与飞灰。

岸上隐约传来救护车尖锐的鸣笛，不知是赶往何方。它是否能赶得及在最后一刻救下垂死的人? 世间事，太多如同行百步溃于九十，救人的心是如此，爱人的心也一样。

燃放烟花的地方大概是在中心广场，等她赶过去，会不会只看到满地烧尽的碎片？明子莫名地想起了小时候，父亲为了让她和叔伯家的孩子多了解传统古典文学，特意从台大请来讲师给他们讲解四大名著。她最感兴趣的是老师解说《红楼梦》里的灯谜，里面就有一句是关于爆竹的——回首相看已成灰。

傅镜殊不眠不休地陪在方灯身边，但他发现，方灯的情绪已经彻底失控。她安静的时候就像没有灵魂的木偶，任凭周围人的摆布，什么她都不在乎，狂躁的时候却仿佛想要摧毁一切，离她最近的傅镜殊身上也添了不少伤口。

他不让人对她采取强制措施，也不肯听老崔的给她请精神科医生和特殊看护。她只是过度地沉浸在悲恸之中，等她回过神，什么都会好起来的。

公司还有很多事等着傅镜殊去处理，傅家园的重建、订婚仪式的逼近更是有理不清的千头万绪。元旦那一天，郑太太也将在离开几十年后重返傅家园，参加孙子的订婚礼，她已决心在仪式后，就把傅家的大权正式交到傅镜殊手中。这些事对于傅镜殊来说非同小可，他不能允许有一丝的纰漏出现。但是方灯身边也必须有可靠的人照看着，阿照现在是不能再让方灯看见了，老崔年纪又太大，交给别的人他放心不下，在万不得已的情况下，傅镜殊同意了医生的建议，给方灯注射了一定剂量的镇定剂。

这些镇定剂帮了方灯的大忙，她很久很久没有睡过那么香甜的一觉，还做了好多的梦，这些梦里没有血和泪，也没有生离死别，都是她遗忘了许久的零散片段——朱颜姑姑在灯下凝视她珍爱的那面镜子，不时朝写作业的方灯莞尔一笑。方学农给家里的两个女人带回了晚餐，他也有过眉清目秀的年轻时代，在沉迷于酒精之前，他并不是时刻猥琐得令人生厌。方灯第一次踏上瓜荫洲，展露在她面前的小岛是那么美，连缠绵的雨季都让人骨头酥软。风吹过傅家园，她坐在墙头晃动着两条腿，潜伏在草丛中的石狐诡异而神秘。她还梦见了小时候流鼻涕的阿照，被她打得嗷嗷直哭的傅至时，甚至是怕老婆的色鬼老杜和他的杂货店……无数旧时的光影片段在她的梦里交织，无风无浪，无悲无喜，唯独没有梦见他。

然后方灯醒了过来，她伸了个懒腰，仿佛回到小女孩的时代，醒在一个难得清闲的周末早晨。只不过她身下不是临时搭建的木板床，四柱的黄花梨大床摆在光线昏暗的房间中央，崭新的深红色帘子缝隙里透进一缕晨曦，她赤足下地，脚下是温润的拼花地板，一幅风景习作画搁在靠窗的书桌上，空气里有种年代久远的灰尘和霉变的味道。

她知道这是哪里了。半昏半醒的时候，他曾对她说要带她去一个地方，原来就是傅家园。他把她安置在自己过去的房间，因为今天是元旦，新年的第一天，他答应过她，要陪她度过每一个新年，即使这一天是他人生中最重要的日子。

方灯走到窗前，轻轻拉开了帘子。原本放在她公寓里的美人蕉被挪到了这个窗口，方灯拨动了一下美人蕉的叶子，浅浅一笑。

窗外可真热闹啊，衣香鬓影、欢声笑语、繁花似锦……她记忆中的傅家园从未涌进过那么多人，也从未如此欢乐喜庆。这是当然的，它新一任的主人正在举行一场迎新宴会，同时也是他的订婚仪式。

说起来，傅家园的重建还远远没有完成，东西两栋楼都还未改破败的模样，只不过中庭的开阔绿地被彻底平整清理了出来。听说在这里举行仪式是郑太太坚持要求的，眼下看来，只要费心装点一下，这里不仅像模像样，还别有一番情调，不失为一个有意义的好去处。谁会在意美轮美奂的主会场不远处破败的背景呢？

今天来道贺的宾客很多，除了生意场上的伙伴，贾家和傅家的人也从世界各地赶了回来。但是他们都不住在傅家园，也仅有傅镜殊的房间是在老崔的安排下被打扫干净了，没有人注意到东楼的小窗后还有个人在静静欣赏这一切。

上天很眷顾傅七，给了他难得的好天气，明媚的阳光将小岛上常见的阴霾一扫而空，风细细的，吹得人心旷神怡。方灯贪心地想捕捉到更多的风，索性坐到了窗台上，双脚悬空，这样一来，整个人都仿佛沐浴在风里，她深吸口气，很少感觉到自己是这样的清醒。

仪式应该还没有正式开始，宾客们三三两两地或寒暄或谈笑，每个人脸上都挂着愉悦的笑容。场地一侧的乐队正在演奏，小提琴的曲调舒缓悠扬，远处飘来教堂的圣歌，伴着若有若无的大马士革玫瑰香气……这一幕美好得让人心醉。她曾感受到的伤痛和入骨入髓的绝望好像远在天边，没有任何的意义。时光在理直气壮地往前，所有人都理直气壮地迈进新的一年，他们还会拥有新的生活，只有她尘封在旧时光里。

方灯想走近些，听听他们在说什么，为什么可以如此开心，那些眉眼嘴角间的笑意都是为何？怎样才能将这样的幸福匀给她一点，不要把她一个人丢在这里？她往前挪了挪，风声骤然变得有些凌厉，小提琴变了调子，像是剧烈的刹车声和沉闷的撞击。玫瑰的颜色宛如鲜血，风吹过，落了几片花瓣，让她想起了支离破碎的躯体……这一切都是为了什么？没有人给她回答，曾经有过的答案也被泪和血浸得模糊，她心中向往的那扇猩红色帘子的窗是吞噬人心的血口。

方灯捧起美人蕉盆栽，在窗台上磕碎了花盆。陶片散裂，花泥撒落，盆底藏着傅七最在意却一直没有找到的东西。方灯的确留了一手，在把陆一家发现的资料交给傅镜殊之前，她把每一样东西都做了备份，扫描件就在手中的这个 U 盘里。她当时没有告诉陆一，甚至也不知道自己为什么要这么做，或许只是因为她太了解傅七。

傅镜殊也隐约料到了这东西的存在，可惜他找遍了所有的地方，唯独错过了他亲手栽种的这盆美人蕉。方灯就是知道，即使他掘地三尺，也不会动到这个盆栽，不但如此，他还特意将美人蕉从她的公寓捧了过来。

有人听到了这边发出的碎裂声，自然也发现了坐在窗台上的人。渐渐的，开始有宾客交头接耳，朝方灯所在的位置指点张望。方灯也看到了傅七，她爱了半辈子的男人依旧充满了让人心动的魔力，此时他正陪在郑太太的轮椅旁，弯腰倾听对方说话，脸上挂着柔和温煦的笑意。

很快，有人挤到他身边焦急地附耳低语。傅镜殊直起了腰，微微侧身，视线终于与方灯交会。他往前走了两步，又停住了脚，站在那里目不转睛地看着她。

方灯真想笑着问：傅七，你在想什么？

可她什么都没说，只需要扬起她握有 U 盘的那只手，他会知道那是什么。是她亲手将他送到了今天，也可以亲手将这一切毁掉，就像他毁掉了她一样。

如果陆一还在，不一定会认同她的做法，他总是太过柔善。方灯心里说，我又

做了一件你看来“不好的事”，如果你会责怪我，那么想到我这样做的时候心里有多难过，或许你会原谅我。

方灯想到了陆一，握着U盘的手又开始发抖。这个世上只有陆一曾那么珍视她，可为什么当他化作了游魂，她清醒或是梦中都没有感觉到他的存在？

陆一，在另一个世界，他还会不会迷路？是否依然惧怕车辆？他的父母能不能与他团聚？如果他活着，他们现在大概已经到了芬兰，雪会在他们的发梢融化。最初的浪漫消散后，他们会沦为世间最庸俗的一对夫妻，柴米油盐，吵吵闹闹共度一生，可这已经成了一种奢望。不过值得安慰的是，他们最终都会抵达同一个地方，他的耐心一直都比她好，所以，他会等她一阵的吧？

方灯的身体在风中晃了晃，有人发出了惊叫，宴会上大多数人已转向面朝她的方向，郑老太太也示意身边的人将她的轮椅掉头。方灯还是第一次和郑太太打照面，她过去恨透了这个老太婆，现在亲眼看到对方，不过是风烛残年的垂暮之人。今天美丽的女主角也看了过来，她似乎想与傅镜殊交流，却忽然接了个电话，然后她良久地低着头，捧花脱手掉落在草地上。

傅镜殊朝方灯伸出手，想靠近却又不敢冒失上前，他的眼神炽热，嘴巴张合，只可惜方灯听不见他在说什么。

四下一片嘈杂，听清傅镜殊说话的只有跟在他身后的老崔。他亲眼目睹自己一手带大的小七被无边的恐惧所攫住。

不远处的崔敏行意识到了什么，低声吩咐手下的人赶紧上楼，被傅镜殊厉声阻止。

“别碰她！”

傅镜殊知道方灯要做的事，当着所有人的面，当着郑太太，在他的梦想触手可及之际撕破他的伪装，让人知道他不过是个野种，不配享有这一切。这曾是傅镜殊噩梦中最怕发生的一幕，然而临到头来，他发现自己唯一恐惧的只是她一脚踏空。他承诺过永不骗她，最后他还是骗了她一件事，也骗了自己。

身边的人都像在惊呼，那扇窗虽然看似只开在二楼，但是东楼仿照西洋建筑风格，底层阶梯架空，一楼挑高设计，所以方灯所在的位置离地将近六米，这是足以致命的高度。

傅镜殊忽然盼着方灯立即就将所有的事公开，如果这样能够让她感到快意，让她得到安慰，那么，她或许会意识到脚下的危险。他爱名利富贵，也珍惜到手的一切，为此他豁得出所有，除了他的命。他的命也就是她的命，现在悬在窗台岌岌可危。

方灯举起的手又放下，张了张嘴，却什么都没有说。傅镜殊似乎看到她朝自己粲然一笑，就好似她从前坐在墙头上那样。那一刻，他读懂了她的心思。

“不要这样……算我求你……”

傅镜殊的低语淹没在周遭的声浪中。

方灯仿佛看到她的小七站在长满青草的墙下，笑着对她说:“来啊，我接住你。”

朝她伸出手的那个人忽而又换了张面孔，不变的是他嘴角温暖的笑容。

还有什么值得犹豫？她这一生所求的不过如此。

她从窗台上跳了下去。

尾　声

明子返回内地，带着女儿去了趟瓜荫洲。她女儿小名叫“阳阳”，今年四岁。

阳阳没来过这个小岛，看什么都新鲜，妈妈却把她领到了一个长满野草的地方。

“我们来这里干什么？”孩子眨着天真的眼睛问，她手里拿着的是一只残破得不成样子的草蜻蜓。她隐约记得，自己更小的时候很喜欢这只草蜻蜓，后来妈妈怕它坏掉，就收了起来，这次忽然又准许她带在身边。她总猜不透大人们心里在想什么。

明子弯下腰，想要拔掉些坟前的青草，想了想又作罢。他本来就是和草一样野生野长无拘无束的人，说不定现在这样才是他想要的。

那天她提着曳地长礼服赶到医院，他身上已经盖着白色的布。警察问她认不认识躺在病床上的人，他留下的手机最后拨打的全是她的电话。

明子掀开了白布，她从没有在一个人的身上看到过那么多伤痕。警察在一旁叙述他死亡的原因，她竟也没有感到意外。他一生争强斗狠，从不服软，最后死在一场街头斗殴里，也算另一种形式的死得其所。

当值的警察见她从赶到那时起脸上就是一副无所适从的呆滞表情，想劝也不知道从哪说起，例行公事地办完手续，递给她一包封在透明证物袋里的物件，里面有手机、钱夹，还有一个染血的草蜻蜓。

“喏，这个是他最后交待说要给‘明子’的，你是‘明子’吧？”警察指了指草蜻蜓说道。

明子回过神来，“他被送到医院的时候还活着？”

警察摇头，“救护车开往医院的路上就不行了，不过刚抬上车的时候还勉强能说几句话。”

“他还说了什么？”明子急切地问。

警察摇头表示不知，他当时并未在场，不过他好心地替明子找来了当时救护车上的随行护士，她和另一个医生共同见证了阿照留在这世上的最后一刻。

“他最后到底说了什么？”明子把同样的问题又问了一遍。他临死还提到过她的名字，他还想对她说什么？这成了她如今能抓住的最后一块浮木。

年轻的小护士回想了很久，才迟疑地说道：“他说草蜻蜓是给孩子的。但是我不确定有没有听错，因为他后来几声叫的都是‘明子’。”

“我就是‘明子’，他叫我的名字，是不是有别的话说？”明子红了眼眶。

“哦，对了，我想起来了！”小护士点了点头，明子的心也悬到半空。

“他问的是‘明子，我赢了没有？’”

明子颓然放下了抓住护士胳膊的手。多可笑，她竟以为他会说爱她。结果到了最后一刻，他唯一关心的只不过是那场斗殴的胜负，仿佛这结果远比她和孩子更加重要。

明子这时才悲从中来，认尸时都没有掉过的眼泪夺眶而出。那天经过急诊室的人都看到一个年轻女人穿着华美的礼服，弄花了精致的妆容，像个疯子那样坐在地板上号啕大哭。她这辈子从没有那么痛恨过一个人——一个死去了的人，她曾付出过感情的人。

“你究竟是爱我，还是想赢？”时隔数年，她领着孩子站在他的坟前，这个问题依旧没有答案。但是在他和她之间，他还是赢了。

“妈妈，你在和谁说话？”阳阳困惑地问。

明子趁孩子不注意，擦去了眼角的湿痕。她对阳阳说：“只是个陌生的人。”

她们母女俩在岛上转了一圈，阳阳嚷着口渴，明子于是到小超市去买水。她和孩子坐在超市门口休息的时候，不经意看到了对面傅家园窗口前的人。

傅家园早在三年前就修复一新，据说考究的程度与傅家鼎盛时相差无几，只不过它并不对游人开放。

明子都快忘了，自己也曾做过傅家的媳妇。她和傅镜殊的婚姻实质上只维持了一年。他们的订婚礼以一场悲剧终结——对于明子来说，这悲剧则是两场，但是婚约却被延续了下去。

之前就已中风偏瘫的郑太太在当晚旧病复发，再也没有回复清醒的神智，三个月后，她告别了人世。任她的女儿女婿一家如何不甘心，漫长的官司拉锯战结束后，傅镜殊还是得到了一切。明子的父母也接受了订婚仪式上的突变只是未来女婿的亲戚精神失常而导致的一场意外事故，明子肚子已现端倪，两家的联姻势在必行。

明子生下阳阳半年后，与傅镜殊和平分手。她的家人并不谅解这个决定，劝也劝过，骂也骂过，一向疼爱她的父亲甚至打了她一个耳光，然而这些都没能改变她的心意，到最后也只得听之任之。离婚协议上，傅镜殊答应了明子娘家提出的大部分要求，只留下了傅家园的完整产权。现在，他是偌大的傅家园唯一的主人。

后来关于傅镜殊的事，明子大多只是听说。他把事业的重心放回了内地，对于一个精明且成功的商人而言，在任何舞台上，他都能唱好属于他的那一出。只不过傅镜殊的野心似乎有所收敛，一年里有很长的一段时间，他都会落脚在傅家园，那是他的家，家里还有个需要照顾的病人。

傅镜殊并没有注意到楼下来来往往的游人里有张熟悉的面孔，他低头不知对坐在窗前的方灯说了什么，嘴角含笑，表情柔和。方灯一动不动，如同假人般对周遭全无反应。

明子知道方灯的身下是一副轮椅。早些年传来的消息都让人惋惜，好端端一个美人，不但再也站不起来，连魂魄仿佛都已死去，只余一副残破的躯壳，也不知傅镜殊的悉心照料有没有起到作用，现在是否有所好转?

明子也隐约听说过一些关于傅镜殊和方灯的旧事。对于有些人来说，死像是一种解脱；但是在另一些人眼里，只要那个人一息尚存，就不至于一无所有。

阳阳感觉到她的失神，不满地摇着她的手，“妈妈，你今天怎么老是怪怪的，为什么不和我说话？”

明子哄着孩子，“乖，妈妈在想事情。”

“你在想什么，能告诉我吗？”阳阳天真烂漫，却不依不饶。

明子被阳阳吵得无奈，把她小小的身躯搂在身前，说：“还记得妈妈跟你讲过的美人鱼的故事吗？”

没有哪个孩子对故事不感兴趣，阳阳马上转移了注意力，点头道：“我知道，是《海的女儿》，小美人鱼后来死了。”

明子说：“美人鱼没有死，她只是化成了海上的泡沫。”

“妈妈,为什么美人鱼要化作泡沫？她不是有魔法吗？难道还不能保护自己？”阳阳稚声问。

“她当然有魔法。”明子怅然道，“人鱼是美丽又邪恶的动物，她狠得下心撕裂自己的鱼尾变成两条腿为王子而上岸，就有本事杀死辜负她的人。化成泡沫，是因为她的心已经先死掉了，其余的对她来说都没有什么意义。”

阳阳似懂非懂，说：“我不喜欢王子，王子是坏人，美人鱼明明救过他！”

“王子其实早就知道救他的是美人鱼而不是公主。但是他掉进过深海里，尝过那里冰寒幽暗的滋味，他只是害怕了，怕自己会和人鱼一样变得没有体温，他想借着公主爬到温暖有阳光的地方去生活。”

“那小美人鱼多可怜。”阳阳嘟着嘴说。

“王子也没能过上他想要的生活，美人鱼消失后，她化作的泡沫同样溺死了王子……”

“骗人，泡沫才不会溺死人呢！”

明子不答，她在心里说，会的，如果那泡沫里全是伤悲。

有风吹过，阳阳惬意地闭上眼睛。明子最后一次看向傅家园的小窗。窗前的美人蕉开花了，娇黄夺目的花朵在风中摇曳，傅镜殊把方灯被风吹乱的头发归于耳后。方灯将头转向了迎着风的方向，不知道想到了什么，她浅浅地笑了，脸上是她这一生仿佛从未有过的幸福安宁。